VENTOS DE PROFECIA NA AMAZÔNIA:
50 ANOS DA PRELAZIA DE SÃO FÉLIX DO ARAGUAIA

PUC GOIÁS

Grão Chanceler
Dom Washington Cruz, CP

Reitora
Profa. Olga Izilda Ronchi

Editora da Pontifícia Universidade Católica de Goiás

Pró-Reitora de Pós-Graduação e Pesquisa
Presidente do Conselho Editorial
Profa. Milca Severino Pereira

Coordenador da Editora da PUC Goiás
Prof. Lauro Eugênio Guimarães Nalini

Conselho Editorial
Milca Severino Pereira | Pontifícia Universidade Católica de Goiás
Alba Lucínia de Castro Dayrell | Academia Feminina de Letras e Artes de Goiás
Angel Marcos de Dios | Universidade Salamanca, Espanha
Catherine Dumas | Université Sorbonne Nouvelle, Paris 3, França
Edival Lourenço | União Brasileira de Escritores
Francisco Carlos Félix Lana | Universidade Federal de Minas Gerais
Hussam El-Dine Zaher | Universidade de São Paulo
Isabel Ponce de Leão | Universidade Fernando Pessoa, Portugal
Jack Walter Sites Jr. | Brigham Young University, USA
José Alexandre Felizola Diniz-Filho | Universidade Federal de Goiás
José Maria Gutiérrez | Instituto Clodomiro Picado, Costa Rica
Lêda Selma de Alencar | Academia Goiana de Letras
Marcelo Medeiros | Universidade Federal de Goiás
Marcelo Rodrigues de Carvalho | Universidade de São Paulo
Nelson Jorge da Silva Jr. | Pontifícia Universidade Católica de Goiás
Paulo Petronílio Correia | Universidade de Brasília
Steven Douglas Aird | Okinawa Institute of Science and Technology, Japan

Antônio Canuto

VENTOS DE PROFECIA NA AMAZÔNIA: 50 ANOS DA PRELAZIA DE SÃO FÉLIX DO ARAGUAIA

Goiânia, GO | Brasil | 2021
São Paulo, SP

© 2021, by Antônio Canuto

Editora da Pontifícia Universidade Católica de Goiás
Rua Colônia, Qd. 240C, Lt. 26-29, Chác. C2, Jardim Novo Mundo | CEP 74.713 – 200
Goiânia, Goiás, Brasil
Coordenação | +55.62.3946.1816 | coordenacao.editora@pucgoias.edu.br
Secretaria | +55.62.3946.1814 | secretaria.editora@pucgoias.edu.br
http://www.pucgoias.edu.br/editora

Paulinas Editora
Rua Dona Inácia Uchoa, N. 62, CEP 04.110 – 020
São Paulo, São Paulo, Brasil
+55.11.2125.3500 | editora@paulinas.com.br
http://www.paulinas.com.br
Telemarketing e SAC: 0800-7010081

Comissão Técnica

Biblioteca Central da PUC Goiás
Normatização

Keila Matos
Revisão

Humberto Melo
Editoração eletrônica e Design de Capa

"Amigos da Prelazia", por Bárbara Bruna Moreira Ramalho
Imagem de Capa

Dados Internacionais de Catalogação na Publicação (CIP)
Biblioteca da Pontifícia Universidade Católica de Goiás, GO, Brasil

---

C235v   Canuto, Antônio
       Ventos de profecia na Amazônia : 50 anos da prelazia
de São Félix do Araguaia / Antônio Canuto. -- Goiânia
: Ed. da PUC Goiás, 2021.
       392 p.: il.; 16 x 22,5 cm.

       Bibliografia.

       ISBN 978-65-992922-8-6 - Ed. da PUC Goiás
       ISBN 978-65-5808-073-2 - Paulinas

       1. Igreja Católica - Prelazia de São Félix (MT e GO).
2. Missões - São Félix do Araguaia (MT). 3. Índios
da América do Sul - Brasil - Missões. . I. Título.

CDU: 27-76

Todos os direitos reservados. Nenhuma parte desta obra pode ser reproduzida, armazenada em sistema
de recuperação ou transmitida de qualquer forma ou por qualquer meio (eletrônico, mecânico, fotocópia,
microfilmagem, gravação ou outro) sem a expressa permissão do(s) detentor(es) do *copyright*, conforme a
Lei nº 9.610, de 19 de fevereiro de 1998.

Impresso no Brasil

A o Bispo Pedro Maria Casaldáliga Plá (*in memoriam*), que fez sua Páscoa no dia 08 de agosto de 2020, quando esta obra passava por revisão. Ao lado dele padres, religiosas, leigas e leigos, irmanados no batismo, que se tornaram parceiras e parceiros na construção de uma Igreja na Amazônia focada na implantação do Reino de Deus. Sua radical fidelidade ao Pai, de todos os nomes, e ao Filho, que se tornou um de nós, alicerçaram sua coerência entre a Palavra e a prática ao lado dos pobres. A profecia encontrou na poesia a expressão de sua fé, de sua indignação e de sua rebeldia diante de tudo o que agredia a dignidade humana e a imagem do Criador.

A Dailir Rodrigues da Silva, minha companheira, que faz questão de afirmar ter nascido nesta Igreja na qual foi agente pastoral; a Luana, João Pedro e a Irene, meus filhos, e a Harry Thiago, meu neto, que se incomodavam ao me ver o dia inteiro diante do computador pesquisando e escrevendo.

A todos que dedicaram parte de suas vidas à construção desta Igreja em meio a fortes banzeiros, representados por meus companheiros e irmãos, Eunice Dias de Paula e Luiz Gouvêa de Paula, agentes da primeira hora, há 50 anos na Prelazia onde atuam junto ao povo Apiãwa – Tapirapé, por eles alfabetizados e por eles até hoje acompanhados.

AGRADECIMENTOS

À PUC Goiás, por ter acolhido prontamente o pedido para publicação deste livro contribuindo de modo significativo para sua produção. Chegou a alterar o cronograma de trabalho da editora para entregar a obra antes do primeiro aniversário da morte do bispo Pedro.

A todos aqueles e aquelas, tanto na região da Prelazia de São Félix do Araguaia quanto em diversos outros quadrantes do país, que abraçaram como própria esta obra e se empenharam na divulgação da mesma.

Àqueles e àquelas que generosamente contribuíram financeiramente para possibilitar a produção deste livro.

Todos os que, de alguma forma, contribuíram para tornar realidade esta obra estão participando da preservação da memória e da casa em que Pedro viveu a maior parte de seus dias em nosso país. Pelo menos 50% do que se arrecadar com este trabalho serão revertidos para esta preservação.

O conjunto das pessoas que fizeram parte deste mutirão nos mostra que uma grande família se formou ao redor desta Igreja que, mesmo perdida na imensidão da Amazônia, mobilizou mentes e corações em torno a um projeto de Igreja a serviço dos excluídos e invisilizados de nossa sociedade.

SUMÁRIO

15 PREFÁCIO

27 APRESENTAÇÃO

31 INTRODUÇÃO

39 PRIMEIRA PARTE
MISSÕES RELIGIOSAS NO MÉDIO ARAGUAIA

41 Primeiros Contatos com os Karajá
41   Em posição de guerra
43   Às margens do Araguaia
43   Primeira missa na Ilha do Bananal

45 22 Dias de Viagem ao Encontro dos Tapirapé

47 Prelazia de Sant'Anna da Ilha do Bananal

49 A Prelazia de Conceição do Araguaia em Santa Terezinha
50   Um padre para Santa Terezinha
51   Conflitos apressam saída

53 Missão Evangélica Pioneira
54   Lágrimas de dor
54   Conflitos estranhos
55   "O povoado Católico Romano"
56   Intrigas e ataques

59 Igreja Adventista junto aos Karajá

63 Missão São Francisco Xavier em Mato Verde

65 Um Povoado que se Chamou São Félix

67 As Irmãzinhas de Jesus
68   Outras pessoas se juntam à missão
69   Padre Francisco Jentel e os irmãozinhos Henri e Roberto
69   Padre João Chaffarod

71	Fraternidade Karajá, uma Fraternidade num Barco
73	Novos Desafios
73	A educação, a saúde, a evangelização, o desenvolvimento
74	Reocupando a casa
74	A evangelização
75	Colaboradoras e colaboradores
76	Com os Tapirapé, as Irmãzinhas enfrentaram a luta pela terra

**79 SEGUNDA PARTE
UMA IGREJA PERSEGUIDA EM TEMPOS
DE REPRESSÃO**

81	**Os Missionários Claretianos Assumem uma Nova Missão**
83	A vida dos missionários no Araguaia
84	Atendimento a fazendas
87	Paulo VI Cria a Prelazia de São Félix do Araguaia
87	Por onde começar? Os grandes desafios
88	Educação
90	Saúde
91	Ferindo interesses
93	Atendimento Pastoral – Campanhas Missionárias
93	A questão da terra
95	Em Serra Nova
97	Nomeação do Padre Pedro Casaldáliga como Bispo
101	O Araguaia é Testemunha
101	Chapéu de palha
102	"Um documento cheio de dores"
103	Repercussão nacional
104	Documento "Limpo, Preciso e Imparcial"
105	Reações à Carta
106	Algumas pontuações sobre a carta pastoral
108	Impressão da Carta
109	Denúncias do Bispo não Afetam Comportamento dos Fazendeiros
110	O conflito se acirra
115	Padre Francisco Jentel: Condenado, Preso e Expulso do Brasil
117	Condenação

121	**Fechando o Cerco**
121	Vocação missionária?
123	Revelações
123	Prepotência

125	**À Busca de Pretextos para Desmantelar a Ação da Igreja**
125	Invasão, prisão e sequestro
126	De volta, outra vez
127	Burlando a vigilância
127	Nenhum padre escapa
128	O Estado procura se tornar presente

131	**A Fé se Fortalece na Perseguição**
132	Interrogatórios e tortura
133	A fé que sustenta

137	**A Solidariedade Reforça a Comunhão**

141	**O Martírio do Padre João Bosco Libertou o Povo da Prisão do Medo**
143	A cadeia cai
144	Mutirão de construção

147	**A Prelazia Não Agradava a Todos na Igreja**
147	As incompreensões na Igreja
148	Se fosse eu o presidente, teria-no expulso
149	Dom Sigaud acusa o bispo Pedro de comunista

155	**Ultrapassando as Fronteiras da Prelazia**
155	O grupo-não-grupo de bispos
156	O Conselho Indigenista Missionário
157	A Comissão Pastoral da Terra
158	A pátria grande

163	**O Bispo Pedro Incomodava o Vaticano**
163	As primeiras advertências
164	As publicações da Prelazia
165	Visitas à Nicarágua
165	Visita ad Limina
166	Carta ao Papa
169	Queriam que o Bispo Pedro se Calasse
169	Pedro vai a Roma
169	A Intimação

173	Entre Processos de Expulsão e Ameaças de Morte
173	Já antes de sua ordenação episcopal
174	Um louco?
174	Melhor expulsá-lo
175	Buscando justificativas
176	Montando o circo
178	A morte de perto
179	Nova investida para expulsão
180	Mais um boato
181	Agressão
181	"Se eu puder, eu mato o bispo Pedro Casaldáliga"
183	Vida a prêmio
187	Alguns Fatos Desconcertantes
187	Na mira da organização internacional de mercenários
187	Pessoas estranhas
188	Organização poderosa
189	Influência na igreja
190	Entre a suspeita e o controle
190	Onde estão os transmissores?
191	Furando o cerco
191	Censura e mentiras
192	Instrumentos de controle
193	Sonhos, Flores e Cores
197	TERCEIRA PARTE
	A ORGANIZAÇÃO INTERNA DA PRELAZIA
199	Os Primeiros Atendimentos às Comunidades
199	Uma nova ação pastoral
201	Preocupação pastoral com os Karajá
203	A Região Muda de Cara
207	Novas Equipes de Pastoral
209	Vila Rica
209	Confresa
210	Querência
211	Alto Boa Vista
211	Bom Jesus do Araguaia
213	Uma Comunidade Ecumênica – Experiência Inovadora

217	As Reuniões da Equipe Pastoral
219	O que estes compromissos significavam na prática
221	Povo em Assembleia
222	Envolvimento maior
222	Assembleia representativa
225	Levantamento e Avaliação Pastoral
226	Quatro grandes temas
229	Conselhos de Pastoral
231	Preocupação com a Formação
232	De olho nos materiais produzidos
234	Formação para ministérios ordenados
237	Uma Igreja na qual Leigas e Leigos tinham Voz
237	Leigas e leigos na equipe pastoral
237	Procurando servir
238	Energia e sonhos a serviço do povo
240	Vida de muitos encontros
243	Religiosas Respondendo aos Apelos
244	Abrindo novos caminhos
245	Tensão e angústia
246	Outras congregações de religiosas
249	Nos anos mais recentes
249	Busca de um compromisso real com os pobres
251	Padres Integrados na Vida do Povo
251	Padres claretianos
252	Padres diocesanos
254	Outros padres religiosos
257	A Casa da Equipe Pastoral em São Félix
259	Mulheres que Marcaram a Caminhada
259	Irmãzinha Genoveva de Jesus
260	Irmã Irene Franceschini
261	Conservar a memória
263	Nem Tudo São Flores
264	O bispo sofria críticas
265	Outras situações
266	A realidade mudou
267	O econômico também faz a diferença

267	Manual da Prelazia de São Félix do Araguaia

269	Prelazia na Diáspora
269	Associação Araguaia com o bispo Pedro
269	Os 'preláticos' ou os cabras da Prelazia

271	QUARTA PARTE AÇÕES DA EQUIPE PASTORAL

273	Alvorada – Comunicação a Serviço da Vida
273	25 Anos a serviço do povo
274	Correio de amizade
275	A vida continua
276	Objeto de estudo
276	Boato e prisão

279	Educação Transformando a História
279	Curiosa visita
280	Estou lendo
281	Projeto Inajá
282	Parceladas

285	Educação entre os Apyãwa – Tapirapé
288	Uma escola assumida pelos Tapirapé

291	Cultura – Instrumento para Despertar a Consciência da Própria Dignidade
291	Meu padim...
292	Desobrigas culturais
292	Peleja das piaba do Araguaia...
293	Intensa movimentação cultural
294	A misteriosa viagem...
294	Araguaia Pão e Circo
295	A semente germinou

297	Saúde: entre a Solidariedade e a Organização
298	Médicos a serviço do povo
299	Organização
299	"Aos amigos, tudo, aos inimigos, a lei"
300	Encontros de saúde

303	No Campo dos Direitos Político-Sociais
303	Associação de Educação e Assistência Social Nossa Senhora da Assunção
303	Sindicatos

304	Organizações de Mulheres
304	Centro de Direitos Humanos
304	A luta partidária
307	QUINTA PARTE A SUCESSÃO DO BISPO PEDRO
309	A Renúncia
313	Angustiante Espera
314	As repercussões
317	Novo Bispo
319	Com os Sucessores, a Palavra
319	Memórias de um Iniciante – Dom Leonardo Ulrich Steiner
329	Diocese de Goiás e Prelazia de São Félix do Araguaia, Igrejas Irmãs – Dom Eugênio Rixen
332	É Impossível Desanimar – Dom Adriano Ciocca Vasino
337	POSFÁCIO
343	REFERÊNCIAS
347	ANEXO
347	Carta pastoral do Bispo Pedro Casaldáliga por ocasião de sua ordenação episcopal em outubro de 1971

PREFÁCIO

Ventos de Profecia na Amazônia é fruto de minuciosa pesquisa, oferecida em relato muito bem documentado, e ao mesmo tempo vibrante, acerca dos 50 anos da Prelazia de São Félix do Araguaia.

Seu território, no estado do Mato Grosso, ocupa vasta região, maior que a dos estados do Rio de Janeiro, Rio Grande do Norte, Sergipe e Alagoas juntos. Fica a cavaleiro entre dos dois maiores biomas do Brasil, o Cerrado, na parte sul e a Amazônia, ao norte. É zona de transição e de fronteira em todos os sentidos: ecológico, de rios, plantas, animais, aves e peixes, mas também humano, na diversidade de povoamento entre povos indígenas, antigos ribeirinhos, migrantes nordestinos e recentes levas de gaúchos, catarinenses, paranaenses, goianos e de famílias e trabalhadores de outros estados.

De um lado, povo dos rios, da pequena posse de terra e de economia de subsistência, roçado de mandioca, milho, feijão, mais pesca e caça, terra legitimada pelo suor dos braços e da lide diuturna de quem amanhou a terra e a povoou com filhos, filhas e muitos netos, que ali foram criados, por gerações, ao lado dos porcos, das galinhas e de algumas cabeças de gado. Do outro, imensos latifúndios incentivados com abundantes recursos do governo federal.

Para os deslocamentos, de um lado, o reino das pirogas indígenas, canoas e voadeiras dos que tem pressa. De outro, o reino dos tratores, das Toyotas, de reluzentes C-10, carros, caminhões e ônibus.

Ao longo do Araguaia a vida gira ao ritmo lento de suas águas ou ao passo de burros e bicicletas pelas veredas estreitas. No rio, a vida é tocada pela força de remos ou por pequenos motores de popa; do lado da estrada, o quotidiano e a economia são movidos pelo ronco dos motores pesados e a velocidade das motocicletas.

A Prelazia está entalada entre dois grandes rios, o encachoeirado e impetuoso Xingu e o mais plácido e navegável Araguaia. O povoamento nos tempos da criação da Prelazia era escasso e dependia do transporte pelo Rio Araguaia.

A cidadezinha de São Félix encontra-se à margem esquerda do Araguaia, defronte à aldeia de Santa Isabel do Morro do povo Iny Karajá. Deles escreve Lima Filho (1999): "Apesar da longa convivência com a sociedade nacional os Karajá preservam muitos de seus costumes tradicionais como a língua nativa, as bonecas de cerâmica, pescarias familiares, rituais, cestaria e pinturas corporais como os característicos dois círculos na face". Os Karajá dividem o território da ilha do Bananal, com seus irmãos, os Javaé, que ficam mais ao leste da Ilha, junto ao rio Javaé, considerado um braço menor do Rio Araguaia. Juntos abraçam e configuram a Ilha do Bananal, considerada a maior ilha fluvial de todo o mundo.

A história da Prelazia vem profundamente marcada pela presença de dois outros povos indígenas, os Xavante e os Tapirapé. Os Xavante foram arrancados à força do seu território em 1966 e transportados de avião pela FAB para a missão salesiana de São Marcos, município de Barra do Garças, a fim de deixar 'livre' sua terra para projeto agropecuário do Grupo Ometto de São Paulo. Retornaram quarenta anos depois à sua terra Marãiwatsédé. E só em 2012 é que conseguiram recuperar parte do seu território bastante devastado, graças à sua denodada luta pelo direito à terra ancestral, à prolongada batalha jurídica nos tribunais e ao delicado e conflituoso processo de desintrusão, ou seja, de retirada dos não indígenas daquela terra retalhada, invadida, desmatada e ocupada. O povo Xavante contou sempre com o apoio incondicional da Prelazia, do Conselho Indigenista Missionário (CIMI) e de outras associações e organismos de apoio à causa indígena.

Os Tapirapé teceram laços únicos de afeto, comunhão e mútuo bem-querer com as Irmãzinhas de Jesus, filhas espirituais de Charles de Foucauld quem desde 1952, instalaram-se de maneira permanente junto a eles, em sua aldeia à margem do Lago Tapirapé, a uns 4 quilômetros de sua desembocadura no Rio Araguaia. Foram para lá, para se tornarem "Tapirapé com os Tapirapé" e assim o fizeram (JESUS, 2002). Caso único de uma comunidade religiosa feminina, isolada numa aldeia indígena com contatos limitados com o exterior, dando testemunho de serem simplesmente irmãs entre irmãos. Cumpriram de maneira exemplar ao longo de setenta anos o que evoca o Papa Francisco a respeito de Charles de Foucauld, ao término de sua *Encíclica Fratelli Tutti*:

> O seu ideal duma entrega total a Deus encaminhou-o para uma identificação com os últimos, os mais abandonados no interior do deserto africano. Naquele contexto, afloravam os seus desejos de sentir todo ser humano como um irmão, e pedia a um amigo: 'Peça a Deus que eu seja realmente o irmão de todos'. Enfim queria ser 'o irmão universal'. Mas somente identificando-se com os últimos é que chegou a ser irmão de todos. Que Deus inspire este ideal a cada um de nós. Amém! (FT 288).

O autor, Antônio Canuto, junta a pesquisa rigorosa nos arquivos e a escuta atenta e devidamente registrada de testemunhos orais com a tomada de distância de quem quer analisar, organizar, comparar, retificar e completar a memória dos acontecimentos. Aqui e ali afloram, entretanto, a paixão e emoção de quem foi testemunha ocular e inúmeras vezes protagonista nesta saga dos 50 anos da Prelazia. Nesses casos, a narrativa salta honestamente para o relato em primeira pessoa, mas cuidadosamente apoiada em documentos e no testemunho de outras pessoas.

A Prelazia começou a ser preparada em 1968, ano da realização da Conferência de Medellín, considerada a ata de nascimento e de batismo de uma Igreja com rosto latino-americano. Naquele ano, chegou ao Araguaia a congregação dos claretianos para servir eclesial e socialmente à população daquele imenso território de cerca 150.000 quilômetros quadrados.

A Prelazia foi criada oficialmente a 13 de maio de 1969. Foi designado para seu primeiro prelado o Pe. Pedro Casaldáliga.

O autor Antônio Canuto chegou ao Araguaia em 1971, como padre, incorporado à equipe pastoral da Prelazia de São Félix, coordenada por Pedro Casaldáliga. Viveu por 26 anos nessa região da Prelazia, a maior parte naqueles tempos severos e sangrentos de repressão da ditadura militar. Em 1972, teve que substituir o padre Francisco Jentel, no povoado de Santa Terezinha.

Jentel fora procurado, processado e condenado por crime contra a Segurança Nacional e, por fim, expulso do Brasil, acusado de ser o responsável pela reação dos posseiros diante da violência da grande empresa Codeara, do grupo Banco de Crédito Nacional (BCN). A empresa declarou-se dona e proprietária daquelas terras todas e até mesmo da pequena vila existente no local, há mais de 50 anos.

Em 1997, Canuto mudou-se para Goiânia (GO) para contribuir com a Secretaria Nacional da Comissão Pastoral da Terra (CPT). Atuou como coordenador nacional, secretário da Coordenação Nacional e no Setor de Comunicação. Ele mesmo relata acerca da nova obra:

> Este livro começou a ser escrito esses dias atrás, em 1972, quando teve o grande conflito em Santa Terezinha com a empresa Codeara, e eu fui lá para ficar uns 4 ou 5 dias para acompanhar o conflito, e acabei ficando por 13 anos. E, diante daquela situação, eu comecei a escrever o que estava ocorrendo ali, rascunhei tudo à mão, pois não tinha computador, não tinha nada disso, e depois datilografei. E isso ficou guardado lá no arquivo da Prelazia de São Félix do Araguaia.

Ao se aposentar do trabalho diário na Secretaria Nacional da CPT, ele resgatou aqueles escritos que havia feito e juntou-o com as ricas histórias da seção intitulada Retalhos de Nossa História, do jornal *Alvorada*, da Prelazia de São Félix. Ele mesmo recorda e contextualiza:

> Nesta seção eram publicadas matérias garimpadas, nos espaços mais diversos, que tinham a ver com a história da região, sem a preocupação de se ater a critérios de ordem cronológica ou de concatenação de fatos. Era uma riqueza sem par de informações. Valia a pena publicá-las num livro. Mas, para isso, era preciso organizar e ordenar o que estava escrito para que o povo da região e, sobretudo, as escolas tivessem um material que informasse adequadamente todo o processo de formação e ocupação do território.

Ao longo desses anos no Mato Grosso, conheceu de perto como os grandes empreendimentos chegaram à região, no período da ditadura brasileira, com o discurso de 'desenvolver' a Amazônia. Na realidade, porém, o que buscavam eram os recursos abundantes que o governo oferecia. Com imensas áreas sob seu domínio, inclusive núcleos urbanos, e com muito dinheiro, usaram de todos os artifícios imagináveis, para expulsar as poucas famílias de posseiros existentes e invadir as terras indígenas.

Assim, o livro também aborda como os sertanejos foram chegando ao Araguaia e se estabelecendo naquela região. "Toda a ocupação desse território, por não-indígenas, é muito recente, coisa de uns 100 anos apenas", destaca Canuto.

Para Antônio Canuto, pode-se afirmar, com segurança, que a ocupação desse território foi um processo de resistência e luta de indígenas, posseiros e posseiras, pequenos agricultores e agricultoras para defender e conquistar os territórios que ocupavam diante de uma invasão galopante do grande capital, incentivado pelo governo federal através da Superintendência do Desenvolvimento da Amazônia (Sudam) e de outros programas governamentais.

Canuto já nos havia brindado outro estudo da maior relevância, *Resistência e luta conquistam território no Araguaia Mato-Grossense* (CANUTO, 2019): "Ali, recolhe a luta e resistência de indígenas e posseiros contra a invasão de seus territórios e pequenas posses de terra pelo latifúndio e o agronegócio".

Agora, neste seu novo livro, debruça-se sobre a história religiosa desse mesmo território e o papel desempenhado pela criação da Prelazia de São Félix do Araguaia e sua posterior atuação.

Podemos nos perguntar: Qual a relevância social, política e eclesial deste estudo que recolhe a trajetória de 50 anos da Prelazia de São Félix do Araguaia?

À época dos eventos aqui relatados, intuía-se, mas não se tinha ainda clara consciência, dos efeitos catastróficos dos eventos climáticos extremos e da urgência e gravidade da crise ecológica alçada ao topo da agenda política, econômica e social em nível mundial.

Nessa agenda, em que a Amazônia passou a ocupar um lugar crucial, basta citar o impacto da encíclica *Laudato Si* do Papa Francisco (2019), em maio de 2015, meses antes da Conferência do Clima/ COP 21, em dezembro em Paris, sobre as mudanças climáticas e o sumo interesse suscitado pelo Sínodo Extraordinário da Amazônia, em outubro de 2019, que provocou durante a Assembleia a celebração de um novo Pacto das Catacumbas, desta vez pela Casa Comum. Foi seguido pela rápida divulgação da Exortação pós-sinodal Querida Amazônia, a 02 de fevereiro de 2020[1].

A eleição de John Biden nos Estados Unidos e sua tomada de posse em janeiro de 2021 colocou um ponto final aos anos de negacionismo e desvario climático do governo Trump, com a retirada de seu país dos Acordos de Paris. Biden erigiu como prioridade número um de seu plano de governo, ao lado do enfrentamento da pandemia do Corona Vírus, o engajamento norte-americano no combate ao aquecimento global e o compromisso concreto de se caminhar para uma economia livre de carbono.

Ora, desde seu nascedouro, a Prelazia de São Félix colocou no centro de suas preocupações os graves crimes contra os povos indígenas, ribeirinhos, posseiros e outras populações tradicionais e a assustadora devastação da Amazônia.

Luta de Davi contra Golias, mas que foi levada adiante nas circunstâncias mais desfavoráveis, tendo contra si o governo militar e seu projeto de 'ocupação' e 'desenvolvimento' da Amazônia, a ferro e fogo, sem respeito algum ao povo que ali vivia, sem qualquer cuidado com a natureza e a preservação ambiental. O governo financiou através da Sudam e 'legalizou' a ocupação do território pelo latifúndio, a derrubada da floresta e sua conversão em pastagens.

A Prelazia teve contra si todo o grande capital nacional e internacional fosse ele comercial, industrial, financeiro. O capital gozou de isenção de impostos, fartos subsídios, financiamentos generosos e todo o apoio militar, jurídico e o que mais necessário fosse para incentivar e depois acobertar seus crimes ambientais e humanos.

A Prelazia sofreu o ataque sistemático da grande imprensa, escrita, falada e televisiva, ou seja jornais e revistas, rádios e cadeias televisivas, numa constante guerra de informações distorcidas, calúnias, mentiras e difamações em que era apontada como sendo "contra o progresso" do país e mancomunada com interesses estrangeiros interessados na "internacionalização da Amazônia".

---

1 Exortação Apostólica pós-sinodal Querida Amazônia. Disponível em: https://www.vatican.va/content/francesco/pt/apost_exhortations/documents/papa-francesco_esortazione-ap_20200202_querida-amazonia.html. Página visitada em 09/06/2021.

O que aconteceu na Prelazia, foi um *trailer* do desastre anunciado, que iria se espraiar nos anos posteriores por toda a Amazônia, com uma diferença notável. Ali, houve, desde os primeiros dias, denúncia documentada, dos desmandos ambientais e sociais, denodada resistência dos pequenos, com o apoio da Igreja local, o compromisso sem hesitação ao lado dos perseguidos numa luta constante, para que o grito abafado dos expulsos de sua terra, dos indígenas deslocados ou dizimados chegasse à opinião pública e sensibilizasse o restante da Igreja e da sociedade.

A Prelazia esteve à frente e ao lado das principais iniciativas que o enfrentamento dessa emergência ecocida em relação à terra, às águas e à floresta; etnocida em relação aos povos indígenas, genocida em relação aos posseiros e ribeirinhos.

Ventos de profecia na Amazônia vem para atalhar o risco de se perder a memória subversiva do que representou para a Igreja e a sociedade o profetismo da Prelazia.

O livro está dividido em cinco blocos.

Resgata, no primeiro, a passagem de missionários jesuítas, seguidos de dominicanos, na prática das desobrigas anuais e na fixação dos primeiros postos missionários e prelazias em Conceição do Araguaia e Santa Isabel do Bananal, com incursões de salesianos vindos do sul.

A segunda parte traz por título Uma Igreja Perseguida em Tempos de Repressão. A Prelazia esteve no olho do furacão da tormenta, por se opor corajosa e profeticamente à violência de uma ocupação desabrida da região com todo o apoio do regime militar e sustentada pela mão pesada da repressão. Posseiros e suas famílias tiveram suas casas queimadas e suas roças destruídas, agentes de pastoral, padres e o bispo sofreram prisão, muitos deles, torturas, outros expulsão do país como foi o caso do Pe. Francisco Jentel.

Padre João Bosco Penido Burnier SJ foi assassinado a sangue frio ao lado do bispo, quando foram até a Delegacia de Ribeirão Bonito interpelar os policiais que estavam torturando duas mulheres de posseiros. Pe. João Bosco recebeu uma bofetada no rosto, depois uma coronhada e um tiro fatal no crânio.

Na localidade, foi erigido depois o Santuário dos Mártires da Caminhada, que recebe de todos cantos do país e mesmo de fora os que vêm ali rezar, mantendo viva a memória de conhecidos e anônimos que deram sua vida pela defesa dos pequenos e pela causa da justiça. A Romaria dos Mártires[2] faz convergir para o santuário pessoas de todo o Brasil e até do exterior, que não deixam perder essa memória fixada no grande painel do artista Cerezo Barredo[3] com os rostos dos mártires de todo o continente, colocando lado a lado os martirizados do passado, o chefe guarani Sepé Tiaraju, o líder dos quilombos de Alagoas, Zumbi dos Palmares e também os de hoje como Enrico Angelelli da Argentina e Mons. Oscar Arnulfo Romero, de El Salvador (DIAS, 2014). Memória recolhida, recitada nos poemas de Pedro Casaldáliga, registrada em vídeos e filmes e cantada em inúmeras composições de artistas da caminhada, como o célebre Pai Nosso dos Mártires, de Cirineu Kuhn.[4]

Os sofrimentos vieram dos inimigos de fora, dos donos dos latifúndios e do Estado ditatorial, mas não faltaram também os provocados por inimigos de dentro da Igreja, irmãos que acusaram o irmão e que lograram converter o apoio incondicional do Papa Paulo VI à Prelazia, ao seu bispo e aos seus trabalhos pastorais, em suspeitas e reprimendas vindas do alto. Dom Pedro foi intimado a apresentar-se em Roma, em tempos de João Paulo II, para justificar a linha pastoral da Prelazia e sua solidariedade ao sofrido povo da Nicarágua, em meio à guerra de baixa intensidade, mas na verdade, de muitas mortes e destruição, patrocinada pela administração Reagan, com seu apoio aos "contra" e outros grupos de oposição armada ao governo sandinista.

A terceira parte debruça-se sobre a vida interna da Igreja, com suas comunidades de base e pastorais, o florescimento dos ministérios leigos, o protagonismo das mulheres, o esforço por uma condução compartilhada a todos os níveis em relação às opções da pastoral e às decisões administrativas.

---

2 A próxima Romaria está programada, se a pandemia permitir, para os dias 17 e 18 de julho de 2021, tendo como tema Tudo pelo Reino. Disponível em: https://www.facebook.com/catolicospelapaz/posts/661866331057033/. Acesso em: 09 jun. 2021.

3 Maximino Cerezo Barredo, CMF, é um presbítero católico, religioso claretiano, artista plástico espanhol, cujos murais, vitrais e quadros espalham- por Argentina, Peru, Brasil, Colômbia, Venezuela, Panamá, Guatemala, NicaráguaMéxico e Roma, com destaque para os "murais da libertação" na Prelazia de São Félix.

4 Pai nosso dos Mártires. Disponível em: https://www.cifraclub.com.br/ze-vicente/pai-nosso-dos-martires/. Acesso em: 09 jun. 2021.

A quarta parte ocupa-se das ações pastorais da Prelazia, no campo da comunicação, com seu boletim *Alvorada*, na esfera da educação popular e indígena, da cultura, da saúde, do engajamento em favor dos direitos humanos e da formação e atuação na arena política e social.

A última parte está dedicada à renúncia por idade do bispo Pedro Casaldáliga, apresentada ao completar 75 anos, no dia 16 de fevereiro de 2003. Seguiu-se a angustiante espera pela nomeação do sucessor e a vinda finalmente do novo bispo em 2005. A palavra é dada aos três bispos que assumiram o encargo da difícil e delicada transição, a Dom Leonardo Steiner, o bispo nomeado, a Dom Eugênio Rixen, de Goiás (GO), administrador apostólico, no período de saída de Dom Leonardo para a CNBB, até a chegada do atual bispo da Prelazia, Dom Adriano Ciocca Vasino.

O autor discorre sobre os fatos sem entrar nas muitas dimensões que fazem da Prelazia de São Félix de Araguaia uma referência obrigatória para a compreensão dos projetos de economia e modelos de sociedade em disputa na Amazônia; dos projetos eclesiais em disputa, de um lado, como reza o *Pacto das Catacumbas pela Casa Comum*[5], o de uma igreja inculturada, com rosto amazônico, aliada dos pequenos e de suas comunidades, "servidora e pobre, profética e samaritana" e, de outro, o de uma igreja acomodada ao lado dos poderosos e seus interesses ou indiferente ao que se passa ao seu redor e voltada apenas para assegurar batizados e missas.

Nesse sentido, foi feliz a ideia de reproduzir, em anexo ao livro, a Carta Pastoral divulgada por Pedro Casaldáliga, no dia de sua sagração episcopal e tomada de posse na Prelazia, a 23 de outubro de 1971: *Uma Igreja na Amazônia em conflito com o latifúndio e a marginalização social*[6].

---

5   Pacto das Catacumbas. Disponível em: http://cebsdobrasil.com.br/wp-content/uploads/2019/10/Pacto-das-Catacumbas-pela-Casa-Comum-convertido.pdf. Acesso em: 09 jun. 2021. O primeiro Pacto das Catacumbas, *Por uma Igreja servidora e pobre*, foi celebrado no mesmo local, nos últimos dias do Concílio Vaticano II, a dia 16 de novembro de 1965 (BEOZZO, 2015). Por gentil autorização da Editora, o arquivo pode ser baixado gratuitamente: 52846-3_PACTO DAS CATACUMBAS +final.pdf

6   O texto integral da carta datada de 10 de outubro de 1971 encontra-se disponível em: https://www.servicioskoinonia.org/Casaldaliga/cartas/1971CartaPastoral.pdf. Acesso em: 09 jun. 2021.

É um documento seminal para a história social e religiosa do país, um marco ao lado de quatro outros documentos coletivos daqueles mesmos anos: *Ouvi os clamores do meu povo* (06/05/1973), assumido por um grupo de treze bispos e cinco provinciais religiosos do Nordeste e puxado por dom Helder Camara, arcebispo do Recife, e Dom José Maria Pires, arcebispo da Paraíba; *Y Juca Pirama, o índio, aquele que deve morrer, documento de urgência de bispos e missionários* (25/12/1973)[7], sobre as ameaças aos povos indígenas e seu genocídio sobretudo na Amazônia; *Marginalização de um Povo – Declaração dos bispos do Regional Centro-Oeste, Goiânia (GO)* (06/05/1973), em que denunciam o modelo econômico e social concentrador de renda e promotor de desigualdade social e empobrecimento dos trabalhadores; e *Testemunho de Paz, declaração de Brodosqui dos bispos do Regional Sul I da CNBB* (08/06/1972), denunciando a sistemática violação dos direitos humanos por parte do regime militar e o uso sistemático da tortura contra os presos políticos para arrancar confissões.

A corajosa carta de Pedro Casaldáliga abriu o caminho para que outros grupos de bispos e alguns regionais tomassem coragem para se pronunciar e sobretudo criar instrumentos concretos de enfrentamento dos problemas ali levantados, em especial os relativos aos povos indígenas, com a criação do CIMI (1972), e aos conflitos no campo, com a criação da CPT (1975). Ambas as iniciativas encontraram em Dom Pedro Casaldáliga (e na Prelazia) um dos seus mais entusiastas articuladores e promotores.

Parabéns a Antônio Canuto, e profunda gratidão, por resgatar a história da Prelazia inserida na caminhada da Igreja do Brasil e companheira e parceira de tantas outras Igrejas da Pátria Grande Latino-americana, paixão e compromisso de toda uma vida da parte de Dom Pedro Casaldáliga.

Pe. José Oscar Beozzo
jbeozzo@terra.com.br
São Paulo, 12 de junho de 2021
Véspera da festa de Santo Antônio

---

7   Y Juca Pirama, o Índio, aquele que deve morrer. Disponível em: https://issuu.com/porantim/docs/120823131950-87492f2fdeed452da6721d1cb19b9d17. Acesso em: 09 jun. 2021.

REFERÊNCIAS

BEOZZO, José Oscar. *O Pacto das Catacumbas*. São Paulo: Paulinas, 2015.

CANUTO, Antônio. Resistência e luta conquistam território no Araguaia Mato-grossense. Outras Expressões. São Paulo: Expressão Popular, 2019.

DIAS, Arcelina Helena Públio. *Memória e libertação*: caminhos do povo e os murais da Prelazia de São Félix do Araguaia. São Paulo: Ave Maria, 2014.

EXORTAÇÃO Apostólica pós-sinodal Querida Amazônia. Disponível em: https://www.vatican.va/content/francesco/pt/apost_ exhortations/documents/papa-francesco_esortazione-ap_20200202_ querida-amazonia.html. Acesso em: 09 jun. 2021.

IRMÃZINHAS DE JESUS. *O renascer do povo tapirapé*: diário das Irmãzinhas de Jesus de Charles de Foucauld. São Paulo: Salesiana, 2002.

PACTO DAS CATACUMBAS pela Casa Comum – Catacumbas de Santa Domitilia – Roma, 21 de outubro de 2019. Disponível em: http://cebsdobrasil.com.br/wp-content/uploads/2019/10/Pacto-das-Catacumbas-pela-Casa-Comum-convertido.pdf. Acesso em: 09 jun. 2021.

PAI NOSSO DOS MÁRTIRES. Disponível em: https://www.cifraclub. com.br/ze-vicente/pai-nosso-dos-martires/. Acesso em: 09-06-2021.

PAPA FRANCISCO. Carta encíclica Laudato Si sobre o cuidado com a casa comum. São Paulo: Paulus, 2019.

PAPA FRANCISCO. *Fratelli Tutti sobre a fraternidade e a amizade social*. São Paulo: Paulus, 2020.

APRESENTAÇÃO

Pedro: uma luz que não se apaga

Na caminhada da humanidade algumas pessoas têm um papel único de iluminar os caminhos mais difíceis, menos acessíveis e mais turbulentos. São luzeiros, que colocam sua vida a serviço de animar e inspirar as pessoas, como o próprio Jesus Cristo.

No mundo em que vivemos, marcado por desigualdade, cultura do ódio, conflitos e opressão, conhecer pessoas como dom Pedro Casaldáliga é um privilégio e também uma responsabilidade.

Pedro foi conhecido como o bispo dos pés descalços, o bispo dos esquecidos. A sua vida, apesar da simplicidade com que foi vivida, reconhecida pelas vestes, pela casa simples em que sempre morou em São Félix do Araguaia, nunca foi discreta. Pelo contrário, ele a vivia com coragem, bravura e indignação. Por esse mesmo motivo cortava todas as amarras que o pudessem prender a títulos, que acumulou em vida, ou a cargos, e que o afastasse da coerência e do caminho traçado para si. Foi ameaçado de morte, mas nunca deixou que isso roubasse seus propósitos de vida.

Pedro foi um bispo que defendeu muitas lutas: pelos direitos humanos, pelas minorias étnicas e raciais, pelas mulheres, pelos lavradores e pelos sem-terra. Tinha suas causas como maiores que sua própria vida e as viveu desta forma até o último dia. Lutou todas as batalhas que pode, por um mundo mais fraterno e para que a terra fosse lugar de plantio, colheita e paz. Não gostava de ser chamado de dom, nem de bispo, nem de doutor. Era Pedro, dos pés descalços, do sotaque catalão, da voz grave e do olhar sempre repleto de atenção para com os mais excluídos.

Viveu o Evangelho desde a escolha por ser missionário em um Brasil marcado pela desigualdade social e econômica, pela ditadura militar e pelos conflitos ligados à terra. Ele deixou a Espanha marcada pelo franquismo para viver nas entranhas brasileiras, na realidade de chumbo de São Félix do Araguaia, dominada pelos conflitos da terra, para estar ao lado de centenas de milhares de camponeses sem-terra, pobres, analfabetos e oprimidos por políticos e coronéis.

Sua voz ganhou projeção internacional na denúncia dos conflitos agrários brasileiros e o colocou dentro da Igreja Católica como um revolucionário, por ser coerente seguidor dos ideais do evangelho, e uma fortaleza, por sua persistência em contrastar toda forma de opressão.

Em vida, Pedro sempre atribuiu às causas e não a si os reconhecimentos que recebia. Sua palavra e sua voz estavam a serviço das causas. Na PUC Goiás, em 2012, recebeu nesse espírito o título de Doutor Honoris Causa. Sua ação-missão inspirou o Conselho da Universidade, que a elegeu como exemplo para toda a comunidade educadora. A outorga nos desafiou a reconhecer e respeitar os valores desta pessoa para que iluminassem nossa caminhada acadêmica e pessoal. Com certeza, a vida de Pedro é um desafio, que incomoda e provoca reflexão crítica sobre nossas escolhas diárias. Ele também foi reconhecido pela Universidade Estadual de Campinas (Unicamp), pela Universidade do Estado do Mato Grosso (Unemat), pela Universidade Federal do Mato Grosso (UFMT) e pela Pontifícia Universidade Católica de São Paulo (PUC São Paulo), tornando-se referência de luta em tantas comunidades.

O título concedido ao bispo catalão pela PUC Goiás diz muito da relação dele com a igreja e com a universidade em Goiânia. Fazia parte da nossa comunidade, onde tinha amigos, companheiros de jornada, que comungavam os ideais de uma vida mais justa e livre. Foi um dos fundadores da Comissão Pastoral da Terra (CPT), na década de 1970, em uma caminhada conjunta com dom Tomás Balduíno, também Doutor Honoris Causa pela PUC Goiás, e do Conselho Indigenista Missionário (CIMI). Desde seus primeiros anos no Brasil, lutou em defesa dos povos indígenas e manteve uma relação muito próxima dos índios xavantes.

Também teve um papel relevante nas Comunidades Eclesiais de Base (CEBs), atuando com dom Antonio Ribeiro de Oliveira, arcebispo de Goiânia, para impulsionar o trabalho das CEBs e na organização do VI Encontro Intereclesial de CEBs realizado em Trindade, em 1986.

Pedro viveu 92 anos e deixou um legado de fé, de transformação e de amor ao próximo em cada comunidade onde semeou seus propósitos. Fazer a memória de Pedro é um exercício de homenagear este homem, mas também é uma obrigação para fortalecer as lutas das pessoas mais oprimidas, que encontravam em Pedro um incansável defensor.

Desde a sua despedida em 2020, nos reencontramos com suas poesias, suas entrevistas, suas cartas e suas palavras em diversos momentos, fazendo-o vivo em nossas vidas, em nossa comunidade. Este livro, que tive o prazer de ser convidada para apresentar, nos oferece mais uma oportunidade de contato com o exigente testemunho de Pedro Casaldáliga.

O autor, Antônio Canuto, conviveu com Pedro e compartilhou a missão em São Félix, no CIMI e na CPT. A obra detalha a caminhada de Pedro ao lado dos povos indígenas, sua missão religiosa, que percorreu o médio Araguaia, seguindo as correntezas do rio, casa de tantos povos originários e onde travou suas primeiras lutas contra as desigualdades, as perseguições e a devastação ambiental no Brasil. O corpo franzino abrigava um gigante nas ações, nas causas e no acolhimento aos mais pobres e excluídos.

A segunda parte desta importante publicação mostra como a fé de Pedro Casaldáliga reuniu milhares em torno de um mesmo objetivo, da mesma igreja, que extrapolou limites e fronteiras. Mas suas causas também despertaram o ódio, processos de expulsão e ameaças de morte, que não conseguiram calá-lo e nem o distanciar delas.

A publicação do livro é uma homenagem aos 50 anos da Prelazia de São Félix do Araguaia, criada pelo papa Paulo VI. Por isso, à organização da Prelazia é dedicado um capítulo que conta o início dos atendimentos à comunidade e a transformação que ela provoca na região de São Félix. Essas mudanças são descritas na quarta parte do livro, tratando das ações da equipe pastoral com foco na educação transformadora, na cultura, na comunicação a serviço da vida, na saúde e na formação política e social. Este capítulo da vida de Pedro Casaldáliga, talvez o maior deles, encerra-se com sua renúncia ao completar 75 anos, motivada também pela saúde já prejudicada. O bispo dos pés descalços não descansou. Continuou cuidando, mesmo a distância, do povo pobre, dos indígenas ameaçados em sua existência e de todas as causas que se confundem com sua vida.

Os documentos e a história que o livro apresenta confirmam a escolha que a PUC Goiás fez em 2012. Pedro Casaldáliga honrou ao extremo todas as causas que abraçou. E todas as causas que ele abraçou são merecedoras de nosso abraço e de nossa adesão. Por isso, apesar de não ter tido ele interesse em títulos, é doutor na e pela honra das causas com as quais continua nos provocando.

Que o exemplo e a trajetória de Pedro, que reencontramos neste livro, nos inspire e nos ilumine a fazer das nossas vidas instrumento e oportunidade de transformação social, pessoal e espiritual.

Olga Izilda Ronchi
Reitora da Pontifícia Universidade Católica de Goiás

INTRODUÇÃO

No dia 13 de maio de 1969, o papa Paulo VI, pela bula *Quo Commodius*, criou a Prelazia de São Félix do Araguaia para que a Igreja pudesse prestar um melhor atendimento pastoral às populações existentes naquela região geográfica.

A nova Prelazia foi composta pela divisão de outras três Prelazias. A maior parte da área pertencia à Prelazia de Registro do Araguaia (MT), que, em 29 de maio do mesmo ano de 1969, passou a se denominar Prelazia de Guiratinga (MT), cidade para onde foi transferida a sede da Prelazia. Hoje, a sede se encontra em Rondonópolis (MT), como Diocese de Rondonópolis-Guiratinga (MT).

Outra parte foi desmembrada da Prelazia da Santíssima Conceição do Araguaia (PA), e, a última, correspondente à Ilha do Bananal, da Prelazia de Cristalândia, no estado de Goiás (hoje, Tocantins).

A Prelazia de São Félix do Araguaia, ao ser criada, abrangia um território em torno de 150 mil km², com os seguintes limites geográficos: ao norte, a divisa dos estados de Mato Grosso e Pará; a leste, o rio Araguaia, incluindo seu braço menor, o rio Javaé, formando a Ilha do Bananal; a oeste, o rio Xingu; e, ao sul, partia da confluência dos rios Peixe e Araguaia e, seguindo uma linha traçada em direção noroeste, alcançava a confluência dos rios Cururu e das Mortes, continuando em linha reta até a confluência dos rios Couto de Magalhães e Xingu. A maior parte do território pertencia ao município de Barra do Garças, do qual São Félix era um distrito. A uns 70km ao norte de São Félix, situava-se o município de Luciara.

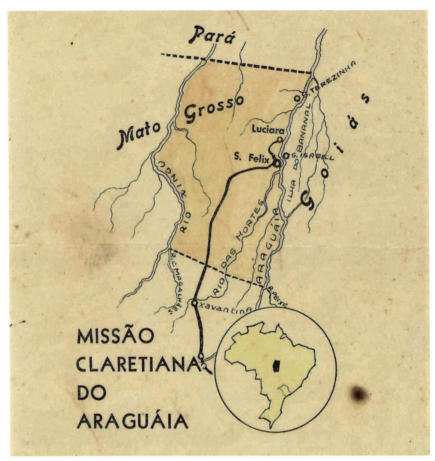

Figura 1: Missão Claretiana do Araguaia[1].

Durante a 33ª Assembleia Geral da CNBB, em 1995, e tendo se multiplicado os municípios na região, os bispos de Guiratinga, São Félix do Araguaia e Barra do Garças reuniram-se para estudar melhor os limites de suas dioceses, e, de comum acordo, enviaram ao Núncio Apostólico a proposta de uma nova divisão.

A alteração dos limites da Prelazia de São Félix seria ao sul e corresponderia aos limites dos municípios de Ribeirão Cascalheira e Querência. Já a totalidade do município de Canarana passaria a pertencer à Diocese de Barra do Garças. A parte do município de Cocalinho que

---

1 Mapa feito pelo padre Faliero Bonci, provincial da Província do Brasil Meridional da Congregação dos Missionários Filhos do Imaculado Coração de Maria, claretianos.

se localiza da confluência do rio Manacuru dos Antigos com o rio das Mortes até a confluência do rio Saudade com o Araguaia pertenceria à Prelazia de São Félix e o restante à Diocese de Barra do Garças.

Em 12 de fevereiro de 1996, um Decreto da Pontifícia Congregação para os Bispos oficializou esses novos limites.[2]

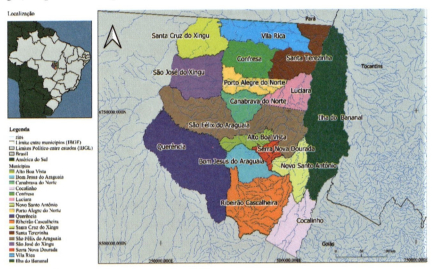

Figura 2: Área atual da Prelazia de São Félix
Fonte: Laboratório de Estudos de Movimentos Sociais e Territorialidades (LEMTO – UFF). Autor: Gabriel de Sousa Ferreira (julho, 2020).

Até a data da criação da Prelazia de São Félix do Araguaia, a parte norte que fora desmembrada da Prelazia de Conceição do Araguaia tinha um atendimento pastoral permanente, com presença de padre residente nos anos de 1933 a 1935 e, depois, a partir de 1955. No restante do tempo, os padres dominicanos de Conceição do Araguaia visitavam com frequência as comunidades ali existentes.

É de se notar que as divisas entre os estados do Pará e Mato Grosso só foram definitivamente implantadas em 1952, quando o marechal Cândido Rondon elaborou um mapa identificando essas

---

2 A superfície abrangida pela Prelazia de São Félix do Araguaia, depois do acordo de 1995, é de aproximadamente 128.658,1km². A população estimada pelo IBGE para 2019 para os municípios mato-grossenses da prelazia era de 152.307 habitantes. A esse número deve-se acrescentar a população da Ilha do Bananal. Ao todo a população da prelazia, no início do ano 2020, girava em torno de 160.000 habitantes (LEMTO – UFF. Autor: Gabriel Ferreira – julho 2020).

divisas. Até aquele momento, o rio Tapirapé era considerado a divisa entre os dois estados. Os que nasceram na região antes deste período foram registrados como paraenses.

A Ilha do Bananal, que passou a fazer parte da Prelazia de São Félix do Araguaia, já havia sido uma Prelazia sozinha, criada em 1924 e extinta em 1957, quando passou a fazer parte da Prelazia de Cristalândia (GO).

O restante da área da nova Prelazia de São Félix era atendido pelos padres salesianos da Prelazia de Registro do Araguaia, que visitavam a região algumas vezes ao ano.

A partir do momento em que missionários claretianos chegaram a São Félix, em 1968, já em vista da criação de uma nova circunscrição eclesiástica, a história da igreja, ali, passou a ter uma nova dimensão. Viviam-se os primeiros tempos pós Concílio Vaticano II (1962-1965) e, naquele ano, realizava-se a II Conferência do Episcopado Latino-Americano, em Medellín, na Colômbia, que traduziu, para a realidade latino-americana, os princípios do Concílio. Como resultado disso, a nova Igreja de São Félix, desde o momento em que foi criada, pautou-se por uma atenção não apenas preferencial, mas radicalmente voltada aos pobres. Mergulhou inteiramente no conflito social ali existente assumindo o lado dos pequenos, dos explorados e espoliados. Em consequência disso, sofreu diversas perseguições.

A Prelazia de São Félix do Araguaia foi oficialmente instalada no dia 25 de julho de 1970 e, no ano seguinte, foi ordenado seu primeiro bispo, o padre Pedro Maria Casaldáliga Plá, missionário claretiano.

As Fontes Deste Livro

Em 1991, o jornalzinho *Alvorada*, Boletim da Prelazia de São Félix do Araguaia, abriu uma nova seção em suas páginas, com o título Retalhos de Nossa História. Nela, foram sendo garimpadas matérias e informações que tinham relação com a história da região. Um dos elementos marcantes dessa história era a presença da Igreja. Durante mais de 12 anos, em cada edição, era publicado um retalho. Reunindo e organizando tudo, dava para ter uma ideia de como foi a história da região onde a Prelazia atuava.

A partir desse material, tendo como foco a ocupação e a conquista do território, no ano de 2019, publiquei o livro *Resistência e luta conquistam território no Araguaia mato-grossense*. Nele, dei atenção aos povos indígenas ali presentes e aos sertanejos que constituíram seus povoados ocupando novos espaços – todos vendidos pelo governo do estado de Mato Grosso e, depois, nos primeiros anos da ditadura militar, repassados às grandes empresas para o 'desenvolvimento' da Amazônia. Essas invadiram territórios indígenas e expulsaram milhares de famílias sertanejas. A essas empresas foram ofertados fartos incentivos fiscais. Os povos indígenas ali presentes lutaram para retomar parte dos territórios invadidos, e as famílias de posseiros resistiram bravamente às frequentes tentativas de expulsão das terras que ocupavam. Também ressaltei a chegada de famílias sem-terra que pleiteavam um pedaço de terra para viver e criar a família.

Retalhos de Nossa História, em muitas edições do *Alvorada*, também tratou de aspectos que tinham, como referência direta, a atuação da Igreja. As edições em que a Igreja estava mais diretamente envolvida foram a fonte primeira para esta nova publicação. Ela foi enriquecida com muitas novas pesquisas.

Quando já estava praticamente concluída a redação deste livro, tive acesso ao Arquivo Nacional. Lá, encontrei abundância de documentos produzidos pelos diversos órgãos da repressão da Ditadura Militar relacionados à atuação da Prelazia. Inseri, então, sobretudo em notas de rodapé, algumas informações lá colhidas.

Dividi o presente trabalho em cinco partes.

Na primeira parte, reuni o que, nas pesquisas, pude encontrar acerca da presença das Igrejas nesta região, a partir dos primeiros contatos com os Karajá e os Tapirapé.

A segunda parte está centrada na criação da Prelazia de São Félix do Araguaia e nos conflitos em que esteve envolvida nos primeiros anos.

A organização interna desta Igreja é o tema da terceira parte. Abordo como foram constituídos as equipes pastorais, os agentes pastorais atuantes, as assembleias do povo e os conselhos das comunidades.

A quarta parte reúne as ações que a equipe pastoral desenvolveu nas áreas de educação, cultura, saúde, promoção e defesa dos direitos sociopolíticos.

E, por fim, a quinta parte trata do processo de sucessão do bispo Pedro Casaldáliga (1971-2005). Aí, então, abri espaço para que Dom Leonardo Ulrich Steiner (2005- 2011) e Dom Adriano Ciocca Vasino (2012...) caracterizassem, eles mesmos, sua ação nessa prelazia. Dom Eugênio Rixen, que foi administrador apostólico entre a saída de Dom Leonardo para a secretaria geral da CNBB e a chegada de Dom Adriano, também tem a palavra.

Para fechar esta obra, reproduzimos a carta pastoral *Uma Igreja da Amazônia em Conflito com o Latifúndio e a Marginalização Social*, publicada em 1971, por ocasião da ordenação episcopal do padre Pedro Casaldáliga. Muitos a citam, mas poucos tiveram acesso a ela por sua edição limitada.

Conclui todo este trabalho no dia 31 de julho de 2020, data em que minha filha caçula, Irene, completava 15 anos, em plena pandemia do Coronavírus.

Logo depois de ter sido enviado para revisão, chegaram as notícias da piora da saúde do bispo Pedro Casaldáliga, sua transferência para Batatais (SP), onde os padres claretianos, sua congregação de origem, têm uma excelente estrutura para atendimento e acompanhamento aos membros doentes e idosos da congregação. Lá chegando, foi internado na Unidade de Tratamento Intensivo (UTI) da Santa Casa, onde, poucos dias depois, em 8 de agosto, veio a falecer.

Suas exéquias respeitaram o que ele vivera em vida. Em Batatais, na Capela do Claretiano Centro Universitário, a ornamentação juntou árvores queimadas e arame farpado compondo o cenário em que ele viveu, com destruição da floresta e o impedimento ao acesso à terra para os trabalhadores. Também ornamentavam o espaço uma bandeira do Movimento dos Trabalhadores Rurais Sem Terra (MST), artesanatos indígenas e uma camiseta da Comissão Pastoral da Terra (CPT), que ele ajudara criar.

Iniciou-se então a longa peregrinação de volta para São Félix do Araguaia. Primeiro passou por Aragarças (GO), na divisa com o Mato Grosso, na casa das Irmãs Claretianas, algumas das quais haviam atuado na Prelazia. Depois, a próxima parada foi no Santuário dos Mártires da Caminhada, em Ribeirão Cascalheira, santuário erguido para memória do padre João Bosco Penido Burnier, ali assassinado por um policial em frente a Pedro, que logicamente seria o destinatário da bala assassina. O Santuário, fruto da visão abrangente e ecumênica do bispo Pedro, se tornou o único Santuário dedicado àqueles e àquelas que tombaram em defesa da vida e da justiça, independentemente de sua religião ou crença.

De Ribeirão Cascalheira, a peregrinação continuou rumo a São Félix, recebendo o carinho do povo dos municípios de Bom Jesus do Araguaia e de Serra Nova. Neste, ele, antes mesmo de ser ordenado bispo, havia recebido ameaças de morte, fora tocaiado, e lá, em um barraco de palha, acabara de escrever sua carta pastoral, acima citada. Por fim, no final da tarde, chegou a São Félix.

Em São Félix, manhã do dia 12 de agosto. Após as celebrações rituais, carregado por indígenas Xavante da aldeia de Marãiwatsédé, que o consideram companheiro de luta para reconquista do seu território, ele foi plantado à sombra de um frondoso pequizeiro. Faz companhia a índios Karajá, que ali, há séculos, tinham feito um dos seus cemitérios aos primeiros moradores não indígenas de São Félix, a centenas de crianças mortas por falta de atendimento adequado e a várias dezenas de peões sem nome, sem qualquer identidade. Era essa sua vontade mais de uma vez expressada. Ali, repousa do jeito que ele queria: descalço, vestindo uma túnica branca e uma estola nicaraguense, pobre como viveu.

Espero que a leitura destas páginas possa ajudar a conhecer uma Igreja que, perdida na imensidão da Amazônia brasileira, procurou ser fiel ao Evangelho de Jesus Cristo e iluminou a trajetória de muitos cristãos e não cristãos neste Brasil e em outras muitas partes do mundo. O conhecimento da história desta Igreja é sumamente importante, sobretudo neste momento em que a Amazônia foi colocada no centro das preocupações da Igreja Católica, com a realização de um Sínodo, em 2019, a ela dedicado, e que toda a sociedade mundial vê nela um fator de equilíbrio para o clima do planeta.

PRIMEIRA PARTE

MISSÕES RELIGIOSAS NO MÉDIO ARAGUAIA

Primeiros Contatos com os Karajá

Pinçando informações esparsas em diversas fontes, foi possível, de certa forma, recompor a história da ocupação da região, da chegada e da implantação do cristianismo, onde, posteriormente, foi constituída a Prelazia de São Félix do Araguaia, uma presença de mais de 300 anos, já que há alguns registros de contatos dos padres jesuítas com os Karajá, como registrou *Alvorada,* na edição de março/abril de 1992.[1]

O primeiro contato com os Karajá, de que se tem notícia, aconteceu há mais de 350 anos, possivelmente no ano de 1658. É o que registra o padre Antônio Vieira quando enumera que "entre as expedições dos jesuítas a partir do Pará que exigiram 'maior empenho', a que fez o Padre Tomé Ribeiro aos 'Carajás'". Sobre essa expedição e esse encontro, porém, não há pormenores. Sabe-se que essa entrada foi frustrada porque os Karajá mataram alguns dos "índios cristãos" que acompanhavam os jesuítas.

Em posição de guerra

Um segundo encontro com os Karajá se deu em 1671. Desse contato participaram o padre Gonçalo de Veras e o irmão Sebastião Teixeira. Eles faziam parte da expedição organizada pelo governador do Pará, Antônio de Albuquerque Coelho de Carvalho, e que era composta por muitos soldados.

A expedição saiu do Colégio de São Alexandre do Grão Pará, no dia 17 de março de 1671. No dia 21 de maio, chegou ao Araguaia.

---

1 As informações aqui reproduzidas se encontram em Leite (1945): Tomo III, Livro III, 1943, capítulo VII, p. 313-44, e Tomo VI, Livro III, 1945, capítulo II, p. 204-12.

O padre Gonçalo de Veras foi quem registrou o ocorrido nessa viagem. Assim ele escreve:

> Não posso deixar de referir o que sucedeu no sertão com os Carajás. Iam eles em 25 canoas bem armados com seus arcos e flechas e outras armas de guerra. Apenas viram chegar os portugueses, empunharam as armas, e puseram as canoas em posição de guerra, mas logo que advertiram que vinham também padres da Companhia de Jesus remando com mais força atiraram os arcos a meus pés e rodearam-nos, e para darem mostras de sua confiança e generosidade, não tornaram a pegar nas armas, vindo oferecer os seus pequenos presentes, aos quais eu correspondi com o que permitia minha pobreza.

Sobre os Karajá, diz que eram "homens fortíssimos e de estatura gigantesca". A região por eles visitada era habitada por 17 nações indígenas e padre Gonçalo enumera doze: "Caatingas, Poquises, Tembeucaçus, Guarajus, Tocoanhus, Mocuras, Carajauaçus, Nambiquaruçus, Carajás, Carajapitangas, Oquituiaras e Aruaquises".

Não se sabe a que altura do rio Araguaia se deu este encontro. Parece, porém, estranha a mudança de atitude dos Karajá ao verem os padres entre os portugueses. Mas esta mudança pode ser explicada. Uns dois anos antes, em 1669, chegaram à casa dos padres em Cametá (PA) alguns índios Aruaquises, "que desceram o Tocantins gastando muitas remadas". Chegaram pedindo socorro aos padres "pois tinham sido invadidos pelos portugueses do Brasil, a quem chamavam de paulistas ou de São Paulo", que penetraram seu sertão com bombardas e espingardas e levaram cativos os índios de 15 aldeias. Os habitantes de outras cinco aldeias fugiram e, na fuga, escutaram que havia alguns homens vestidos de preto que protegiam os índios. Por isso, para lá foram.

A violência dos portugueses à procura de escravos se espalhava por todo lado e, também, as notícias de que os padres defendiam os índios devem ter chegado a quase todas as aldeias. Isso pode explicar a mudança de atitude dos Karajá ao verem padres entre os portugueses.

Às margens do Araguaia

No século seguinte, há notícia dos jesuítas residindo em Goiás, onde fundaram diversas missões e onde possuíam fazendas para o sustento das missões. Essas fazendas se situavam "no sertão de Amaro Leite e nas margens do Araguaia".[2]

O historiador Cunha Matos diz: "Pelo Pará vieram alguns descobridores com os jesuítas no princípio do século XVIII e dizem que subiram pelo Tocantins até a Palma e pelo Araguaia até a Ilha de Santa Ana [...]". Seria a Ilha do Bananal? Como pode-se ver a seguir, a ela foi dado o nome Ilha de Sant'Anna, mas já na segunda metade do século.

Primeira missa na Ilha do Bananal

Cem anos mais tarde, há um relato muito importante do alferes português José Pinto da Fonseca. Em 1775, buscou fazer contato com os Karajá. Em carta por ele escrita, contou como se deu este contato. Nela, registra que a Ilha do Bananal, mundo habitado pelos Karajá e Javaé, foi "batizada" com o nome de Ilha de Sant'Ana do Bananal, porque, em 25 de julho de 1775, véspera da festa de Sant'Ana, ele, com seus homens, conseguiu penetrar na Ilha. E, da expedição, fazia parte um padre que, naquele dia e lugar, celebrou "a primeira missa", e ali se levantou uma cruz.[3]

Diversos outros padres devem ter mantido contato com os índios, mas, nos documentos aos quais tive acesso, pode-se afirmar que o contato mais efetivo e definitivo se deu a partir do fim do século XIX. Em 1890, o dominicano frei Gil de Vila Nova, OP, que residia em Porto Nacional, tentou, sem sucesso, se encontrar com os Javaé da Ilha do Bananal.

Em 1896, o bispo de Goiás, dom Eduardo Duarte da Silva, acompanhado de frei Joaquim Mestelan, OP, conseguiu manter contato com os Javaé. Esse contato não foi tranquilo, como depois escreveu o bispo:

---

2 Amaro Leite é o atual município de Mara Rosa, em Goiás.

3 Carta do Alferes José Pinto da Fonseca, publicada na Revista Trimestral de História e Geografia, v. VIII, p. 370-388, 1846. Informes mais detalhados desta visita estão em Canuto (2019, p. 58-60).

> Era a primeira vez que estes índios recebiam a visita de cristãos, motivo portanto do grande susto que levaram à nossa vista e que quase nos custou a vida. Presos e condenados a morrer a cacetadas, conseguimos aplacar a ira dos selvagens pela distribuição de muitos presentes (AUDRIN, 1946, p. 143).

Neste mesmo ano de 1896, frei Gil de Vila Nova estabeleceu uma comunidade dos frades dominicanos no lugar onde hoje é Conceição do Araguaia, no Pará. A finalidade dessa presença era a de catequisar os Kaiapó.

Frei José M. Audrin, OP, escreveu no livro *Entre Sertanejos e Índios do Norte* que, só depois de mais de 10 anos de trabalho com os Kaiapó, portanto nos primeiros anos do século XX, é que "as relações dos missionários dominicanos com os Carajás se tornaram mais fáceis e frequentes. Multiplicaram suas visitas a Conceição e não fizeram mais dificuldades em confiar seus meninos às irmãs dominicanas". Em 1916, os dominicanos frei Francisco Bigorre e frei Sebastião Thomás estiveram com os Javaé que os receberam muito bem.

> Cada viagem de subida ou descida do Araguaia em direção a Belém ou Goiás era ocasião de batismos de crianças ou adultos doentes. Principiamos a celebrar missas nas aldeias e experimentamos realizar casamentos.
>
> Os Carajás acostumaram-se a procurar os padres em Conceição ou em qualquer parte onde sabiam de sua presença (AUDRIN, 1946, p. 132).

22 Dias de Viagem ao Encontro dos Tapirapé

Os padres de Conceição do Araguaia tinham o propósito de evangelizar um outro povo que vivia não muito distante do Araguaia: o povo Tapirapé. O primeiro contato com eles aconteceu em 1914.

Frei Sebastião Thomás, frei Francisco Bigorre e o bispo de Conceição do Araguaia, dom Domingos Carrerot, OP, acompanhados pelo Karajá Valadar, que lhes serviu de guia, chegaram à aldeia dos Tapirapé, após 22 dias de viagem, no dia 10 de julho de 1914.

A revista francesa *Missions Catholiques* publicou vários artigos relatando esse contato. Assim se lê:

> Nunca viram civilizados, os hábitos, os chapéus, os sapatos, tudo os encanta e provoca infinitos 'atchié kantó' de admiração. Nossas barbas sobretudo que alguns atrevem-se a apalpar com as mãos. A cruz episcopal suscita gritos assim como nossos rosários que tentam enrolar no pescoço (AUDRIN, 1946, p. 136).

Na verdade, o contato dos padres dominicanos com os Tapirapé não foi o primeiro com este povo.

No fim do século XVIII ou início do XIX, o capitão-mor, João Godoi Pinto da Silveira, aprisionou 100 Tapirapé, que morreram todos em Vila Boa, atual Cidade de Goiás.

Em 1911, alguns cearenses chefiados por Alfredo Olímpio de Oliveira, à procura de borracha, passaram dias na aldeia, como se lê em Baldus (1970, p. 42, 46).

Prelazia de Sant'Anna da Ilha do Bananal

Já em pleno século XX, a Igreja Católica entendia como sua missão a conversão dos indígenas ao catolicismo (ALVORADA, 1991a).

Para concretizá-la, foi criada, em 1924, a Prelazia de Sant'Anna da Ilha do Bananal, pela bula *Animarum Salute Prospicere Cupientes* para evangelizar tanto os Karajá quanto os Javaé, que viviam na ilha.

Dom Domingos Carrerot, OP, então bispo de Porto Nacional, foi nomeado Administrador Apostólico da nova prelazia. Em 1925, visitou cinco aldeias e, no retorno, fez relatório ao presidente do estado de Goiás pedindo a concessão oficial das terras ocupadas pelos Javaé para os próprios índios (AUDRIN, 1946, p. 220).

Apesar de ter sido criada a Prelazia, não houve uma equipe pastoral morando na ilha. Com o tempo, viu-se que era inviável manter uma Prelazia só para esse território. Por isso, em 1939, os limites da Prelazia foram alterados, passando a fazer parte da área vários municípios e povoados do estado de Goiás, abrangendo uns 100 mil km². Em 1940, o papa nomeou o frade dominicano frei Cândido Penso como Administrador Apostólico da Prelazia de Sant'Anna do Bananal. Frei Cândido era um italiano que havia chegado, no ano anterior, ao Brasil e tinha sido escolhido como superior do convento dos dominicanos de Goiás.

Frei Cândido dedicou os primeiros anos à frente da Prelazia para conhecer o seu extenso território. Nessas viagens, recolheu dados e informações da realidade e bateu muitas fotos, pois era um bom fotógrafo.

Em 29 de julho de 1947, foi nomeado bispo desta Prelazia e foi ordenado na Itália, em 4 de janeiro de 1948. Estabeleceu como sede da Prelazia, a igreja do Rosário, junto ao Convento dos Dominicanos, na Cidade de Goiás.

Como bispo da Ilha, ele visitou São Félix, como registrou um rascunho da História de São Félix, que se encontra no Arquivo da Prelazia de São Félix do Araguaia: "Dom Cândido, bispo de Goiás Velho, veio duas vezes de canoa para inteirar-se dos problemas de São Félix".[4]

Foi bispo da Prelazia de Sant'Ana da Ilha do Bananal até 1957, quando foi nomeado bispo da Diocese de Goiás, onde faleceu dois anos mais tarde, em 1959. Foi sepultado na igreja do Rosário de Goiás, a Catedral da Prelazia do Bananal.

No mesmo ano de 1957, foi criada a Prelazia de Cristalândia, à época no estado de Goiás, hoje Tocantins. Ao mesmo tempo, foi extinta a Prelazia da Ilha do Bananal. A ilha passou a formar parte da nova Prelazia de Cristalândia.

Durante sua vida, dom Cândido Penso viajou muito pelo Brasil e por outros países, sempre fazendo palestras e conferências que eram ilustradas com as fotos, filmes e slides que ele mesmo produzia. Ele deixou um grande arquivo de fotografias em preto e branco e *slides* em cores, que mandava revelar em Nova York. Algumas das fotos tiradas por Dom Cândido foram publicadas, em 1996, em um livro que leva o seguinte título: *Cândido Penso, bispo e fotógrafo*. A publicação foi coordenada por frei Reginaldo Orlandini, OP, que acompanhou dom Cândido em muitos de seus trabalhos. Além das fotos, há dados e comentários sobre sua vida e obra.

---

4 Certamente Dom Cândido visitou São Félix quando ainda era bispo da Ilha do Bananal e não quando era bispo de Goiás.

A Prelazia de Conceição do Araguaia em Santa Terezinha

Na década de 1910, famílias sertanejas, subindo o Araguaia, foram se estabelecendo no local denominado Furo de Pedras, onde passaram a fazer suas roças, a criar seus animais e, ali, se constituiu um pequeno povoado. Também foram ocupadas áreas a uns seis quilômetros rio acima, em uma porção de terra mais elevada, livres das enchentes, que os padres dominicanos batizaram com o nome de Santa Terezinha (ALVORADA, 1992).

Os padres subiam o Araguaia para os contatos com os Tapirapé e os Karajá e passaram a atender as populações sertanejas que iam se estabelecendo às margens do Araguaia.

Os sertanejos construíram, em Furo de Pedras, uma capela dedicada à Nossa Senhora Aparecida. Já nos primeiros anos da década de 1920, as famílias de Santa Terezinha construíram, ao pé do Morro de Areia, uma capela.

O ano de 1926 ficou marcado na memória do povo da região como o de uma das maiores enchentes. Furo de Pedras ficou totalmente alagado. Em Santa Terezinha, as águas chegaram até perto da igreja. Diante disso, os padres resolveram construir uma igreja maior no alto do Morro de Areia defronte ao Araguaia e, ao lado, construir uma grande casa que seria o convento para acolher a comunidade de frades que lá deveriam se estabelecer.

No final da década de 1920 e nos primeiros anos da década de 1930, os dois prédios foram construídos.

Os tijolos e os adobes foram fabricados ali mesmo. Na mata, foram escolhidas as mais bonitas árvores de cedro para delas retirar as peças necessárias para o madeiramento dos telhados, e para as janelas e portas.

Três paulistas, Hermano Ribeiro da Silva, Cássio de Campos, filho de Carlos que fora presidente de São Paulo, e Oscar de Campos Viana, nos deram notícia dessas construções. Em 1932, eles se aventuraram Araguaia afora, saindo, em canoa, de Leopoldina (atual Aruanã) até Conceição do Araguaia. Sua aventura ficou registrada no livro *Nos Sertões do Araguaia – Narrativas da Expedição a Glebas Bárbaras do Brasil Central*, escrito por Hermano Ribeiro da Silva.

O autor foi descrevendo o que foram vendo nesta viagem que começou em Leopoldina no dia 2 de julho de 1932.

Ao chegarem a Santa Terezinha, no final de agosto, assim descreveu o que encontraram:

> vilarejo que os padres dominicanos estão acabando de edificar na ribanceira paraense [...] desbastando largo trato de terra aí se constrói a Igreja e o colégio de alvenaria que resultarão em prédios excelentes para a rudeza do Araguaia. Há ainda a morada residencial e um punhado de ranchos que agasalham a população de empregados nos trabalhos de cerca de 160 pessoas vindas de longos recantos à procura de ganho 1$500 a 2$000 diários raramente proporcionados nestas paragens (RIBEIRO DA SILVA, 1935, p. 145, 147).

Frei Gabriel, irmão dominicano, era quem dirigia as obras e recebeu os paulistas.

Dois meses depois, em 1º de novembro, o autor passou novamente por Santa Terezinha e constatou: "Mudou-se o aspecto do posto religioso depois que por aqui passei, apresentando-se os serviços quase concluídos, a gleba roçada e plantada" (RIBEIRO DA SILVA, 1935, p. 202).

No dia 3 de outubro, celebrou-se a festa de Santa Terezinha, data em que deve ter-se dado a inauguração da igreja.

Um padre para Santa Terezinha

Inaugurada a igreja, era preciso encontrar um padre que assumisse as atividades pastorais. O bispo de Conceição do Araguaia, dom Sebastião Thomás, OP (1924-1945), escolheu para este trabalho o padre Alexandre Pereira da Costa.

O senhor Manoel Ferreira Reis, que foi aluno do padre Alexandre, em entrevista para *Alvorada* (1994), lembrou da trajetória do padre em Santa Terezinha.

Segundo o sr. Manuel, o padre Alexandre foi criado nos campos de Conceição. Por ter demonstrado desejo de ser padre, os dominicanos o levaram para Uberaba (MG) para estudar. Lá, ordenou-se padre. Ao ser designado vigário de Santa Teresinha, levou junto seu irmão e duas irmãs.

Em Santa Terezinha, todo dia, pela manhã, o padre rezava missa e, à noitinha, o terço. Aos domingos, a missa era celebrada às 8 horas da manhã e reunia gente da redondeza.

Mas o que mais marcou sua presença em Santa Terezinha foi a escola. Padre Alexandre organizou escola para meninos e meninas. Ele próprio e o sr. Raimundo Coelho eram os professores. Havia uns 40 alunos. A escola funcionava no espaço da casa que fora construída para convento. Em uma casa de palha, funcionava a escola para meninas. Dona Juventina e Dona Firma eram as professoras. Depois que a casa que estava sendo construída para ser a casa das irmãs ficou pronta, as meninas mudaram-se para lá.

Muitas vezes, o padre reunia os alunos e, com eles, ia ajudar o trabalho na roça de algumas pessoas mais fracas.

Além disso, pouco se sabe sobre o padre Alexandre. Nas anotações manuscritas de dom Luiz Palha, OP (1951-1966), que se encontram no Arquivo da Ordem Dominicana, no Convento das Perdizes, em São Paulo, há só duas pequenas e truncadas referências a ele. A primeira diz: "O Padre Alexandre Pereira da Costa [...] da missão dominicana de Goyaz vem prestar bons auxílios [...] em Santa Terezinha em 1933-1934 e voltará a segunda vez e continuará seus frutuosos ministérios entre os cristãos e os Índios Carajás".

A outra referência a ele diz: "O Padre Alexandre visita os índios Tapirapés e prossegue a abertura da estrada ou [...] começada em 1928 pelo Prelado no rumo da serra da aldeia dos índios Tapirapés".

Conflitos apressam saída

Padre Alexandre acabou deixando Santa Terezinha, possivelmente, em 1935, por causa dos conflitos com os "protestantes" que residiam em Macaúba, na Ilha do Bananal, em frente a Santa Terezinha.

Quem eram estes protestantes, veremos a seguir.

Missão Evangélica Pioneira

Os paulistas, acima citados, registraram que, defronte a Santa Terezinha, na Ilha do Bananal, havia uma Missão Evangélica (ALVORADA, 1994).

Pela publicação do livro da médica Rettie Wilding, *Sowing in Tears,* é possível conhecer um pouco desta missão.

Em 22 de julho de 1925, os missionários da União Evangélica da América do Sul[5] chegaram à Ilha do Bananal "sonhando levar os índios ao conhecimento do amor de Cristo". O local onde se estabeleceram é onde está hoje a aldeia Karajá de Macaúba.

Os missionários abriram uma escola. Os dias transcorriam entre aulas, pela manhã, e atendimento aos doentes e visitas a outras aldeias, quando possível, à tarde. Muitas pessoas se aproximaram da missão à procura de tratamento para suas doenças.

A malária nunca deixou de os perseguir.

No ano de 1930, chegou ao Bananal o reforço de uma médica, Dra. Rettie Buchan. Formara-se em medicina em 1923 pela Universidade de Glasgow, na Escócia. Ingressou na União Evangélica da América do Sul. Sempre ouvia falar da necessidade de médicos para a Ilha do Bananal, e, em abril de 1930, embarcou para o Brasil.

Quando chegou à missão, logo construiu um hospital provisório ali. Toda semana, cruzava o Araguaia com destino ao Mato Grosso para atendimento de saúde.

---

5 Algumas igrejas evangélicas do Reino Unido fundaram missões na América do Sul. Em 1910, após uma conferência em Edimburgo, Escócia, as igrejas constituíram a União Evangélica da América do Sul para terem uma ação mais integrada no continente sul-americano.

Ela conta que, certo dia, quatro homens sofrendo hanseníase chegaram à missão para serem tratados. Esse fato marcou o começo de uma Colônia de Leprosos (era assim que se dizia àquela época) que se estabeleceu em Macaúba.

Em janeiro de 1932, 76 pessoas viviam na missão. E, a cada dia, chegavam mais pessoas à busca de tratamento. Em maio, havia 18 hansenianos em tratamento. Em julho, já eram 28 e havia outras 100 pessoas em tratamentos diversos. A escola contava com 26 alunos. Muitas pessoas se convertiam.

Mas os missionários passaram a se questionar. A maioria das pessoas no hospital, na escola e na igreja eram "brasileiros" e eles tinham vindo para evangelizar os índios. O sucesso com os "brasileiros" talvez estivesse dificultando a aproximação com os índios.

Lágrimas de dor

No final de 1932, Joe Wilding, o primeiro missionário que chegou ao Bananal, e a Dra. Rettie se casaram. No dia 3 de fevereiro de 1933, Joe faleceu vitimado pela malária. Foi enterrado, ali mesmo, em Macaúba. A esposa, Dra. Rettie, já grávida, voltou à Escócia, onde nasceu seu filho. Logo voltou à missão, com o filho de poucos meses.

No Natal de 1934, de 97 pessoas presentes ao culto, somente 12 eram indígenas. Talvez pelo insucesso no trabalho com estes, o Conselho Executivo da União Evangélica decidiu encerrar o trabalho no Bananal. Em julho de 1935, os missionários retiraram-se da região.

Naqueles anos, o entendimento entre as igrejas não existia. Ecumenismo era palavra desconhecida. O que existia eram ataques constantes entre as diversas igrejas e seus membros se tratavam como inimigos.

No Araguaia, uma imensidão vazia, distante dos grandes centros, reproduzia o que acontecia no resto do mundo.

Conflitos estranhos

Alguns dos velhos moradores de Santa Terezinha lembram-se, de modo distante e difuso, do conflito que houve entre os católicos e os "crentes" de Macaúba. Ninguém consegue definir ao certo em que consistia esse conflito, nem o porquê. Alguns atribuem a saída do padre Alexandre da região a esses conflitos com os "protestantes" (ALVORADA, 1994b).Sobre esses conflitos, poucas coisas se encontram registradas. O livro da Dra. Rettie Wilding registra, do seu ponto de vista, vários momentos desse conflito. Algumas pequenas anotações manuscritas de dom Luiz Palha, OP, também nos acenam para esses acontecimentos (ALVORADA, 1994c).

"O povoado Católico Romano"

A Dra. Rettie, em seu livro, não chama a cidade de Santa Terezinha por este nome, mas de "o povoado católico romano".

Ela conta que, todas as semanas, com outros da missão, cruzava o Araguaia para o Mato Grosso e, ao mesmo tempo que faziam alguma assistência à saúde, tentavam fazer um trabalho de evangelização. Escreve:

> Fui ao povoado católico romano e visitei muitas pessoas. Mas me foi pedido de não retornar mais. De toda forma, na semana seguinte voltei e visitei bastante gente, cantando e falando com eles. Levei o bandolim comigo e isso atraiu o povo [...]. Na próxima vez o padre do outro lado do rio me esperava de arma na mão e me proibiu de desembarcar (WILDING, s/d, p. 33).

Esse conflito e esse modo de agir, que hoje nos parecem absurdos, em muitas ocasiões, eram cômicos, por esse mesmo motivo.

> Alguns dias depois de eu ter sido proibida pelo padre de fazer encontros do outro lado do rio, dois outros padres chegaram, e ouvimos dizer que eles tinham vindo para nos mandar embora da Ilha do Bananal. Eram da Ordem Dominicana e usavam longas roupas brancas. Um dia, quando íamos para nossas tarefas diárias, vimos uma figura de roupas brancas atravessando a praia que era muito extensa, pois era o fim da estação seca. Era o padre. Quando chegou ao fim da praia, nós fomos ao seu encontro. O calor era intenso. E ele subiu o barranco do rio com grande dificuldade. Quando fomos recebê-lo, desmaiou a nossos pés. Levamo-lo ao Hospital

e lhe demos um estimulante. Tiramos seus sapatos e o deitamos numa cama. Ele protestava o tempo todo, dizendo que estava bem, mas não conseguia sentar-se tão fraco estava. Eu me deliciava, rindo por dentro, com o anticlímax desta visita. Não mais se falou de nossa saída do Bananal. Tinha sido nosso inimigo e tornou-se nosso amigo e falou ao povo do outro lado do rio que só recebeu bondade de nossa parte (WILDING, s/d, p. 33-4).

Intrigas e ataques

Apesar deste padre ter se tornado amigo, os conflitos não deixaram de existir. A Prelazia de Conceição do Araguaia mantinha uma linha de correio entre Conceição e Leopoldina (hoje Aruanã). O padre de Santa Terezinha proibiu os canoeiros de entregarem ou apanharem correspondência na missão evangélica. A médica, se quisesse enviar alguma correspondência, obrigava-se a pedir ao padre que encaminhasse suas cartas (WILDING, s/d, p. 45).

Na viagem que fez a Belém, Dra. Rettie escutou de um senhor que os padres lhes diziam que não procurassem "os protestantes" para se tratar, "pois seu remédio cura o corpo, mas condena a alma".

O mesmo padre que a impedira de desembarcar, de arma em punho, em Santa Terezinha, viajou no barco em que a doutora viajava. Todos os dias, ia discutir com ela, dizendo inclusive que o bispo de Conceição tinha comprado a Ilha do Bananal toda e que, por isso, os missionários evangélicos deveriam sair.

"Nossos inimigos, do outro lado do rio espalham todos os boatos possíveis contra nós", escreve a médica, e os padres diziam "que éramos o povo de Satanás" (WILDING, s/d, p. 51).

Em 1935, lembra a médica, o bispo de Conceição e um padre, em uma viagem pelo Araguaia, visitaram todos os que haviam se tornado "protestantes", tentando convencê-los a voltar para a fé católica.

Nas anotações manuscritas de dom Luiz Palha, encontram-se algumas pequenas referências a este conflito.[6]

---

6 Anotações manuscritas de Dom Luiz Palha – Arquivo da Ordem Dominicana no Convento das Perdizes – São Paulo.

Numa das visitas dos missionários dominicanos aos índios Tapirapé, encontraram os índios irritados contra eles. É que o pastor Frederico Kegel passara alguns meses na aldeia e pintara os padres como inimigos. Deu trabalho para convencer os Tapirapé de que isso era pura mentira.

Em uma outra oportunidade, a imprensa publicou que um missionário teria sido assassinado pelos Karajá. Os membros da missão atribuíam isso aos padres que teriam incitado os índios contra eles. Uma comissão do estado de Goiás se deslocava para averiguar os fatos quando, ao chegar a Leopoldina, encontraram alguém da Missão Evangélica que acabava de chegar de Macaúba e que informou que tudo estava em perfeita ordem na região. Nada havia acontecido.

Igreja Adventista junto aos Karajá[7]

Outra igreja que se propôs a trabalhar com os Karajá foi a Igreja Adventista do Sétimo Dia (IASD). A tese de doutorado de Ubirajara de Farias Prestes Filho, defendida na USP, em 2006, chamada *O Indígena e a Mensagem do Segundo Advento - Missionários Adventistas e Povos Indígenas na primeira metade do século XX*, apresenta-nos muitas informações sobre a ação dos Adventistas na Ilha do Bananal (PRESTES FILHO, 2006).

Segundo o autor, a partir de 1927, foram feitos os primeiros contatos com a região. Não muito tempo depois, os missionários adventistas se estabeleceram no lugar que era conhecido como Piedade, às margens do Araguaia. Além dos cultos, logo abriram uma escola. Na Ilha do Bananal, identificaram um local que seria propício para uma nova missão, a aldeia Fontoura.

Nos primeiros anos da década de 1930, já estavam por lá. Um relatório de julho de 1932 dizia que a Missão tinha, em Piedade, 36 alunos e, em Fontoura, tinha começado com 26 alunos, passando para 36 em 1934, seguida de uma forte decadência. O relatório de 1936 registrava somente 5 alunos (PRESTES FILJHO, 2006, p. 313).

Quando o antropólogo Baldus, em 12 de julho de 1947, passou por Fontoura, anotou que a Missão "agora está quase abandonada". O que teria acontecido? Segundo Baldus (*apud* PRESTES FILHO, 2006, p. 315), "Havia em 1935, 123 índios nesse lugar. Segundo me informou o sr. Antônio Gomes, este número diminuiu para 80 em 1939. E para cerca de 45 em 1947. Dos 9 alunos da escola da Missão que, em 1939, tinham 10 a 12 anos só um está vivo".

O contato com o branco provocou, durante longo período em meados do século XX, doenças para as quais os indígenas não tinham resistência, dizimando sua população.

Mas os adventistas continuaram sua ação. Em 1953, foi adquirida uma "lancha médica", que recebeu o nome de Pioneira. Um enfermeiro com sua esposa é que pilotavam o barco, que atendia às populações, tanto indígenas quanto sertanejas, que viviam às margens do Araguaia.

Em 1956, foi adquirida a Pioneira II para substituir a primeira que já estava desgastada. No mesmo ano, um casal, Isaac e Joaquina Fonseca, foi enviado para residir em Fontoura, com autorização do cacique.

No começo dos anos 1960, a Pioneira II estava praticamente abandonada. Foi comprada então a Pioneira III e foi contratado um casal de enfermeiros que nela viviam. Era uma embarcação de dois andares. Além do casal de enfermeiros, estudantes de medicina e odontologia e outros profissionais da área prestavam atendimento às populações ribeirinhas. A embarcação ficou muito conhecida na região (PRESTES FILHO, 2006, p. 318 a 320).

A atuação dos Adventistas junto aos Karajá sofreu diversas críticas e houve denúncias de que a missão interferia nos costumes e cultura Karajá. Até grandes jornais do sudeste estamparam estas denúncias (PRESTES FILHO, 2006, p. 321).

A partir dos anos 60, a Missão enviou alguns jovens indígenas para internatos de São Paulo. Alguns não se adaptaram e retornaram para a Ilha. O autor destaca que nenhum dos que foram estudar tornou-se adventista.

Em 1970, o casal Isaac e Joaquina Fonseca foi substituído pelo casal Calebe e Abigail Pinho, que desenvolveu uma intensa atividade religiosa, o que provocou conflitos com os indígenas. Em maio de 1977, lideranças Karajá, apoiadas pela Funai, expulsaram o casal.

O Karajá João Weheriá, nascido em Fontoura, foi batizado em 1975. Após concluir o segundo grau, foi estudar Teologia em São Paulo. Em 1993, foi ordenado pastor adventista.

José Justino Porto, em sua dissertação de Mestrado na Pontifícia Universidade Católica de Goiás, diz que "o projeto de missão indígena no Araguaia respondeu aos interesses da igreja na divulgação de uma imagem positiva nos centros urbanos. O empenho para a realização da missão entre os índios pode ser em parte explicado por essa visibilidade que a igreja poderia alcançar" (PORTO, 2009, p. 78).

E informava que a Igreja Adventista do Sétimo Dia "tem hoje uma atuação discreta em Santa Izabel do Morro e Fontoura. Conta com um pequeno número de frequentadores, porém assíduos. Os cultos são realizados pelo pastor João Karaja" (PORTO, 2009, p. 82).

Missão São Francisco Xavier em Mato Verde

Enquanto em Santa Terezinha aconteciam conflitos entre o padre e os membros da Missão Evangélica, que atuava em Macaúba, na Ilha do Bananal, alguns quilômetros rio acima, no local que ficou conhecido como Mato Verde e que posteriormente se tornou o município de Luciara, os padres salesianos iniciaram um novo ponto de missão.

No final do ano de 1933, os padres João Fuchs e Pedro Sacilotti, acompanhados de um irmão coadjutor, José Pellegrino, e de um guia bororo, chegaram ao lugar conhecido como Mato Verde para iniciar uma nova fundação.

Desde o ano de 1932, os salesianos tentavam fazer contato com os Xavante, no Rio das Mortes, mas não conseguiam encontrá-los. Fizeram outras tentativas em 1933, sem sucesso. Então, "aos 30 de outubro decidiram descer até Mato Verde, na frente da ilha Bananal, onde num alto barranco construíram um rancho e no dia 3 de dezembro foi inaugurada a nova missão de S. Francisco Xavier assistindo à Missa um bom grupo de Índios Carajás", é o que registra o livro Salesianos Defuntos 1864 a 2002, sob o número 344" (SOCIETÀ..., 2003).

Continua a narrativa do livro: "1934 – O primeiro mês de 1934 continuou com os nossos em Mato Verde na evangelização dos Karajá da margem esquerda. Pelo fim do mês por ordem dos Superiores, voltaram a Araguaiana para um descanso".

Não muito tempo depois, o padre João Fuchs voltou para Mato Verde, e o padre Pedro Sacilotti retornou alguns meses mais tarde. Quando este chegou, "já o esperava Pe. Fuchs e estavam prontas duas casas, uma para os Salesianos, outra para as Irmãs;

lá passaram todo o mês de setembro fazendo pequenas plantações" (SOCIETÀ..., 2003).

Nos arquivos dos salesianos, encontram-se duas cartas ali escritas a lápis, pelo padre Sacilotti "datadas respectivamente de 14 e de 29 de setembro de 1934".

Em outubro, os padres decidiram ir ao Rio das Mortes para tentar contato com os Xavante. No dia 1º de novembro, ao avistarem os indígenas, foram ao seu encontro, quando foram atacados e mortos a golpes de borduna. Com este incidente, encerrou-se a missão salesiana na região.

Quando, em maio de 1934, os sertanejos, liderados por Lúcio da Luz, vindos do Pará, resolveram se instalar em Mato Verde, já lá estavam os padres. Adauta Luz Batista, filha de Lúcio da Luz, o pioneiro, no livro *Sertão de Fogo*, publicado em 2003, tentando registrar a história de Luciara, diz que: "Aos domingos, meu pai ia à missa montado a cavalo, tio Severiano também, as mulheres iam na garupa e nós a meninada a pé correndo atrás" (BATISTA, 2003, p. 55) .

O local onde os padres se estabeleceram passou a ser conhecido como Morro dos Padres. O alto barranco, ao qual eles se referem, era o local da aldeia Krehawã, onde ficava o cemitério das aldeias, e que, anos mais tarde, se tornou sede de uma fazenda que se denominou Ponta Porã.

Os Karajá reivindicaram o domínio sobre parte do seu território. Em 1988, a área foi demarcada, e em 1991 homologada pelo Governo Federal.

Um Povoado que se Chamou São Félix

Em 1941, por desavenças no grupo de Lúcio da Luz, algumas famílias lideradas por Severiano Neves, cunhado de Lúcio, decidiram deixar Mato Verde e se instalar rio acima, no local que passou a se chamar São Félix.

Diversas publicações registram que a denominação de São Félix foi dada pelo bispo dom Sebastião Thomaz, OP, bispo da Prelazia de Conceição do Araguaia, que por lá passou no dia 20 de novembro de 1942. Acreditava-se que São Félix protegeria 'os cristãos' contra o ataque dos índios.[7]

Muito pouco se sabe do atendimento pastoral à população de São Félix. Como já anotamos acima, o rascunho da História de São Félix registrou que "Dom Cândido, bispo de Goiás Velho, veio duas vezes de canoa para inteirar-se dos problemas de São Félix"[8]. Na verdade, ele, ao visitar São Félix, era bispo da Prelazia de Sant'Ana da Ilha do Bananal. Com a extinção da Prelazia da Ilha do Bananal, São Félix passou a ser atendido pela Prelazia de Registro do Araguaia, que estava entregue aos cuidados dos padres salesianos.

No mesmo ano de 1957, o bispo dom Camilo Faresin, SDB (1956 – 1992), acompanhado pelo padre Pedro Sbardelotto, SDB, fizeram o primeiro contato com a região.

Entretanto, o início de um acompanhamento mais constante se deu a partir de março de 1963. O padre Pedro Sbardelotto, conhecido por todos como Pedro das barbas, ou Pedro barbudo, foi quem deu atendimento efetivo a esta parte do território.

---

7   Disponível em: https://cidades.ibge.gov.br/painel/historico.php?codmun=510785.

8   Dom Cândido Penso, frade dominicano, foi administrador Apostólico e depois bispo da Prelazia de Sant'Anna da Ilha do Bananal, de 1940 a 1957. Por isso as visitas dele a São Félix.

Ele disse, em uma entrevista ao *Alvorada* (1996c), que, de 1963 a 1968, visitava muitas vezes a região toda. Umas três vezes ao ano, descia de barco de Araguaiana, distante de São Félix uns 600km rio acima. Algumas vezes, subia o Rio das Mortes. Nessa andança, tinha de 20 a 30 pontos de atendimento pastoral, onde celebrava missa, fazia batizados e casamentos.

São Félix e Luciara eram os lugares mais desenvolvidos. Fora do rio, visitava Pontinópolis e a Fazenda Suiá-Missu. Também manteve contato com uma das aldeias Xavante nas cabeceiras do Ribeirão São Joãozinho.

Dom Camilo o acompanhou umas três vezes nessas visitas. Um outro salesiano, o padre Pedro da Sanfona, o acompanhou em uma das viagens.

Nesta lide difícil e dura, a malária foi uma companheira de muitas viagens. Em uma delas, durante uma semana, ficou parado às margens do rio sem conseguir alimentar-se, nem se automedicar.

Dom Camilo e padre Pedro sentiram muito de perto a necessidade de uma presença mais próxima da Igreja nesta região. E se empenharam para a criação de uma nova prelazia para o povo ter um melhor atendimento espiritual (ALVORADA, 1996c).

As Irmãzinhas de Jesus

A presença da Igreja na região do Araguaia foi marcada profunda e indelevelmente pelas Irmãzinhas de Jesus. O povo Tapirapé vivia uma grave situação, reduzido a um pequeno grupo, dizimado pelas doenças. E, nessas condições, ainda foi atacado pelos Kaiapó. Era um povo em vias de extinção, reduzido a pouco mais de 50 pessoas. Diante disso, a Prelazia de Conceição do Araguaia se propôs a buscar alguma congregação religiosa que se dispusesse a estar junto a ele.

Em 1952, o bispo de Conceição do Araguaia, dom Luiz Palha, OP, em visita à França, dedicou-se a encontrar esta congregação religiosa. Encontrou uma congregação com poucos anos de existência e que tinha como objetivo ser um sinal do amor de Deus entre aqueles que não mereciam a atenção de ninguém. Era a Fraternidade das Irmãzinhas de Jesus, herdeiras da vocação e do espírito de Carlos de Foucauld.

A fundadora, irmãzinha Madaleine Hutin, dizia: "Você irá a eles sem ouvir aqueles que dizem que você vai perder seu tempo e que tem lugares mais interessantes. Porque, se falam assim, se são 'deixados de lado', então esses são 'nossos'".

Com o relato que ouviram do bispo, as irmãzinhas intuíram que aí estava um lugar próprio para desenvolverem sua missão. Assim, no dia 23 de junho de 1952, vindas diretamente da França, chegaram à aldeia Tapirapé a Fundadora, irmãzinha Madalena, a responsável geral, irmãzinha Jeanne, e as irmãzinhas Matilde, Genevieve Helene, Denise e Claire. Frei Gil Gomes, dominicano, que bem conhecia os Tapirapé, acompanhava-nas. Ao verem a situação concreta em que viviam os Tapirapé, neste mesmo dia, decidiram a fundação da Fraternidade entre eles.

Era a primeira fundação nas Américas. As irmãzinhas Genevieve Helene, Denise e Claire constituíram esta Fraternidade. Não sabiam português, não conheciam nada do Brasil, só tinham a convicção de que ali é que Deus as queria, para que os Tapirapé compreendessem que Deus os ama com amor especial. Como disse irmãzinha Genoveva: "foi essa a bagagem que trouxemos para a caminhada entre os Tapirapé". Mesmo sem saber o que estas mulheres, vestidas de azul, viriam fazer, os Tapirapé as acolheram sem dificuldade.

Passado esse contato, durante três meses, as irmãzinhas viveram em Conceição do Araguaia para aprender um pouco de português e tomar conhecimento da região.

No dia 6 de outubro, estavam de volta definitivamente. Duas famílias desocuparam uma casa para abrigá-las, enquanto era construída uma casa para elas. Os Tapirapé dividiam com elas o peixe, a caça, a mandioca. Delas pediam alguns serviços, como costurar alguma roupa e, só muito devagar, alguns serviços de saúde.

Irmãzinha Claire era enfermeira. O respeitoso atendimento à saúde, durante anos, conseguiu evitar o total desaparecimento do grupo.

Outras pessoas se juntam à missão

De vez em quando, algum padre de Conceição do Araguaia as visitava e celebrava com elas a missa. Também outros viajantes passavam pela aldeia.

Entre julho e agosto de 1954, o padre Jean Chaffarod, francês, amigo do padre René Voillaume[9] e membro da fraternidade sacerdotal, passou com as irmãzinhas na aldeia. E de lá atendeu os povoados de Santa Terezinha e Furo de Pedras.

Muitos viajantes passavam pela aldeia. Um deles, em meados de 1954, ao chegar à cidade, espalhou a notícia de que os Tapirapé haviam assassinado as irmãzinhas. A imprensa, nacional e francesa, divulgou a notícia. Muitos choraram suas mortes. Poucos dias depois, o padre João Chaffarod, ao retornar de sua estadia no Tapirapé, desmentiu a notícia.

---

9 Foi o padre Voillaume, fundador da Fraternidade dos Irmãozinhos de Jesus em 1933, que inspirou Irmãzinha Madeleine a fundar a Fraternidade das Irmãzinhas de Jesus, em 1939.

Padre Francisco Jentel e os irmãozinhos Henri e Roberto

No dia de Natal de 1954, chegou o padre Francisco Jentel, membro da fraternidade sacerdotal que se alimenta da espiritualidade do irmãozinho Carlos de Foucauld, que aceitara o desafio de compartilhar junto com as irmãzinhas da vida e da luta dos Tapirapé. Na véspera, no momento em que o povo estava reunido para celebrar a noite de Natal, ele chegara ao Furo de Pedras, onde celebrou a missa.

Pelos registros do *Diário das Irmãzinhas*[10], sabe-se que Jentel, mesmo morando na aldeia, ia com muita frequência à Santa Terezinha e ao Furo de Pedras, onde celebrava com o povo, oficiava batizados e casamentos. Também foi a Mato Verde (Luciara) para a celebração dos festejos de Nossa Senhora das Graças, e outras vezes para algum casamento ou batizado. Atendia também os chamados de pequenos núcleos de moradores às margens do rio Tapirapé, especialmente no local conhecido como Porto Velho e na Ilha do Bananal.

Logo no início de 1955, chegaram à aldeia dois Irmãozinhos de Jesus, ramo masculino da Fraternidade das Irmãzinhas, Henri e Roberto. Henri navegava pelo Araguaia, onde fazia contato com os sertanejos que viviam nas barrancas do rio e com os Karajá nas praias. Tornou-se conhecido de todos os moradores, de tal forma que, quando, alguns anos depois, as irmãzinhas da Fraternidade Karajá passaram por esses locais, todos perguntavam por ele. Ele também subiu o rio Tapirapé e visitou as famílias que encontrou. No final de 1957, saiu da região. Roberto ficava mais na aldeia, cuidando da roça e de outros trabalhos. Em agosto de 1956, deixou a missão. Retornou em meados de 1963 até final de 1964.

Padre João Chaffarod

Em outubro de 1955, o padre João Chaffarod assumiu o acompanhamento das comunidades de Furo de Pedras e Santa Terezinha. Ali permaneceu por nove anos. Mantinha contato constante com a fraternidade das Irmãzinhas de Jesus e fez parte, por um tempo, da

---

10 Diários escritos em francês que se encontram nos arquivos da Fraternidade em Roma e inéditos.

Fraternidade Karajá. Seu ponto de residência era o Furo de Pedras, onde se hospedava na casa de uma das famílias da comunidade.

Padre João atendia pedidos de alguns núcleos de moradores às margens do Araguaia, inclusive às vezes no Pará, em Goiás (Araguacema) e na Ilha do Bananal. Também atendia pedidos de Mato Verde. Nesse atendimento a essas incipientes comunidades, o padre Jentel também o ajudava.[11]

Padre João Chaffarod desenvolveu seu trabalho em Santa Terezinha e Furo de Pedras até meados de 1964. A última referência a ele no Diário das Irmãzinhas é do dia 4 de junho daquele ano, quando irmãzinha Elizabeth acompanharia irmãzinha Bárbara, doente, em viagem de avião a Goiânia. No mesmo voo, embarcou também o padre Chaffarod.

---

11 Por que padre João não morava em Santa Terezinha? A gente pode se perguntar por que padre João permanecia mais tempo e se hospedava em casa de uma família no Furo de Pedras, se, em Santa Terezinha, havia uma grande casa construída pela Prelazia de Conceição do Araguaia e inaugurada em 1932, para servir de convento. O que aconteceu foi o seguinte:

Na década de 1950, o estado de Mato Grosso, colocou praticamente todas as terras do norte do estado à venda. Neste contexto, em 1954, chegou à região a notícia de que uma companhia de aviação havia comprado terras em Santa Terezinha. Assim as irmãzinhas registraram em seu diário no dia 6 de maio de 1954: "Genoveva vai esta manhã conversar com o Chefe de Posto do SPI pois soubemos que há um projeto de construção de uma cidade no local das aldeias Tapirapé e Karajá. O terreno teria sido comprado por uma companhia de aviação". Mas, não eram só boatos. A Companhia de aviação que havia comprado terras era a Real Aerovias. No dia 30 do mesmo mês, as irmãzinhas registraram no diário: "Recebemos a visita do engenheiro-chefe da Companhia Real, que vai construir uma cidade em Santa Terezinha". A empresa de aviação havia constituído uma nova empresa, a Colonizadora e Imobiliária Real S/A que se propunha levar colonos para a região e construir uma cidade. Empresa de aviação e colonizadora eram quase a mesma coisa.

A empresa de aviação passou a operar voos semanais que ligavam Santa Terezinha ao Rio de Janeiro. Os voos saíam do Rio, passavam por Goiânia, chegavam a Porto Nacional, também em Goiás, (hoje Tocantins) e pernoitavam em Santa Terezinha.

A Real pediu à Prelazia de Conceição do Araguaia a cessão da casa, que não estava sendo habitada para se tornar um hotel para acolher a tripulação dos aviões. Quando padre João chegou, a casa estava ocupada pela companhia.

Fraternidade Karajá, uma Fraternidade num Barco

O que é pouco conhecido é que, em agosto de 1956, as irmãzinhas Maye Baptiste, Roseline e Paule Camille (Dona Paula) constituíram uma nova Fraternidade: a Fraternidade Karajá. A casa desta fraternidade era um barco construído em Marabá (PA), especificamente para esta finalidade. O barco tinha espaço para alojar as irmãzinhas, além de cozinha e capela. Era azul e branco.

Essa nova fraternidade, sonhada pela fundadora, irmãzinha Madeleine, navegava pelo Araguaia, desde a foz do rio Tapirapé, chegando, algumas vezes, a Conceição do Araguaia.

O objetivo desta nova fraternidade era quebrar o isolamento das irmãzinhas do Tapirapé, criar laços com os sertanejos e sobretudo conhecer e partilhar da vida nômade dos Karajá pelas praias.

As irmãzinhas conheceram todas as aldeias das praias, entre o Tapirapé e Araguacema (TO). Em cada uma delas, passavam alguns dias procurando aprender a vida Karajá, sua língua e seus costumes.

Padre João Chaffarod acompanhou as irmãzinhas em alguns períodos, celebrando com elas a eucaristia e aprofundando a espiritualidade da missão.

O diário das irmãzinhas do barco-fraternidade se encerra em 30 de setembro de 1960. Porém as atividades desta fraternidade devem ter-se encerrado a mais de um ano antes. Em 10 de maio de 1959, estando o barco em Araguacena, as irmãzinhas registram no diário: "No barco rezamos vésperas e visitamos depois dona Marina. Antes de rezar o terço, fizemos a revisão da semana e lemos". Depois disso, as referências ao barco falam de trabalhos de consertos e calafetagem, não de viagens rio afora.

Em 13 de julho de 1959, na expectativa da chegada de padre Voillaume, elas se apressaram em terminar o trabalho de arrumação do barco, para que ele pudesse conhecê-lo. E elas registram neste dia: "E nosso barco não está pronto, decidimos arrumá-lo assim mesmo, e rapidamente tudo está pronto às 18 horas, até a bandeira vermelha e o Menino Jesus deitado numa cabaça pequena forrada de penas. Estávamos terminando a adoração quando ouvimos o motor e chegam o padre Voillaume, padre João e padre Francisco".

No dia 26 de fevereiro de 1960, elas usaram o barco para ir "a Santa Terezinha para o retiro anual e renovação de votos de irz. Elisabeth". Elas registram: "no nosso próprio barco viajamos até Santa Terezinha relembrando o tempo em que ele viajava entre as aldeias Karaja". E no dia 24 de março de 1960, quando chegou uma outra irmãzinha, Andrée, elas escrevem: "Reorganizamos o barco para mostrar a Fraternidade Karajá à irmãzinha".

Não aparece explícito no diário, mas irmãzinha Paulette deixou a congregação. Com isso, não tendo irmãs para integrar esta fraternidade, esta experiência tão rica foi suspensa.

Em meados de 1960, a fraternidade Karajá foi extinta.

Paulete continuou na região como leiga e ficou conhecida como Dona Paula. Seu trabalho foi de suma importância no Furo de Pedras e em Santa Terezinha, onde se dedicou sobretudo à educação, tendo alfabetizado grande parte dos moradores mais antigos (ALVORADA, 1996b).

Novos Desafios

A educação, a saúde, a evangelização, o desenvolvimento

Em julho de 1959, padre Voillaume visitou as irmãzinhas na aldeia. Ele chegou no dia 13, acompanhado pelos padres João Chaffarod e Jentel. Nas conversas que tiveram, ele levantou algumas questões para melhorar o acompanhamento aos Tapirapé. As irmãzinhas registraram no seu diário: "Pe. Voillaume fala da nossa responsabilidade diante da evolução dos povos primitivos e a obrigação que temos, depois desses anos de presença, de promover o ensino e a educação e para isso vai ser preciso buscar um professor logo" (DIÁRIO DAS IRMÃZINHAS, 1959).

Padre Voillaume ainda sugeriu que se encontrasse uma enfermeira para Furo de Pedras. Sugeriu também que houvesse um barco que fizesse regularmente o trecho de Santa Terezinha a Araguacema.

Não se sabe se é por causa deste desafio lançado pelo padre Voillaume, o certo é que a aldeia se tornou pequena para o padre Jentel. Logo, nós o encontramos em diversas atividades, dentro e fora da região. Ele "farejava no ar as dificuldades e as pressões que os moradores da região iriam enfrentar diante da chegada de grupos poderosos na região. Por isso, ele articulou, em São Paulo, médicos e outros profissionais na busca de encontrar saídas para o desenvolvimento da região" (CANUTO, 2019, p. 120).

Em 31 de maio de 1962, criou, em São Paulo, a Associação para o Desenvolvimento do Vale do Araguaia (Adeva), que logo passou à ação. Neste mesmo ano, organizou uma caravana de médicos de São Paulo para prestar atendimento às populações indígenas e sertanejas da região. O mesmo se repetiu em 1963 e em 1964. Neste último ano, as atividades desenvolvidas foram notícia nos jornais *Folha de São Paulo*, em 27 de julho de 1964, e *O Estado de São Paulo*, em 29 de julho de 1964. Ainda no ano de 1964, padre Jentel reuniu os posseiros e com eles criou a Cooperativa Agrícola Mista do Araguaia (Camiar).

Reocupando a casa

Depois que o padre Chaffarod deixou Santa Terezinha, o padre Jentel mudou-se para lá. E, diante das inúmeras atividades que estavam se realizando, era preciso que a casa, que virara hotel, fosse devolvida.

No dia 31 de maio, as irmãzinhas registraram em seu diário: "Pe. Francisco volta pelo meio dia de Santa Terezinha muito preocupado. Ele nos conta as dificuldades que encontrou com os empregados da Companhia que ocupam a Igreja e suas dependências com o hotel e não quer deixá-lo e Dom Luís pede para retomá-la" (DIÁRIO DAS IRMÃZINHAS, 1964).

No dia 4 de junho, logo que o avião decolou com o padre Chaffarod, "na mesma hora Pe. Francisco foi ao hotel pedir as chaves para a restituição da igreja e dependências", escreveram as irmãzinhas.

Diante da recusa dos funcionários em entregar a casa, padre Francisco entrou na casa e, de lá, retirou tudo o que era do hotel. No dia seguinte, nas dependências da casa, começou a funcionar a escola, tendo vindo Dona Paula, de Furo de Pedras, para assumir as aulas.

A evangelização

Os Tapirapé, antes de 1952, haviam sido batizados. Em tese, eram cristãos, mas não tinham consciência do que isto significava. E as irmãzinhas, pelo seu carisma, não faziam uma evangelização explícita.

Pensando em situações como esta, o padre Voillaume, em conexão com irmãzinha Madeliene, fundou, em 1963, a Congregação das Irmãzinhas do Evangelho, o ramo feminino dos Irmãozinhos do Evangelho, fundados em 1956.

Logo, no ano seguinte à fundação, em 1964, foi encaminhada à aldeia uma comunidade destas novas irmãzinhas que se dedicariam à evangelização dos Tapirapé. Elas substituiriam as Irmãzinhas de Jesus.

Elas chegaram em junho de 1964. Foi um momento tenso, conforme se depreende do que irmãzinha Genoveva disse em 1987: "Nós iríamos deixá-los (os Tapirapé), e nós não tínhamos comunicado com eles esta preocupação e esta decisão, tudo foi organizado sem eles nada saberem...".[12]

Mas a presença das Irmãzinhas do Evangelho foi de muito curta duração. Como disse Genoveva: "...[elas] viram que não poderiam ficar. Então tudo mudou e nós ficamos, eu fiquei, eu penso que foi uma coisa boa, porque tudo seria encaminhado de modo diferente...".[13]

Colaboradoras e colaboradores

Os desafios levantados pelo padre Voillaume começaram a ter respostas. Em janeiro de 1963, um leigo francês, Jean Loup, foi conviver com o padre Chaffarod em Santa Terezinha e lá permaneceu até setembro de 1964.

Em março de 1964, chegou à região um jovem inglês com vontade de contribuir. Era Mike que vinha organizar a escola para os Tapirapé. Ele iniciou os trabalhos, mas ficou pouco tempo. Em meados de setembro, deixou a aldeia.

Neste mesmo ano, padre Jentel fez com que construíssem na aldeia uma igreja e uma grande casa em alvenaria com cobertura de telhas (as casas dos Tapirapé, bem como a das irmãzinhas e a que o próprio padre Jentel usava eram de taipa, um trançado de madeira preenchido de barro, com a cobertura de palha). Também adquiriu um trator com o qual passou a arar algumas pequenas áreas para o plantio dos Tapirapé e dos posseiros de Santa Terezinha.

Para ajudar a melhorar a agricultura, ele contatou, em São Paulo, um técnico agrícola japonês, Genkishi Yamaki, que se dispôs a colaborar nesta área.

---

12 Relatado por Irmãzinha Odile Roseline, extrato de uma partilha de ideias e de reflexão feitas na Fraternidade com a responsável pelo Continente, Renée Isabelle.

13 Sequência do relato de Genoveva. Extrato de uma partilha de ideias e de reflexão feitas na Fraternidade com a responsável pelo Continente, Renée Isabelle.

Mais tarde, em meados dos anos 1960 até 1971, outro padre francês, Henri Jacquemart, juntou-se ao padre Jentel, em Santa Terezinha. De bicicleta, cortando campos e estradas, chegou aos lugares mais distantes onde se tinha notícia de um grupo de cristãos. Além do atendimento espiritual, informava os posseiros sobre seus direitos. Isso provocou a reação dos fazendeiros que contrataram duas pessoas para eliminá-lo (CASALDÁLIGA, 1978, p. 39).

Para o atendimento à saúde, padre Jentel conseguiu que uma enfermeira francesa, Suzanne Robin, se integrasse à missão para atender o povo de Santa Terezinha e Furo de Pedras. Não muito tempo depois, uma enfermeira canadense, Denise Payeur, reforçou o trabalho em Santa Terezinha.

Era esse o quadro quando foi criada a nova Prelazia de São Félix do Araguaia. Santa Terezinha e as Irmãzinhas de Jesus deixavam de fazer parte da Prelazia de Conceição do Araguaia e passavam a pertencer à nova Prelazia. O bispo desta nova Igreja, Pedro Casaldáliga, mais de uma vez afirmou que a presença das Irmãzinhas de Jesus foi uma das razões que o levaram a aceitar ser bispo desta Prelazia.

Com os Tapirapé, as Irmãzinhas enfrentaram a luta pela terra

Nos primeiros anos da década de 1970, os Tapirapé passaram a reivindicar com muita firmeza o território que lhes pertencia e que era ocupado por fazendas. Como o governo não atendia suas demandas, eles mesmos resolveram delimitar, por conta própria, seu território. Em 1975, uma equipe da Funai chegou à aldeia e achou absurdas as pretensões dos Tapirapé, acusando as Irmãzinhas de serem as responsáveis pelas exigências dos indígenas. Estes estariam simplesmente cumprindo o que elas determinavam. Chegou, inclusive, a fazer ameaças de expulsar as Irmãzinhas da aldeia.

Os Tapirapé, porém, mantiveram-se irredutíveis em sua demanda.

Com isso, as acusações contra as Irmãzinhas e a Prelazia cresceram, em 1981, o que provocou uma rede de solidariedade internacional. O governo acabou reconhecendo o direito dos indígenas, em 1983.[14]

---

14 Diante da firmeza dos Tapirapé, o governo acabou homologando, em 1983 (Decreto n.

Conquistada esta área, os Tapirapé passaram a reivindicar, já no ano seguinte, seu território tradicional: a área do Urubu Branco. As Irmãzinhas, como sempre, apoiaram mais esta luta.

Como o reconhecimento desta área demorou, os Tapirapé a ocuparam, em novembro de 1993. As Irmãzinhas se mudaram para lá em abril de 1995 a convite dos Tapirapé.[15]

Ali, em 14 de setembro de 2013, irmãzinha Genoveva, já com mais de 90 anos de idade e 60 anos com os Tapirapé, faleceu. Foi enterrada na casa onde morava, segundo os rituais Tapirapé.

Em 2018, a Fraternidade Tapirapé foi definitivamente fechada por não haver mais irmãs para assumir a missão.

88.194, de 24/3/1983), a Área Indígena Tapirapé/Karajá, com 66.166 hectares, à margem esquerda do Araguaia.

No Arquivo Nacional se encontra um volumoso dossiê intitulado *Identificação e Atuação da Missão da Ordem Religiosa Irmãzinhas de Jesus*. BR DF ANBSB AA3 o MRL 0021 d 0001de0001.pdf , produzido pela Assessoria de Segurança e Informação da Fundação Nacional do Índio. Ali se encontram diversos relatórios de órgãos oficiais da ditadura sobre a atuação das Irmãzinhas de Jesus junto aos Tapirapé.

15 Somente em outubro de 1996, o ministro da Justiça, Nelson Jobim, assinou portaria declarando essa terra indígena como posse permanente dos Tapirapé. Foi homologada no mesmo ano com o nome de Terra Indígena Urubu Branco, com 167.533 hectares. A demarcação deste território só foi concluída em 1998.

SEGUNDA PARTE

UMA IGREJA PERSEGUIDA EM TEMPOS DE REPRESSÃO

Os Missionários Claretianos Assumem uma Nova Missão

A Congregação dos Missionários Filhos do Imaculado Coração de Maria, Claretianos[1], vinha recebendo insistentes pedidos do Vaticano, através da Nunciatura do Brasil, para assumir uma região desassistida pastoralmente no norte de Mato Grosso, às margens do rio Araguaia. O pedido era feito para os claretianos, pois a Congregação havia desenvolvido um intenso trabalho nos sertões centrais de Goiás. Segundo o que o bispo Pedro Casaldáliga escreveu no livro *Creio na Justiça e na Esperança*, fazia quatro anos que este pedido vinha sendo feito.

A Congregação aceitou o desafio de iniciar uma nova missão. A província claretiana de Aragón, da Espanha, se dispôs a enviar missionários para esta nova atividade. A província claretiana do Brasil acompanhou todos os passos para a concretização desta missão.

Mas quem se dispunha para este novo trabalho?

Durante o Capítulo Geral da Congregação, realizado em Roma em 1967, chamado de Capítulo de Renovação (pois acontecia após o Concílio Vaticano II[2]), o padre Pedro Casaldáliga se ofereceu para enfrentar esta missão no Mato Grosso: "Foi durante este Capítulo de

---

1 A Congregação dos Missionários Filhos do Imaculado Coração de Maria, Claretianos, foi fundada em 1849, em Vich, Espanha, por Santo Antônio Maria Claret e outros cinco companheiros. Tinham os fundadores como objetivo o serviço missionário da Palavra. Os claretianos chegaram ao Brasil em 1895 e exerceram e exercem atividades em diversos estados do Brasil. São identificados pela sigla CMF - Cordis Mariae Filius - Filhos do Imaculado Coração de Maria.

2 O Concílio Vaticano II foi um grande encontro de todos os bispos católicos do mundo inteiro, convocado pelo Papa João XXIII, para buscar uma resposta da Igreja aos desafios do mundo contemporâneo. O Concílio se realizou em quatro longas sessões entre 1962 e 1965, no Vaticano.

Renovação que fiz a minha opção pelo Mato Grosso. Tinha chegado também para mim, pessoalmente, uma hora decisiva" (CASALDÁLIGA, 1978, p. 27).

E logo, no dia 26 de janeiro de 1968, os dois primeiros missionários que iriam abrir os caminhos desta nova missão, padre Pedro Casaldáliga e irmão Manuel Luzón, embarcaram em Madri com destino ao Brasil.

Antes de irem ao Mato Grosso, participaram, em Petrópolis (RJ), do curso oferecido aos missionários estrangeiros que chegavam ao Brasil pelo Centro de Formação Intercultural (Cenfi)[3].

O curso, além de ensinar a língua portuguesa aos estrangeiros, oferecia diversas outras disciplinas e contatos para que os novos missionários conhecessem um pouco da cultura, da história e da realidade econômico-social do país. O bispo Pedro, sempre que podia, ressaltava a importância deste curso para quem chegava para uma nova missão. Segundo ele, era um banho de Brasil.

Terminado este curso, que teve a duração de quatro meses, o padre Pedro e o irmão Manuel passaram um mês e meio em São Paulo, visitando hospitais e o Butantã. Fizeram um minicurso de doenças tropicais para ter noções mínimas sobre as doenças que poderiam encontrar no novo campo de trabalho e seu tratamento adequado.

Depois disso tudo, era hora de arrumar as coisas para chegar ao Araguaia. Finalmente, em julho, o caminhão do Seminário Claret, de Rio Claro (SP), ali mesmo foi carregado com o material indispensável para montar uma casa: fogão, camas, mesas, armários, material de cozinha etc. Também foram embarcadas carteiras escolares que não estavam sendo mais usadas. E, neste caminhão, enfrentaram a longa viagem (mais de 1.500 km) entre Rio Claro e São Félix do Araguaia. Depois de Goiânia, eram mais de mil quilômetros de estrada de terra. E de Barra do Garças, que era sede do município ao qual São Félix pertencia, até o destino eram 650 quilômetros, com todas as pontes sobre

---

3   Centro de Formação Intercultural (Cenfi), se dedica à formação cultural e eclesial das missionárias e dos missionários estrangeiros que chegam ao Brasil, através da aprendizagem da língua portuguesa, da introdução sobre elementos das culturas brasileiras e da iniciação à atuação missionária neste País. É um departamento do Centro Cultural Missionário (CCM) que é um organismo vinculado à Conferência Nacional dos Bispos do Brasil (CNBB).

córregos, ribeirões e rios em madeira (duas grandes travessas de um lado e uma de outro). O Rio das Mortes tinha que ser vencido em balsa. Foram sete dias de viagem até chegar a São Félix.

O número 4 de *Alvorada*, de julho de 1970, ao comunicar a instalação da nova prelazia, assim registrou:

> Depois de vários anos de promessas e de espera, chegaram por fim a São Félix, os Missionários Filhos do Imaculado Coração de Maria ou padres claretianos que iam tomar conta da nova Prelazia. Foi aos 30 de julho de 1968. Vinham de caminhão, com as mudanças; e os acompanhava o padre provincial, Faliero Bonci, que tanto zelou, desde o início, para que esta Prelazia fosse uma realidade.
> Os dois primeiros claretianos foram o Pe. Pedro M. Casaldáliga e o Irmão Manuel Luzón. Já para o Natal deste mesmo ano de 1968, chegaram os padres José Maria Garcia Gil e Leopoldo Belmonte. E em dezembro de 1969 veio o pe. Pedro Mary Sola.

Os missionários se instalaram numa pequena casa, próxima à igrejinha que existia à beira do Araguaia.

A vida dos missionários no Araguaia

Um ano depois da chegada, no dia 16 de julho de 1969, o irmão Manuel fez um extenso relato de como era a região e a vida destes primeiros missionários em São Félix para os companheiros da Província Claretiana de Aragón, na Espanha, de onde tinham vindo, que vale a pena ser conhecido, pois traça um retrato pormenorizado da região naquele tempo.[4]

Ele relatou as dificuldades de comunicação na região e disse que, neste primeiro ano em que estavam na região, conseguiram visitar e atender, na medida do possível, as pessoas que viviam às margens dos rios Araguaia e das Mortes e as que viviam próximas à estrada que

---

4 Hélio de Souza Reis que fez parte da primeira equipe de leigos que foi a São Félix para lecionar no Ginásio Estadual do Araguaia guarda cópia deste Relatório. Ele assinala: "A cópia que eu tenho deste relatório do Padre Manoel Luzón é um rascunho datilografado, com cortes e emendas manuscritas (a letra deve ser do Pedro, às vezes, ilegível). Certamente foi passado a limpo e mandado para a Congregação (Espanha)".

liga Barra do Garças a São Félix. Fora os núcleos à margem da estrada, todas as demais localidades eram atendidas em um "barco lento".

Durante o primeiro ano e meio, eles se dedicaram a fazer desobrigas[5], como eram feitas pelo padre Pedro das Barbas para conhecer a região e o povo, "que tínhamos recebido como herança sacerdotal", escreveu o padre Pedro. Estas desobrigas fizeram levantar o véu do problema da terra. "Ninguém tinha terra própria. Ninguém tinha um futuro assegurado. Todo mundo era 'retirante' emigrante de outras áreas do país já castigadas pelo latifúndio" (CASALDÁLIGA, 1978, p. 32).

Seguindo o relato do irmão Manuel, Luciara e São Félix eram os dois principais núcleos populacionais. Luciara já havia se emancipado e era município. Antes de chegarem à região, pensava-se em colocar a sede da nova missão em Luciara. Mas logo se convenceram que era em São Félix que deveria ser montada a sede. Os motivos que os levaram a esta opção foi ter um campo de aviação do outro lado do Araguaia, Santa Isabel do Morro, com voos semanais. E a estrada chegava até São Félix, não a Luciara. Diz o relato que, apesar de a população de Luciara ser maior, havia muito mais vida em São Félix, sobretudo por causa da estrada.

Atendimento a fazendas

Os missionários que se dedicavam a fazer desobrigas nos núcleos de posseiros dispersos não estavam fechados ao diálogo com nenhum grupo. Um dos lugares que eles frequentavam assiduamente era a Fazenda Suiá-Missu. Os padres Leopoldo (Leo) e José Maria eram os que lá atuavam.

Em abril de 1969, um grande evento ali aconteceu. O ministro do Interior, Costa Cavalcanti, estaria presente em um grande encontro com os fazendeiros e empresários da região. O superior da missão, padre Pedro, também foi convidado e participou. Sobre aquele evento ele escreveu:

> Cento e sessenta pessoas empanturrando-se com cinco bois assados, cabritos, sobremesas e bebendo. Uma palhaçada! Vinte

---

5 Desobrigas era a forma comum, em grande parte do Brasil, de atendimento feito pela igreja a comunidades dispersas pelo interior. O padre visitava uma vez, ou duas ou três vezes ao ano, a comunidade quando eram celebradas missas, feitos batizados e casamentos.

aviões na pista da fazenda, a poucos passos da mata, em contraste com a mais primitiva civilização. Nessas circunstâncias, é difícil não sair logo gritando irado. Tanta fartura diante de tanta miséria! Foi um dos dias em que menos comi. Aquela tarde fui visitar a pensão dos peões, chegados como náufragos em busca de trabalho: havia uns 12 doentes.

Entre eles, um que tentara suicidar-se. Verdadeiramente, o contraste era duro (CASALDÁLIGA *apud* SOUZA, 2017, p. 134).

Mesmo assim, os missionários, como lembra Leo, continuaram a frequentar a fazenda. Às vezes, um avião ia buscar os padres, outras vezes um carro. A Suiá contribuiu para a construção do prédio do ginásio e mandou máquinas, aos cuidados dos padres, para abrir as ruas do povoado de São Félix. Alguns meses depois, os padres foram de jipe da missão até a fazenda e, antes de lá chegarem, o carro tombou. O padre Leo ficou oito dias esperando, enquanto era feito o conserto, e passou a visitar os barracões dos peões e com eles celebrou missa. O gerente desaprovou a ação do padre. Na missa na sede da fazenda, no final da semana, Leo se recusou a rezar o Pai Nosso, já que os peões não mereciam sequer receber a vista dos padres e com eles celebrar. A partir desta ocorrência, se viu que não era mais possível frequentar as fazendas.[6]

A decisão de ficar ao lado dos pobres deu origem a muitos problemas, conflitos e criou inimigos "poderosos", mas também contribuiu a encontrar amigos para toda a vida, os "seus pobres do evangelho", como dom Pedro os considera.

Temos dito muitas vezes que, aqui, ou você está de um lado, ou do outro. Tenho dito muitas vezes que o missionário que, uma vez por semana, vai tomar café na casa de um rico, não pode fazer opção pelos pobres, [...] não é que eu não possa ir um dia tomar café na casa de um rico, mas, se vou lá toda semana e não acontece nada, não digo nada, não dou uma sacudida naquela casa, naquela consciência, já me vendi, já neguei minha opção pelos pobres (CASALDÁLIGA *apud* ESCRIBANO, 2014, p. 19).

6　Entrevista por telefone com Leopoldo Belmonte Fernandes, no dia 31 de janeiro de 2020.

Paulo VI Cria a Prelazia de São Félix do Araguaia

Como a missão já estava estabelecida, no dia 13 de maio de 1969, o papa Paulo VI criou a Prelazia de São Félix do Araguaia. Os missionários, porém, só mais tarde tiveram conhecimento deste ato do papa, como se pode entrever do relato do irmão Manuel:

> Há pouco tempo nos comunicaram que já está constituída a nova Prelazia de São Félix do Araguaia. Esperamos que de um dia para outro nos comuniquem quem é o bispo que residirá conosco em São Félix.
>
> A chegada do Bispo representaria um novo empurrão para ir resolvendo toda a problemática humana e pastoral da missão.

A nova Prelazia foi oficialmente instalada no dia 25 de julho de 1970, com a presença de bispos vizinhos, dos superiores claretianos do Brasil e da Espanha. Dom Camilo Faresin, bispo de Guiratinga, foi quem presidiu o ato de instalação. O padre Pedro Casaldáliga foi nomeado administrador apostólico da nova Prelazia.

Por onde começar? Os grandes desafios

A nova equipe missionária se defrontou com uma realidade dura e adversa, que era preciso, de alguma forma, enfrentar.

Além do atendimento pastoral às populações esparsas na região, três situações, de modo particular, requeriam algum tipo de ação da Igreja que ali se instalava.

A primeira era a da educação. Em todo o território que foi confiado aos padres claretianos, havia somente algumas escolas até o quarto ano primário. Se se pensasse em alguma ação para apoiar o povo desta região, a educação era uma das primeiras tarefas a enfrentar.

A segunda era a da saúde. Em toda a região, não havia nenhum médico. Somente em Santa Terezinha havia enfermeira formada, que a Prelazia de Conceição do Araguaia conseguira incorporar.

Contudo a situação que afetava a todos os núcleos onde havia pessoas tentando sobreviver era a da terra.

Os missionários haviam caído em um espaço imenso, pouco depois de o governo militar definir como uma de suas prioridades o "desenvolvimento da Amazônia". E a região fazia parte do que havia sido definido como Amazônia Legal. Fartos recursos eram oferecidos pelo governo, através de incentivos fiscais às pessoas e empresas que se dispusessem a investir na Amazônia. Era o momento em que o capital avançava com tudo sobre a região, desconhecendo os povos indígenas existentes e os núcleos de sertanejos espalhados, quase sempre às margens dos rios. Trabalhadores braçais, chamados de peões, eram trazidos de outros estados para a abertura das fazendas e submetidos a condições degradantes, análogas às de trabalho escravo.

Educação

O primeiro desafio enfrentado foi o da educação. O bispo Pedro relata no seu livro *Creio na Justiça e na Esperança*:

> Desde o primeiro momento de nossa chegada, choveram pedidos: íamos dar aulas, construiríamos colégio, organizaríamos um internato, poderíamos ficar com os filhos alheios, adotá-los, educá-los? Não se imaginava a presença de uns padres ou de umas irmãs sem abordar este problema. Era tal o imperativo de suplência social que, de fato, tivemos que construir com ajuda econômica de amigos da Espanha, um Ginásio (CASALDÁLIGA, 1978, p. 33).

Os missionários tinham consciência de que a educação era tarefa do Estado, mas, mesmo assim, enfrentaram este desafio. Para forçar a criação do ginásio, construíram o prédio que abrigaria a escola. E já em 1969, a título precário, foram dadas aulas para o primeiro ano do ginásio, o que hoje equivaleria à quinta série.

Quando o irmão Manuel escreveu seu relatório, padre Leo tinha ido a Cuiabá para tratar, junto à Secretaria de Educação do Estado, da criação de um ginásio para atender os jovens que queriam estudar, mas não tinham condição de sair para estudar fora. A Secretaria concordava em abrir o ginásio, mas os padres deveriam arranjar os professores. Em Campinas (SP), havia um grupo de jovens universitários, ex-seminaristas claretianos, que viviam juntos. Lá, os padres de São Félix foram bater para convidá-los a assumir as aulas no ginásio. O convite foi aceito.

Segundo relatou na I Rodada de Diálogos sobre Educação no Araguaia – Caminho de Luta e Resistência, realizada na Universidade Federal do Mato Grosso, em 2013, Hélio de Sousa Reis, um dos que aceitou o convite, disse que "as autoridades disseram que aprovariam o ginásio se arranjassem os professores. E quando receberam os nossos currículos de estudantes universitários com dois anos de Filosofia, queriam que fôssemos lecionar aqui em Cuiabá, por falta de professores".

Com o corpo de professores formado, o estado aprovou o projeto. Desta forma,

> no dia 6 de março de 1970, abriu as portas o GINÁSIO ESTADUAL ARAGUAIA - GEA. Padre José Maria foi o Diretor. Jovens universitários, ex-seminaristas claretianos, e uma amiga deixaram a cidade de Campinas, em São Paulo, para assumir o trabalho de educação como uma missão. Eram eles: Hélio de Sousa Reis, (o Piauí), Elmo Malagodi, Luiz Gouvêa e Eunice Dias. O Decreto de criação do GEA foi assinado no dia 29/04/70 e publicado no Diário Oficial de 05/05/70. A festa de inauguração aconteceu no dia 23/05/70, data da fundação de São Félix.
>
> Em 1972, Elmo assumiu a direção e em dezembro do mesmo ano formou-se a primeira turma de 11 alunos.
>
> O ginásio trouxe vida nova para São Félix. A cidade girava em torno ao GEA.
>
> Além do estudo levado a sério, promoções e eventos passavam ou surgiam do GEA.

Nas datas cívicas da cidade ou nacionais, os desfiles, animados por vibrante fanfarra, sacudiam a pequena São Félix.

Muitas peças de teatro eram apresentadas e o esporte era parte integrante da vida da escola. Havia até um clube de xadrez, onde o próprio diretor competia com os alunos (CANUTO, 2019, p. 193-4).

Saúde

Outro grande desafio a enfrentar foi o do atendimento à saúde.

Diz o bispo Pedro: "Nos primeiros meses, Manuel e eu viramos enfermeiros, guiando-nos, um pouco às cegas, pelas bulas dos remédios. Pudemos comprovar de perto a presença múltipla, avassaladora, da doença e da morte na região" (CASALDÁLIGA, 1978, p. 31).

Já depois de um ano, o relatório do Irmão Manuel dizia:

> [...] de São Paulo nos vão enviando de vez em quando algumas caixas de remédios que procuramos repartir por estas partes mais pobres e necessitadas. Nós não repartimos pessoalmente os medicamentos, pois estraríamos o dia todo com gente em casa e daríamos a sensação de que os padres somente se dedicam a distribuir remédios. Procuramos deixá-los em mãos de pessoas mais ou menos preparadas e responsáveis por esta distribuição.

E mais adiante: "Estamos movendo as águas para ver se podemos conseguir um médico especialista em doenças tropicais para que resida no hospital de São Félix que já está em parte montado".

Mesmo não conseguindo médicos para a região, estavam sendo feitos contatos com as Irmãs de São José de Chambery[7], as responsáveis pela Santa Casa de Misericórdia de São Paulo, para a fundação de uma casa de religiosas em São Félix.

---

7   A Congregação das Irmãs de São José de Chambery é de origem francesa. Em 1853, chegaram ao Brasil as primeiras irmãs desta Congregação.

Assim, escreve o Irmão Manuel em seu relato:

> Também esperamos que não custará muito tempo para que tenhamos uma comunidade de religiosas aqui em São Félix. Já faz bastante tempo que este assunto vem sendo tratado. E ultimamente recebemos carta do padre Casaldáliga dizendo que tinha estado em São Paulo tratando deste assunto com uma madre Provincial, e parece que aceitaram com muito gosto a fundação de uma comunidade em São Félix.

Dessa forma, no dia 16 de fevereiro de 1971, chegaram de São Paulo as Irmãs de São José. Entre elas, uma enfermeira. Imediatamente, as irmãs elaboraram um "Guia para Organização de um Serviço de Enfermagem de Saúde Pública em São Félix do Araguaia – Estado de Mato Grosso". No dia primeiro de março, a casa à beira do rio, que fora a primeira residência dos missionários, se transformou em Ambulatório de Saúde e começaram os primeiros atendimentos. Irmã Maria de Lourdes atendia os doentes e ela e as outras irmãs visitavam as famílias para orientação sanitária. O atendimento à saúde estendia-se também a Serra Nova, Pontinópolis, Ribeirão Bonito (hoje Ribeirão Cascalheira) e outros lugares.

Ferindo interesses

Este atendimento, porém, feriu alguns interesses. E, assim, o ambulatório foi fechado em 23 de setembro de 1972, pela Secretaria de Saúde. Foi considerado ilegal. O motivo real do fechamento, contudo, foi a abertura, naquele ano, de um hospital particular em São Félix, pelo doutor Jamil. O Ambulatório prestava atendimento gratuito à população, retirando freguesia do hospital.

Atendimento Pastoral – Campanhas Missionárias

Os primeiros atendimentos pastorais fora da vila de São Félix e da cidade de Luciara, como descreveu o irmão Manuel em seu relato à Congregação, resumiram-se a reproduzir as desobrigas.

No começo do ano de 1971, além das irmãs, chegaram mais alguns jovens do grupo de Campinas para se inserirem no trabalho pastoral. Assim, foi possível iniciar novas experiências pastorais em substituição às antigas desobrigas.

Diz o bispo Pedro no *Creio na Justiça e na Esperança*:

> Em abril de 1971, [...] começamos uma nova experiência pastoral, as 'Campanhas Missionárias'. Era a forma encontrada para substituir as desobrigas, uma espécie de 'missão popular'. Três meses de trabalho em equipe, em um lugar, com curso de alfabetização segundo o método de Paulo Freire, umas missas semanais bem próximas da compreensão do povo – mais como catequese do que eucaristia (!) - a preparação de batizados e outros sacramentos, o conhecimento da realidade vivida no dia a dia, a descoberta de líderes locais, o cultivo do fermento das futuras comunidades (CASALDÁLIGA, 1978, p. 34).

A questão da terra

Uma das questões mais presentes e que afetava a vida de quase todas as famílias era a da terra. Todas eram de posseiros, nenhuma com qualquer documento que comprovasse ser dona do pedaço que cultivava. E acabavam de chegar à região grandes empresas que se diziam proprietárias de um mundo de terras, tentando impor seu "direito" sobre tudo e todos.

A primeira das campanhas missionárias foi em Pontinópolis, povoado que se chamava, anteriormente, de Mata Seca.[8]

Em 1971, quando se realizou a Campanha Missionária, os posseiros aguardavam alguma possível solução para o problema da terra, pois isto se lhes tinha prometido em suas muitas viagens a Brasília. Mas foi necessário esperar por 15 anos para conseguirem conquistar definitivamente a área que ocupavam.

Era nesse cenário que se realizou a primeira Campanha Missionária.

Os posseiros, diante de uma presença tão inusitada (um padre e professores), ficaram cismados. O que estariam querendo aquelas pessoas? Não teriam sido enviadas pelo Ariosto e os Ometto, que se apresentavam como donos das terras, para bisbilhotarem suas vidas e organização? Isso eles confessaram depois que verificaram na prática que a equipe estava mesmo do seu lado. O bispo Pedro escreveu que foi lá, em Pontinópolis, que

> fomos definitivamente reconhecidos como a favor dos 'posseiros' ou lavradores sem terra maltratados pelo latifúndio de estado em

---

8 Mata Seca era uma região onde, desde 1959, um bom número de famílias sertanejas havia se localizado. Depois passou a se chamar de Pontinópolis, por causa do ribeirão Três Pontes que cortava as terras. Os novos ocupantes, posseiros, conviviam, não sem atritos, com os Xavante que desde tempos imemoriais viviam naquele imenso território. Eram diversas as aldeias.

Pouco tempo depois chegaram uns empresários paulistas – Ariosto da Riva e Abelardo Vilela - que se apresentaram como donos de em torno a 1.200.000 hectares, a que título não se sabe. Em 1962, perto de 800 mil hectares foram vendidos para o grupo Ometto (Café Caboclo, Açúcar União) que formou a Fazenda Suiá Missu.

Quando a Suiá-Missu fez a demarcação das terras que tinha comprado, boa parte das famílias de Mata Seca ficaram dentro da área demarcada. Em 1965, Ariosto mandou seus funcionários passarem de lote em lote dos posseiros para dizer-lhes que deviam desocupar a área até 31 de julho daquele ano. Os posseiros se organizaram e apelaram para as autoridades, inclusive para o presidente Castelo Branco.

No ano seguinte, 1966, a fazenda com o apoio do governo, conseguiu se ver livre dos Xavante em suas terras. Aviões da FAB levaram todos os indígenas para a aldeia São Marcos, acompanhada pelos padres salesianos, a uns 600km de distância. Foi a deportação de todo um povo (Informações mais detalhadas sobre este conflito (CANUTO, 2019, p. 197-9).

estado. Foi nestas campanhas missionárias, onde descobrimos -e definitivamente!-, a problemática de nosso povo, o conflito social básico de uma região destinada oficialmente a ser latifúndio de gado bovino, área da Superintendência de Desenvolvimento da Amazônia (SUDAM), onde a bosta do boi equivale a um carimbo de 'integração nacional' e de desumana desintegração de índios, posseiros e peões! (CASALDÁLIGA, 1978, p. 34).

Em Serra Nova

A segunda Campanha Missionária foi realizada no segundo semestre de 1971, em Serra Nova, um povoado, a quase 150km de São Félix, que os posseiros dispersos resolveram formar para poderem ter escola para as crianças e atendimento à saúde.

Essa área também fazia parte das terras de Ariosto da Riva. E ele vendeu em torno a 20% do que lhe restara depois da venda para a Suiá Missu, para o grupo dos Frigoríficos Bordon. Ali se implantou a fazenda Bordon.

Esta fazenda tentava de toda forma expulsar as famílias de posseiros lá existentes. Padre Pedro, que àquela altura era administrador apostólico da Prelazia de São Félix do Araguaia, se propôs intermediar alguma possível solução para os lavradores. Esteve em São Paulo falando com um dos diretores que o advertiu que era perigoso entrar nestas questões de terra. Em 20 de julho de 1971, escreveu em seu diário: "Estou em Brasília, sempre luminosa e aberta. Acabo de sair do SNI (Serviço Nacional de Informação). Ontem, estive no INCRA. Vim aqui para tratar do problema da terra de Serra Nova" (CASALDÁLIGA, 1978, p. 46).

Foi neste clima que se realizou a segunda Campanha Missionária.

A equipe desta campanha dava total apoio aos posseiros, o que irritava "os donos da terra". O bispo Pedro e um dos líderes dos posseiros foram tocaiados na floresta como ele registrou no livro *Creio na Justiça e na Esperança* (CASALDÁLIGA, 1978, p. 46).

O que acontecia em Pontinópolis e Serra Nova se repetia com igual ou maior intensidade em todos os lugares onde havia algum posseiro ou alguma aldeia indígena. Foi o que registrou o bispo Pedro na carta pastoral que divulgou no dia de sua ordenação episcopal.

Santa Terezinha, Porto Alegre do Norte, o povo Tapirapé, o Parque Indígena do Xingu, o povoado de Chapadinha não muito distante de São Félix: cada um viveu com maior ou menor intensidade os conflitos que os afetavam e a carta pastoral os denunciou. A situação que viviam os trabalhadores braçais, conhecidos como peões, trazidos de longe para os serviços de derrubada da floresta para a formação das fazendas, submetidos a condições análogas às de trabalho escravo, também foi denunciada na carta pastoral.[9]

Sobre o tratamento dispensado aos peões, já em 1970, o padre Pedro, administrador apostólico da Prelazia, fizera uma séria denúncia intitulada Escravidão e Feudalismo no Norte do Mato Grosso. O documento foi enviado às autoridades brasileiras, à CNBB e à Nunciatura Apostólica, em Brasília.

A Nunciatura recebeu o documento e advertiu a Pedro, conforme ele escreveu:

> O senhor Núncio, depois de elogiar-me, diplomaticamente, pela coragem e o realismo pastorais, pedia-me diplomaticamente que não publicasse o documento no estrangeiro, porque isso poderia favorecer a campanha de difamação que lá se orquestrava contra o Brasil.
>
> O documento era apenas uma ladainha trágica de casos em carne viva de peões enganados, controlados a revólver, espancados, feridos ou mortos, cercados na floresta, em total desamparo de qualquer lei, sem nenhum direito, sem saída humana (CASALDÁLIGA, 1978, p. 35).

---

9 Sobre os conflitos acima citados e outros na região ver Canuto (2019).

Nomeação do Padre Pedro Casaldáliga como Bispo

Em meio à efervescência de conflitos, durante a primeira Campanha Missionária, chegou do Vaticano a nomeação do padre Pedro Casaldáliga para ser o bispo da Prelazia de São Félix do Araguaia.

Ele relutou muito em aceitar. E já tinha escrito a carta de não aceitação, quando passou por São Félix dom Tomás Balduino, OP, bispo de Goiás, com quem padre Pedro comentou sua nomeação e sua decisão de não aceitar. Dom Tomás, então, lhe pediu que não enviasse esta carta antes de conversarem melhor no dia 7 de agosto, quando ele estaria de novo em São Félix para a ordenação sacerdotal do irmão Manuel.

A equipe de missionários havia julgado que o irmão Manuel poderia prestar um melhor serviço ao povo da região sendo padre. Por isso, durante o ano de 1970 até meados de 1971, ele esteve no Rio de Janeiro fazendo um curso de teologia.

De acordo com o que estava agendado, no dia 7 de agosto de 1971, dom Tomás estava de volta em São Félix, para ordenar o irmão Manuel.

No dia seguinte à ordenação, todos os agentes de pastoral presentes na Prelazia, padres, irmãs, leigos e leigas, quebrando todas as normas do sigilo que a estrutura eclesiástica exigia, se reuniram com o padre Pedro e dom Tomás para discutir a nomeação. Todos concordaram que o padre Pedro deveria aceitar. Ele comentou esta decisão: "decidiram que era melhor o mau conhecido, do que o bom por conhecer. Uma vez mais expus meus limites e idiossincrasias, "meu carisma, talvez". E declarei meu propósito irrevogável de seguir ao povo de Serra Nova – ou a qualquer outro povo da prelazia – se um dia fosse deportado. Nada que a condição episcopal me pudesse impedir" (CASALDÁLIGA, 1978, p. 44).

A data da ordenação episcopal foi marcada para o dia 23 de outubro, festa do santo fundador da congregação à qual Pedro pertencia, Santo Antônio Maria Claret.

Mesmo faltando menos de três meses para a ordenação, padre Pedro participou, em Serra Nova, da Campanha Missionária que lá se iniciava. Ali, numa pequena máquina Olivetti, ele escreveu a carta pastoral que seria divulgada no dia da ordenação. Nela, eram relatados em detalhes os conflitos e as violências vividos pelas comunidades sertanejas e pelos povos indígenas que existiam na região.

Os fazendeiros, ao tomarem conhecimento da nomeação do padre Pedro para ser o bispo e diante das posturas cada vez mais claras dele e da equipe pastoral em defesa dos posseiros, índios e peões, tentaram impedir que sua sagração se realizasse, inclusive indo até o Núncio, acompanhados de um padre que atendera a região antes da chegada dos padres claretianos[10]. Não tendo conseguido os seus objetivos, tentaram eliminá-lo fisicamente, como ele escreveu no livro *Creio na Justiça e na Esperança*: "E durante o mês de outubro insistiram em pôr minha vida a preço, para impedir minha consagração

---

10 Um documento da Nunciatura Apostólica, datado de 2 de setembro de1971, assinado pelo secretário, Padre Tertuliano Rodrigues Neto, declara que naquela data procuraram o Núncio, no Rio de Janeiro, o sr. José A. Ribeiro Leme, Diretor-Superintendente da Bordon S/A, Agropecuária da Amazônia, acompanhado do Pe. Pedro Sbardelotto, SDB, vigário de Xavantina, MT. Eles lá foram para que o Núncio tomasse conhecimento "da situação e das tensões que existiam na Prelazia de São Félix e das atitudes do Prelado Monsenhor Pedro Casaldáliga". O documento foi emitido a pedido do diretor da Bordon, conforme ele mesmo afirmou em extenso relatório que enviou, no dia 18 de novembro de 1971, à Associação dos Empresários Agropecuários da Amazônia, expondo as atitudes e ações do já então bispo Pedro Casaldáliga em relação à Bordon S/A. Diz ele: *"Durante este período fomos procurados pelo padre Pedro Sbardelotto, Vigário de Xavantina, que antecedeu na Prelazia de São Félix ao padre Pedro Casaldáliga, profundo conhecedor da região, e bastante ciente das atitudes 'extra' sacerdotais do hoje bispo.* O padre Sbardelotto sugeriu que fôssemos até o Rio de Janeiro relatar ao Núncio Apostólico, que é o Embaixador do Vaticano no Brasil, e, portanto, autoridade que tinha condição de resolver em parte o problema. Por motivos que não desejamos aqui relatar, não fomos recebidos pelo Núncio Apostólico, que designou um seu secretário para nos atender. Expusemos a ele qual o motivo de nossa presença e, para surpresa nossa (padre Sbardelotto e o signatário desta), a Nunciatura já tinha conhecimento das atividades perigosas do padre Casaldáliga, tal qual o S.N.I. Neste momento exigi do secretário que nos fornecesse um documento, atestando nossa presença e o motivo da mesma. Este documento está anexado a esta em fotocópia, e outra enviada ao S.N.I." (BR_DFANBSB_AA3_0_PSS_0553_d0001de0001.pdf).

episcopal. Conforme consta no documento assinado pelo pretenso assassino diante da Polícia Federal, davam por minha cabeça, mil cruzeiros, um revólver 38 e uma passagem de viagem para onde quisesse" (CASALDÁLIGA, 1978, p. 46).[11]

No dia 10 de outubro, a carta pastoral estava concluída. Recebeu como título *Uma Igreja da Amazônia em Conflito com o Latifúndio e a Marginalização Social.*[12] O padre Pedro registrou em no seu diário no dia 12 de outubro: "Sei que vai levantar contradição, mas penso que era um dever meu escrevê-lo. Não tem sido fácil. Em si, ele mesmo é um risco, quase um total desafio" (CASALDÁLIGA, 1978, p. 47).

---

11 O contratado para eliminar o padre Pedro era o conhecido Benedito Boca-Quente, Pedro, já bispo, registrou: "Benedito Boca-Quente saíra da fazenda Bordon, depois de pedir a cinco homens que o matassem e sem que ninguém, graças a Deus, tivesse a suficiente "coragem" homicida Mais tarde soubemos que havia sido morto em Goiás e eu rezei muitas vezes por este companheiro de caminho, desesperado" (CASALDÁLIGA, 1978, p. 51).

12 A preocupação com a Amazônia, o bispo Pedro já a demonstrara alguns meses antes, em maio, quando visitou, em Goiânia, o arcebispo Dom Fernando Gomes. A ele expôs, segundo escreveu em seu diário, suas "preocupações: Transamazônica, Latifúndio, Deportação, Atendimento pastoral precário e provisório aos grupos humanos envolvidos". Na ocasião ele propôs que Dom Fernando sugerisse à CNBB nacional um estudo sobre o latifúndio no país e a realização de um encontro de bispos e prelados da região afetada pelo fenômeno Amazônia.

As preocupações do padre Pedro não eram só dele. Pouco tempo depois, de 14 a 16 de julho, realizou-se no Rio de Janeiro um seminário sobre Pastoral da Amazônia. Sobre este seminário, ele escreveu: "foi uma boa constatação da problemática sociopastoral da Amazônia. Agora a Comissão Representativa da CNBB que vai reunir-se em agosto terá que se pronunciar com detalhes concretos e eficazes". E acrescentava: "Durante o Seminário, insisti no perigo de se valorizar mais a Transamazônica do que a própria Amazônia. Comprovamos todos que há um certo medo da Igreja "oficial" na hora de se manifestar em relação aos problemas sociais agudos. Há muita "poltica" chamada prudência, talvez sincera, talvez ingênua, talvez covarde e demasiadamente comprometida" (CASALDÁLIGA, 1978, p. 41-2).

O Araguaia é Testemunha

São Félix do Araguaia, 23 de outubro de 1971. Noite. À beira do rio, dom Fernando Gomes dos Santos, arcebispo de Goiânia, dom Tomás Balduino, OP e bispo de Goiás, e dom Juvenal Roriz, CSSR e bispo de Rubiataba (todos de Goiás), consagraram como bispo o padre Pedro Casaldáliga (ALVORADA, 1996d).

Esta ordenação marcaria profundamente a história da recém-criada Prelazia de São Félix do Araguaia e, podemos dizer, da Igreja do Brasil.

Uma celebração carregada de fé, de simplicidade e de cheiro do povo e que teve o Araguaia como testemunha.

Chapéu de palha

Como sinal de identificação com o povo e do despojamento com que esta igreja queria se revestir, o novo bispo não aceitou qualquer insígnia ou distintivo que o distanciasse do povo a quem queria servir.

A mitra foi substituída por um chapéu de palha sertanejo. Um remo, feito pelos Tapirapé, substituiu o báculo. O anel de tucum, feito pelos índios da região, marcaria o compromisso com sua causa – o anel que cursilhistas[13] amigos de Madri lhe enviaram foi mandado como recordação e sinal de carinho à sua velha mãe, na Espanha.

---

13 Cursilhos de Cristandade é um movimento na Igreja Católica surgido na Espanha ainda na década de 1940 e que se expandiu nas décadas seguintes. Ele se propunha ser um grande movimento de evangelização dos católicos que estavam afastados da prática religiosa ou que só participavam por tradição. O movimento propunha um aprofundamento na fé e no compromisso cristão. O padre Pedro Casaldáliga, na Espanha, atuou junto a este movimento e o levou à África. No Brasil o movimento chegou em 1962.

Assim dizia o cartão-lembrança distribuído aos presentes:

Tua mitra será um chapéu de palha sertanejo, o sol e o luar; a chuva e o sereno; o olhar dos pobres com quem caminhas e o olhar glorioso de Cristo, o Senhor.
Teu báculo será a verdade do Evangelho e a confiança do teu povo em ti.
O teu anel será a fidelidade à Nova Aliança do Deus Libertador e a fidelidade ao povo desta terra.
Não terás outro escudo que a força da Esperança e a liberdade dos filhos de Deus, nem usarás outras luvas que o serviço do Amor.

As leituras bíblicas, traduzidas para a linguagem regional, lembravam os compromissos que o bispo assumia naquele momento.

Eu sou o bom vaqueiro. O bom vaqueiro arrisca a vida pelo seu gado. Aquele que não é vaqueiro e que não zela o gado, quando vem a onça, ele foge.
Eu sou o bom vaqueiro. Conheço o meu gado e o meu gado me conhece e dou a minha vida pelo meu gado. Tenho outros gados que não estão neste retiro. Eu devo ir atrás deles. E eles escutarão o meu aboio e haverá um rebanho só (Jo 10, 11-16).

"Um documento cheio de dores"

No dia da sagração episcopal, foi distribuída a carta pastoral "Uma Igreja da Amazônia em Conflito com o Latifúndio e a Marginalização Social". Em 123 páginas, a carta descreveu a Prelazia, sua situação geográfica, econômica e social, mas, sobretudo, denunciou as injustiças sofridas pelos posseiros, índios e peões, provocadas pelas grandes empresas que estavam se estabelecendo na região com o dinheiro farto dos cofres públicos, através dos incentivos fiscais, em projetos aprovados pela Superintendência de Desenvolvimento da Amazônia (Sudam).

Os conflitos e as violências que as diferentes comunidades viviam foram descritos em detalhes, apontando inclusive os responsáveis, nominalmente citados.

Todas as denúncias vinham comprovadas com uma série de documentos que até hoje ninguém contestou.

A carta apelava para a consciência e a solidariedade dos cristãos. Apelava também aos latifundiários: "pediríamos, se nos quisessem ouvir, um simples pronunciamento entre sua fé e seu egoísmo". Apelava às autoridades: "Apelamos às supremas autoridades federais, para que escutem o clamor abafado do povo; para que subordinem os interesses dos particulares ao bem comum; a política da "pata do boi", à política do homem".

E, na carta, se expressavam, de forma clara, os compromissos desta igreja movida pelo Evangelho de Jesus Cristo na luta ao lado deste povo esquecido.

O boletim *Notícias*, da CNBB, nomeou a carta de *Um Documento Cheio de Dores*.

Repercussão nacional

A carta foi divulgada pela CNBB no dia 9 de novembro e encontrou vasta repercussão em todo o Brasil. Jornais de quase todos os estados divulgaram o documento e muitos destacaram alguns de seus trechos inteiros.

O jornal *O São Paulo*, da Arquidiocese de São Paulo, já em 23 de outubro de 1971, comentava com destaque a carta e, no dia 23 de novembro do mesmo ano, falava da repercussão que estava provocando.

No dia 11 de novembro, o *Jornal do Brasil*, do Rio de Janeiro, publicou um editorial intitulado Denúncia do Bispo, em que dizia: "Não há dúvida de que o documento do Bispo de São Félix não pode cair no vazio. Surge num momento de certo modo propício e fere um tema que está nas cogitações das autoridades, empenhadas em integrar um país de proporções continentais, como é o nosso" (JORNAL DO BRASIL, 1971a).

Já *O Estado de São Paulo*, defensor e porta-voz dos latifundiários, em 13 de novembro de 1971, publicou um editorial com o título A Má Fé e a Demagogia deste Bispo, e o *Jornal da Tarde*, também de São Paulo, em 15 de novembro de 1971, publicou A Injustiça do Documento sobre a Amazônia. Os dois editoriais defendiam os latifundiários, fazendo-os passar por grandes desbravadores. Estes editoriais foram elogiados pela Associação dos Empresários Agropecuários da Amazônia e pelo dono da Fazenda Suiá Missu, Hermínio Ometto (O ESTADO DE SÃO PAULO, 1971).

O jornalista Sebastião Nery, em sua coluna no jornal *Tribuna da Imprensa*, do Rio de janeiro, em 11 de novembro de 1971, transcreveu trechos da carta, dando eco às denúncias do bispo.

Várias agências de notícias internacionais e a Nunciatura Apostólica procuraram na CNBB, em Brasília, cópias do documento.

Documento "Limpo, Preciso e Imparcial"

A reação das autoridades diante do documento foi diferente.

O presidente da Funai, general Bandeira de Melo, e o Ministério do Interior negaram-se a comentá-lo.

Já a Sudam, através do coronel Igrejas Lopes, disse que o assunto já era do conhecimento dos organismos de segurança e que "nosso país – é democrático e por isso assegura a qualquer um ter terra, latifúndios ou minifúndios" (JORNAL DO BRASIL, 1971a). A *Folha do Norte* (1971), de Belém, reproduziu as críticas do coronel Igrejas, com a seguinte manchete: "Bispo Sem Fé Para Igrejas". O Coronel dizia que o documento era "subversivo" e "caluniador".

O presidente do Incra, José Francisco Cavalcanti, disse que "as denúncias representam uma realidade que deverá ser modificada em breve com as iniciativas já estruturadas de discriminação de terras" (JORNAL DO BRASIL, 1971b).

O senador Correia da Costa, da Arena de Mato Grosso, afirmou que "jamais teve conhecimento de trabalho escravo no Mato Grosso" e que "em Mato Grosso reina paz social" (FOLHA DE SÃO PAULO, 1971).

O Governador do Estado, José Fragelli, disse que "o bispo exagerou ao denunciar injustiças" (O GLOBO, 1971).

As declarações do coronel Igrejas Lopes foram rebatidas pelos Bispos do Norte 1, que enviaram telegramas de apoio e solidariedade ao bispo Pedro, e por dom Ivo Lorscheiter, Secretário Geral da CNBB, que considerou o documento "limpo, preciso e imparcial". "É muito fácil dizer o que o coronel Igrejas disse, quero ver ele provar como fez o Bispo de São Félix", disse dom Ivo (JORNAL DA TARDE, 1971).

Até aqui, o texto publicado no *Alvorada*.

Fazendeiros tentaram contestar as denúncias feitas pelo bispo. Um deles foi Ariosto da Riva denunciado na carta por sua atuação em relação aos posseiros de Pontinópolis. Incomodado, escreveu ao Bispo: "A ocupação física da Amazônia é imperiosa para nós brasileiros e felizmente você não reflete o pensamento geral da Igreja. [...] Você não cita em seu livro que usa a Igreja, com o pretexto de apoio aos posseiros, e procura arregimentá-los para pregar a invasão de propriedades. Que fez seu livro para refletir uma imagem negativa de nosso país no Exterior".

Esta carta pastoral, na opinião de muitos, foi um marco na história da Igreja do Brasil, pela coragem da denúncia. Foi traduzida para diversos idiomas.

Reações à Carta

A carta pastoral deixava clara a posição que a Igreja havia tomado. Foi considerada uma afronta à política que o governo havia definido para a Amazônia. E, como eram tempos de ditadura e, no mesmo Araguaia (só que bem mais ao norte, a uns 800 km de distância), estava acontecendo a Guerrilha do Araguaia, todas as ações da Prelazia passaram a ser vigiadas mais de perto. Muitos agentes federais, sob os mais diferentes disfarces, alguns se fazendo passar por mendigos, depois reconhecidos portando divisas em seus uniformes militares, circulavam pela região para encontrar possíveis ligações da Prelazia com a guerrilha.

Os empresários buscavam alguma forma de desmoralizar o bispo Pedro e minar-lhe a credibilidade, como ele registrou no livro *Creio na Justiça e na Esperança*: "Em Brasília uns funcionários do Incra tinham contado ao padre Francisco um incidente pitoresco. O dr. Seixas, um dos donos da Codeara e vice-presidente da Associação dos Empresários Agropecuários da Amazônia acabava de lhes pedir apoio para processar-me como louco" (CASALDÁLIGA, 1978, p. 52).

Mesmo dentro da própria igreja, houve restrições à Carta, como estampou o bispo: "Nestes dias um teólogo 'oficial' da CNBB, dizia no Rio a um grupo de Secretários dos Regionais da mesma CNBB, que eu ia entrar 'numa fria' com a Santa Sé, por causa de algumas expressões do meu documento e porque, além disso já se sabia que a Pastoral havia sido escrita por um grupo esquerdista de São Paulo" (CASALDÁLIGA, 1978, p. 54).

O Governo Federal ensaiou dar alguma resposta ao documento. No dia 20 de janeiro, o bispo Pedro e dom Ivo, secretário-geral da CNBB, tiveram uma longa audiência com o ministro da Justiça, Alfredo Buzaid, como ele registrou em seu diário neste dia:

> Em resumo, o ministro me pediu uma trégua de silêncio, entrementes ele entraria em contato com os outros ministros envolvidos pela problemática da Prelazia (Interior, Agricultura, Trabalho) e mesmo com a Presidência da República. Disse-me que chamará também às falas a Codeara, a Bordon, a Frenova. 'Depois – depois do Carnaval, frisa Buzaid – teremos outro encontro'.
> Pede-nos para não esquecermos que no governo há, textualmente 'católicos, não católicos, anticatólicos e maçons'. Diz sentir-se, sinceramente impressionado por toda injustiça. Não aceita minha condenação do latifúndio e defende a tese oficial – mas com reservas -: 'O progresso se impõe e é preciso sacrificar alguém: os menos possíveis, o menos possível', diz muito timidamente... Só reconhece como 'latifúndio', o latifúndio 'improdutivo'. Eu lhe esclareço que, para o caso, condeno tanto o latifúndio como o minifúndio. E arremato que o que mais me preocupa são os homens concretos, as famílias tais e tais ficando sem terra, sem direitos e sem futuro...

E fecha seu diário neste dia: "Aceitamos a trégua. Rezaremos; Abriremos ainda mais os olhos e o coração e esperamos que passe o carnaval. Depois virá Quaresma, Paixão, a Páscoa" (CASALDÁLIGA,1978, p. 51-2).

Algumas pontuações sobre a carta pastoral

A carta pastoral *Uma Igreja da Amazônia em Conflito com o Latifúndio e a Marginalização Social* é um documento de extrema importância no cenário da Igreja Católica em contexto de plena ditadura militar. Possivelmente pela primeira vez no Brasil, uma carta pastoral tratava de forma tão direta dos problemas sociais vividos pelo povo onde se desenvolvia a ação da Igreja. São descritas as agressões sofridas pelas diferentes categorias sociais (índios, posseiros, peões) e se acusava abertamente os responsáveis por elas. O que se afirmava no texto era acompanhado por uma série de documentos que comprovavam o que ali se dizia.

A compilação desta carta só foi possível porque já àquela época havia, na recém-criada Prelazia, a preocupação de se registrar o que acontecia e de guardar e preservar os documentos.

Os documentos que se encontravam em Santa Terezinha e São Félix do Araguaia eram de quatro categorias:

1. Cartas enviadas às autoridades denunciando as agressões e violências contra o povo.
2. Relatórios, elaborados em geral por membros das equipes de pastoral, sobre determinado conflito.
3. Depoimentos de vítimas da agressão.
4. Recortes de jornais e revistas que tinham relação com a realidade da região.

Em Santa Terezinha, encontravam-se as correspondências e relatórios feitos, sobretudo, pelo padre Jentel, mas também por outros membros da equipe pastoral, sobre o conflito entre Codeara e os posseiros. Também lá se encontravam alguns documentos sobre o conflito entre Frenova e Porto Alegre do Norte, pois o padre Henri Jacquemart é quem dava assistência religiosa àquela região.

Já em São Félix do Araguaia, no incipiente arquivo, encontravam-se os documentos relativos aos demais conflitos da região, como também o depoimento de posseiros despejados em Porto Alegre.

Lá se encontravam os documentos relativos aos conflitos Serra Nova/Bordon e Estrada-Xavantino/Domingos Marques; os recortes de jornais que possibilitaram escrever sobre a deportação dos Xavante; os documentos relativos aos peões e sobre as arbitrariedades da polícia. Lá também estava guardada a Lei do Posseiro, elaborada pelos posseiros de Pontinópolis.

A primeira seção dos documentos da carta pastoral *Projetos da Sudam* foi elaborada depois de uma pesquisa feita no Cartório do 1º Ofício de Barra do Garças (MT).

Impressão da Carta

A carta pastoral acabou de ser redigida no dia 10 de outubro de 1971, em Serra Nova, e deveria ser distribuída no dia 23 do mesmo mês, por ocasião da ordenação do padre Pedro como bispo. Era preciso correr contra o tempo para que ficasse pronta até esta data.

A primeira editora procurada foi a Ave Maria, dos padres claretianos, em São Paulo, que alegou não haver tempo suficiente para entregar a obra na data prevista. Foi procurada então a Vozes, em Petrópolis (RJ), que também apresentou o mesmo motivo para a não publicação. Para se conseguir ter o livro pronto para o dia da ordenação foi preciso deixar a primeira parte do livro para a Ave Maria imprimir e a segunda parte (Documentos Comprobatórios) foi levada à Símbolo, também em São Paulo. A Ave Maria ainda usava a linotipo para a composição, já a Símbolo estava mais avançada e usava a impressão em *off-set*.

Quando as duas partes já estavam impressas, a Ave Maria fez o acabamento. E, na véspera da ordenação, foi entregue uma centena de exemplares. No dia da ordenação, no avião da Vasp que saiu de São Paulo, chegavam, dentro de uma mala, os exemplares da carta que foram distribuídos entre os presentes.

Por conta dos tempos difíceis de repressão, não se encontra nenhuma referência às Editoras que executaram o trabalho. Também poderia se atribuir a desculpa, tanto da Ave Maria quanto da Vozes, de não haver tempo suficiente, como uma forma de não querer se verem envolvidas com a obra, para não correrem o risco de sofrerem alguma represália.

Denúncias do Bispo não Afetam Comportamento dos Fazendeiros

Santa Terezinha, já próxima da divisa com o Pará, como vimos atrás, foi o primeiro lugar habitado por não índios nesta região do Araguaia.

Em 1932, a igrejinha sobre o morro de areia e a grande casa a seu lado, feita para ser convento para os frades dominicanos, foram inauguradas.

Na década de 1950, o governo do estado de Mato Grosso colocou todas as terras do norte do estado à venda. Em 1954, uma empresa aérea, a Real Aerovias com outros sócios, constituiu a empresa imobiliária Colonizadora e Imobiliária Real S.A.,[14] que mais tarde passou a se chamar de Companhia Imobiliária do Vale do Araguaia (Civa) e teve sob seu domínio mais de um milhão de hectares na região de Santa Terezinha.[15]

A companhia de aviação passou a ter voos regulares até Santa Terezinha e conseguiu que a Prelazia de Conceição do Araguaia lhe cedesse o prédio ao lado da igreja para alojar as tripulações dos voos que lá chegavam.

Dez anos depois, em 1964, vendo que os objetivos destes empresários não traziam reais benefícios para a população local, a Prelazia pediu a devolução do prédio. E não foi fácil a sua retomada, como registramos atrás.

O que parece, e até então não se sabia, era que os próprios povoados de Furo de Pedras e Santa Terezinha haviam entrado nas negociações da terra.

---

14 Arquivo A 9- D2 A.

15 Detalhes de todo o processo de compra e venda de terras que provocou o conflito envolvendo os posseiros e a empresa Codeara (CANUTO, 2019, p. 117-54).

No início de 1966, 370 mil hectares, que ficaram sob o domínio de Michel Nasser após a dissolução da sociedade da Civa, foram negociados com o Banco de Crédito Nacional (BCN). A pequena área urbana de Santa Terezinha e o Furo de Pedras fizeram parte da transação.

O Banco criou a Companhia de Desenvolvimento do Araguaia (Codeara) para acessar os incentivos fiscais, fartos, que o governo militar colocava à disposição de quem se decidisse investir na Amazônia, para seu 'desenvolvimento'. A companhia considerou-se dona de tudo e de todos. Em 1967, começou suas atividades e a área escolhida para o início dos trabalhos era aquela ocupada por uma centena de famílias de posseiros. Além disso, elaborou um projeto urbano para Santa Terezinha, desconhecendo os que lá já viviam. As agressões e violências se multiplicaram.

Diante desta situação, o administrador apostólico da Prelazia de Conceição do Araguaia, frei Tomás Balduino, OP, encaminhou ao presidente da República, Costa e Silva, um relatório detalhado da situação, sugerindo medidas que poderiam sanar os problemas apontados. As medidas propostas eram a de se destinar uma pequena parte, em torno de 10 mil hectares, para regularizar a situação dos posseiros e deixar a área urbana sob a administração da prefeitura de Luciara.

Apesar de o presidente ter concordado com as medidas propostas e as ter encaminhado ao ministro da Agricultura para que providenciasse as soluções indicadas, os conflitos continuaram.

Em 1970, com a instalação da nova Prelazia de São Félix do Araguaia, Santa Terezinha passou a ser parte dela.

O conflito que se vivia em Santa Terezinha foi denunciado pelo novo bispo, Pedro Casaldáliga, na carta pastoral divulgada na data de sua ordenação.

As denúncias do bispo, porém, não afetaram, de modo algum, a forma de agir dos fazendeiros e empresários.

O conflito se acirra

No início de 1972, a Missão Tapirapé (sob esse nome, o padre Francisco Jentel identificava as ações da Igreja, tanto em Santa Terezinha quanto na aldeia Tapirapé) começou a construção de um prédio para escola e de outro para ambulatório de saúde em terrenos que tinha adquirido ainda em 1967. O povo poderia ter acesso a estes serviços mais perto de suas casas, não precisando subir o morro de areia, onde, até aquele momento, os serviços eram prestados.

Quando as obras já estavam bastante adiantadas, a Codeara invadiu o local e destruiu paredes e alicerces do ambulatório de saúde, um poço e bananeiras mais próximas. O agente de pastoral Salvador Ienne foi fotografar a agressão e teve sua máquina fotográfica tomada e jogada sob as esteiras de um trator.

Padre Jentel não estava em Santa Terezinha quando a agressão aconteceu. Estava em Baturité (CE), em um retiro espiritual junto a outros padres, quando recebeu um telefonema do bispo Pedro informando sobre o que acontecera. Logo, viajou e encontrou-se com o bispo, em Goiânia, que lhe relatou o ocorrido. Padre Jentel sugeriu que o bispo procurasse o governo, mas este se negou a fazer mais um infrutífero apelo às autoridades e convenceu padre Jentel a voltar a Santa Terezinha.

A alegação da companhia para a destruição era que as construções estavam fora de seu plano de urbanização.

O padre Jentel, ao retornar, foi procurado pelos posseiros, que lhe disseram que a obra não poderia deixar de ser levantada. Se a Codeara vencesse o padre, o que não faria com eles? E se propuseram defender a construção, caso a empresa tentasse novamente destruí-la.

A obra foi retomada.

No dia 3 de março de 1972, policiais de Barra do Garças, atendendo a pedidos da Codeara, chegaram a Santa Terezinha para embargar as construções. Desceram no campo de aviação da fazenda, lá elaboraram uma lista de pessoas que deveriam ser presas e fizeram-se acompanhar por mais de uma dezena de funcionários da empresa. Ao adentrarem no espaço da obra, iniciou-se um violento tiroteio. Os posseiros que estavam posicionados em um bananal e em casas vizinhas fizeram policiais e empregados da fazenda se retirarem sem conseguir o seu intento. Oito funcionários da Codeara saíram feridos.

Padre Jentel, naquela mesma noite, foi a São Félix comunicar os acontecimentos ao bispo e, de lá, foi a Goiânia e Brasília, para repassar às autoridades e à imprensa a versão dos fatos pelo lado dos posseiros.

A imprensa, no dia 5 de março, noticiava com estardalhaço a versão que a Codeara lhes passara: Padre armou-se de metralhadora e numa emboscada feriu onze (FOLHA DE GOYAZ, 1972), Fuzilaria na Codeara deixa saldo de dezessete feridos (O POPULAR, 1972), Litígio de terra decidido a bala (O ESTADO DE SÃO PAULO, 1972) e Padre em Mato Grosso lidera ataque de peões e índios a empregados da Codeara (JORNAL DO BRASIL, 1972).

Como já se previa, a repressão não se fez esperar. 80 soldados, comandados pelo próprio Secretário de Segurança, coronel Ivo de Albuquerque, e diversos oficiais desembarcaram em Santa Terezinha para desmantelar este foco de subversão. Com o discurso de que tinham vindo para verificar o acontecido, na realidade, seu objetivo era o de prender os que eles já de antemão tinham definido como responsáveis pela ação: o padre Jentel e sua equipe pastoral, formada por leigas e leigos, e alguns posseiros identificados como lideranças.

Enquanto isso acontecia em Santa Terezinha, se iniciou uma grande maratona em Brasília, que envolveu a cúpula da CNBB. Dom Ivo Lorscheiter, secretário da CNBB, esteve com o ministro da Justiça, Alfredo Buzaid, como noticiou o jornal *Correio Braziliense*, no dia 7 de março: Luta por terra leva CNBB a Buzaid. Na mesma edição, o jornal dava espaço para a versão do lado dos posseiros com as matérias Justiça Investiga Luta por Terra, Jentel Faz Relato da Tensão e Bispo Acusa Codeara por Invasão Armada em MT.

Muitos bispos e entidades da Igreja se manifestaram em apoio ao padre Jentel e à Prelazia de São Félix, como o arcebispo de Goiânia, dom Fernando Gomes. O *Jornal do Brasil*, de 18 de março, trouxe esta chamada: Arcebispo de Goiânia Aponta Crise em Área de Mato Grosso e Pede Intervenção Federal.

O bispo Pedro acompanhou os trâmites que se desenrolavam na capital federal. No dia 17 de março, teve audiência com o ministro da Justiça. E, depois, falou por telefone com o governador de Mato Grosso, José Fragelli, que foi duro e agressivo e afirmou que, se o padre Jentel aparecesse por Cuiabá, seria preso. A própria diretoria da CNBB se reuniu para tratar como prioridade o acontecido em Santa Terezinha e teve audiências com autoridades do governo. Mas, como era presumível, estas intervenções se mostraram improdutivas, como estampou *O Estado de São Paulo*, no dia 23 de março de 1972: Bispos Voltam de Brasília sem Solução. Buzaid fora advogado de grandes grupos econômicos de São Paulo, inclusive do BCN, proprietário da Codeara.

O bispo Pedro, logo que pôde, foi a Santa Terezinha para acompanhar de perto o que lá se passava. Participou da colheita de arroz e celebrou missa com os posseiros escondidos na mata.

Padre Francisco Jentel: Condenado, Preso e Expulso do Brasil

A reação dos posseiros às agressões da Codeara não poderia ser aceita como legítima. Precisava ser punida. Sobretudo, tinha que ser punido o padre que era considerado o responsável por ela.

No dia 13 de abril, o padre Jentel foi procurado por agentes da Polícia Federal simultaneamente na região de São Félix, Goiânia, Brasília e Rio de Janeiro, lugares mais frequentados por ele. Não foi localizado. Estava em Campo Grande. Foi deixado recado para que se apresentasse imediatamente ao ministro da Justiça, pois se tratava de seu interesse e de seu bem. Logo, soube-se do que se tratava. Um Edital de Citação, publicado em 18 de abril de 1972, nos jornais de Campo Grande, registrava que fora instaurado inquérito para efeito de expulsão do território nacional do alienígena François Jacques Jentel.

Ao tomar conhecimento do processo, padre Jentel telegrafou ao diretor da Polícia Federal, em Brasília, colocando-se à disposição para os esclarecimentos devidos.

O bispo Pedro registrou em seu diário do dia 27 de abril: "O pe. Francisco tem sobre sua cabeça o decreto de expulsão. Fui ao SNI, Polícia Federal, Embaixada Francesa, Nunciatura, etc.... A diplomacia não tem nada a ver com o Evangelho. E a política não diz a Verdade, nem serve à Justiça" (CASALDÁLIGA, 1978, p. 59).

Acompanhado pelo bispo Pedro, por dom Aloísio Lorscheider e dom Ivo Lorscheiter, respectivamente presidente e secretário geral da CNBB, padre Jentel apresentou-se à Polícia Federal no dia 4 de maio. Lá, recebeu a Súmula de acusações às quais devia responder em 24 horas. Não poderia apresentar advogado. Diante das reações dos bispos, foi-lhe concedido que um advogado o assistisse.

O ministro da Justiça havia comunicado ao Núncio Apostólico, dom Humberto Mozzoni, que ou o padre Jentel deixaria o país espontaneamente ou seria expulso. Tanto o Núncio quanto a Embaixada da França tentaram convencê-lo a deixar o país.

O Jornal do Brasil, de 26 de maio de 1972, noticiou que o ministro da Justiça, Alfredo Buzaid, informara que o Decreto de Expulsão do padre Francisco Jentel poderia ser divulgado naquela data. O programa Voz do Brasil, do dia 28 de maio de 1972, anunciava ter o ministro da Justiça encaminhado à assinatura do Presidente da República o Decreto de Expulsão de Francisco Jentel.16 Não se sabe por que o presidente não assinou tal decreto naquela ocasião. A expulsão foi deixada de lado e foi aberto um processo na Auditoria Militar de Campo Grande (MT).

Padre Jentel e o gerente da Codeara, José Norberto Silveira, foram acusados de crime contra a Segurança Nacional. O Ministério Público acusou o padre de "pleitear a reforma agrária por meio violento, a guerra, quando os princípios da Revolução de 31 de março aspiram essa modificação por meios pacíficos". Acrescentou que o padre "comportava-se como guerrilheiro, distribuindo armas e munições aos posseiros violentos".

Com a abertura do processo, padre Jentel retornou a Santa Terezinha,[17] em 31 de maio, acompanhado pelos bispos Pedro e Tomás Balduino, no aviãozinho deste último. Logo que a notícia se espalhou, houve uma movimentação inusitada entre a Delegacia de Polícia e a sede da Codeara. Logo, dois policiais foram à Casa Paroquial, intimando o padre Jentel a comparecer à delegacia. O bispo Pedro lá esteve e informou ao sargento que padre Jentel compareceria no dia 15 na Auditoria Militar de Campo Grande.

No dia seguinte, novamente policiais voltaram à casa para intimar o padre. Como não trouxeram ordem judicial, o padre não compareceu.

---

16 O Relatório Especial de Informações, elaborado por determinação verbal do comandante do II Exército, pelo major Luiz Gonzaga de Toledo Camargo, assinado em 14 de março de 1972, detalha o conflito havido em Santa Terezinha e conclui que o bispo Pedro deve ser afastado pela Nunciatura Apostólica e que o padre Jentel deve ser expulso do Brasil. Sugere a realização de Ações Cívico-sociais, para detectar possíveis subversivos em atuação na região e de campanhas na imprensa para combater a versão da Prelazia sobre o ocorrido. "Finalmente, deve haver uma ação mais enérgica da Censura sobre as divulgações da CNBB", diz o relatório.

17 A primeira audiência estava marcada para o dia 15 de junho e só aconteceu em 3 de julho.

Diante da situação, o mais razoável era sair da região. Dom Tomás e padre Jentel foram ao aeroporto e um soldado impediu a decolagem do avião e também impediu que usassem o Jeep da Missão que os levara ao aeroporto. À tarde, dom Tomás resolveu partir sozinho. No aeroporto, um soldado informou-lhe que o avião estava detido. Na madrugada seguinte, padre Jentel deixou Santa Terezinha pelo Araguaia, sem ser percebido. Depois deste sobressalto, Santa Terezinha teve uns dias de relativa calma.

Com o processo em andamento na Justiça Militar, padre Jentel pôde por fim voltar a Santa Terezinha, onde passou os últimos meses de 1972 e os primeiros de 1973.

Condenação

Menos de um ano após o processo ter sido aberto na Justiça Militar, em 28 de maio de 1973, houve o julgamento na Auditoria Militar de Campo Grande.

No dia anterior ao julgamento, dois procuradores do Rio de Janeiro chegaram a Campo Grande e reuniram-se com os quatro juízes militares para lhes repassar "instruções superiores". Antes, já se havia tentado afastar o juiz auditor que acompanhava o caso desde o início.

A sentença dos quatro juízes militares foi

> pela condenação do Padre François Jacques Jentel por senti-lo como um perigoso elemento, que, usando de sua liderança, estaria em nosso país tramando movimentos de choques de classes sociais entre si e com as próprias Forças Armadas... Cidadãos portadores dessa personalidade criminosa não podem estar aspirando à liberdade e, diante dos termos legais não trepidou esta maioria em impor ao padre a pena mínima prevista para o seu crime, qual seja, 10 anos de reclusão.

Quanto ao gerente da Codeara, seu caso foi remetido à Justiça comum, que o esqueceu.

O juiz Auditor, civil, doutor Plinio Barbosa Martins, discordou da decisão do Conselho Permanente de Justiça para o Exército. No seu voto "vencido" afirmou:

Não me importam as pressões dos que ditam caminhos a ser seguidos. Devemos percorrer o itinerário da independência, sujeitos apenas à força de nossa consciência. E esta grita em meu ser não se tratar de justa e humana a condenação de quem trilha o caminho de Jentel [...] a maneira de se conduzir do padre Jentel entrevejo um exemplo cristão a ser seguido; quisera muitos e muitos seguidores criasse, pois assim a face do mundo ficaria mais próxima do justo e distante da desigualdade. Jentel merece um prêmio, não a prisão.

O padre, condenado, foi levado diretamente do tribunal para o quartel da Polícia Militar de Campo Grande, onde ia cumprir sua pena, com direito à prisão especial. Nos primeiros dias, gozou de certa liberdade e até almoçava no refeitório com os oficiais. Nas conversas com eles, tentava dialogar sobre a realidade e mostrar suas convicções. Logo, porém, foi-lhe cortada a regalia e ficou confinado à sua cela.

Houve apelação ao Superior Tribunal Militar (STM). O bispo Pedro acompanhou de perto o julgamento desta apelação. Em 3 de maio de 1974, registrou em seu diário:

> Faz três semanas que estou dançando – de São Félix para Goiânia, Brasília, São Paulo e Campo Grande – por causa do julgamento do Francisco no Superior Tribunal Militar. Foi interrompido a pedido do general Rodrigo Otávio. E por trás ou por cima, agitam-se as negociações da Embaixada e da Nunciatura para conseguir que Francisco saia do país. Diplomaticamente auto-expulso, diríamos. A meu modo de ver, um sujo jogo diplomático tanto da Nunciatura como da Embaixada da França. Não discuto a intenção. Suponhamos que seja diplomática [...] simplesmente. Não é a diplomacia o lugar mais adequado para a Igreja de Jesus (CASALDÁLIGA, 1978, p. 97-8).

Dias depois, em 22 de maio, houve o julgamento e, por unanimidade, o Tribunal declarou-se "incompetente", pois o caso não configurava nenhum crime contra a Segurança Nacional.

O padre deixou-se convencer pela intervenção diplomática da Embaixada da França e de alguma medida da Nunciatura, de que a melhor forma de conseguir a anulação da pena seria viajar espontaneamente para a França. E assim, depois da sentença, para lá viajou.

O bispo Pedro registrou em seu diário no dia 15 de junho: "O final deste processo teve um ar de melancólica impressão porque a verdadeira causa de nosso processo total continua intocável, exasperante: o povo continua sem terra, sem esperança de terra, massacrado em seus direitos e aspirações pela Política oficial e pelos privilégios dos grandes, que são a mesma coisa" (CASALDÁLIGA, 1978, p. 100).

No dia 18 de junho de 1974, ele escreveu um documento intitulado A Causa e a Esperança Continuam, sobre a condenação/absolvição do padre Jentel:

> Condenado a 10 anos de prisão pela Auditoria Militar de Campo Grande, num julgamento-farsa, aos 28 de maio de 1973, o pe. Francisco Jentel, desta Prelazia de São Félix, foi agora, em 22 de maio p.p., absolvido por unanimidade, no Superior Tribunal Militar de Brasília. [...]
>
> Com esta absolvição unânime, o Superior Tribunal Militar reconheceu publicamente que o Pe. Francisco sofreu injustamente um ano de cadeia....
>
> Não se fez justiça com esta esquisita libertação do Pe. Jentel. Ele é apenas mais uma vítima. Não se resolveu nada do que verdadeiramente urgia resolver. Quando muito, ter-se-á resolvido mais uma tensão entre a igreja 'oficial' e o governo do País. [...]
>
> Pela diplomacia somente se salvam os interesses dos grandes. Os direitos do povo só se salvam com a justiça.
>
> [...] Há diálogos que só servem para comprar o silêncio (CASAL-DÁLIGA, 1978, p. 100-1).

Em dezembro de 1975, padre Jentel voltou ao Brasil. Esteve em Brasília. Depois foi a Fortaleza para se encontrar com dom Aloisio Lorscheider, presidente da CNBB. No dia 12 de dezembro, quando saía da casa do arcebispo, foi sequestrado por agentes de Segurança e, de Fortaleza, foi transferido para o Rio de Janeiro. No dia 15, o presidente da República, Ernesto Geisel, assinou o Decreto de sua expulsão. No dia 16 de dezembro de 1975, foi embarcado para a França (ALVORADA, 1998).

Fechando o Cerco

No espaço de tempo em que corria o processo contra o padre Jentel, outros fatos desconcertantes foram acontecendo em decorrência da repercussão da carta pastoral, somada ao conflito em Santa Terezinha. Fatos ligados a um olhar mais atento das forças da repressão sobre a região.

Um caso muito especial foi o que aconteceu no final de outubro e nos primeiros dias de novembro de 1972, como está registrado em *Alvorada*, na edição de setembro/outubro de 1992.

Vocação missionária?

No dia 28 de outubro de 1972, chegava à casa da Prelazia, em São Félix, um senhor de aproximadamente 30 anos, alto, cabeludo, apresentando-se como professor assistente da Universidade Federal do Paraná. Trazia uma carta de apresentação do padre Vicente Fernandes, claretiano, pároco da paróquia Coração de Maria, em Curitiba, que dizia:

> Tenho a imensa satisfação de lhe apresentar um amigo, o Dr. Ailson Loper (economista de categoria), jovem com grandes ideais, com vocação, ao que parece, bastante definida ao Sacerdócio e à vida missionária. Tem conversado muito neste teologado sobre sua vocação. Consultou ao sr. Arcebispo, nosso amigo, Dom Pedro Fedalto, que o encaminhou a nós...

Ailson era uma pessoa muito culta e conviveu durante 15 dias na casa da Prelazia, em São Félix. A equipe tinha certas dúvidas sobre sua "vocação", mas a vida corria normal. As dúvidas, porém, começaram a crescer à medida em que ele se relacionava com as pessoas que não tinham nenhuma simpatia para com a Prelazia – pessoal das fazendas, alguns comerciantes e políticos. [18]

Neste contexto, chegou a informação de que tinha estado em Porto Alegre, em um pequeno povoado em conflito com a Fazenda Frenova. Lá, havia tomado e destruído as armas de caça dos posseiros e prendido a vários deles e também ao padre Eugênio Cônsoli. Posseiros e padre tinham sido levados à sede da Fazenda Frenova, onde foram interrogados.

Com esta notícia, a equipe o constrangeu a identificar-se. Era o dia 13 de novembro. Após negar ter estado em Porto Alegre, diante das evidências que lhe foram apresentadas, declarou-se capitão Ailson Munhoz da Rocha Loper, do Comando de Repressão da Amazônia, e disse que estava em São Félix porque as autoridades estavam convictas de que a casa da Prelazia era um foco de subversão e de guerrilha.

Disse que, em Porto Alegre, reconheceu um guerrilheiro do Vale do Ribeira (SP)[19], precisamente um dos que lhe havia arrancado as unhas, em 1970, durante uma ação militar contra os guerrilheiros (e mostrava as unhas defeituosas). Esse tal guerrilheiro estaria acobertado pelo professor da Prelazia, em Porto Alegre. E disse ter descoberto, de avião, trincheiras extraordinárias, nas quais até cimento tinha sido usado.

---

18 O bispo Pedro registrou no *Creio na Justiça e na Esperança*: "Hoje se reuniram o médico, Dr. Jamil, o Seixas, da Codeara, Zé Bens, da Frenova e um suposto elemento do DEOPS para apresentar seus respeitos e oferecer seus veículos a um "amigo" de Curitiba que os padres de lá recomendaram e que pretendia trabalhar aqui conosco. Falaram mal do bispo, dos padres, do pessoal da Prelazia. Convencidos de que o fulano era um elemento da Polícia Federal. Ninguém sabe mais quem é quem..." (CASALDÁLIGA, 1978, p. 70).

19 Em 1970, no Vale do Ribeira, em São Paulo, começou a organizar-se um campo de treinamento de guerrilheiros formado pela Vanguarda Popular Revolucionária (VPR), um grupo de luta armada que se opunha à Ditadura Militar, visando à instauração de um governo de cunho socialista no país. Um dos comandantes da VPR era o capitão Carlos Lamarca que havia desertado do Exército, em 1969. O campo de treinamento acabou sendo descoberto pela repressão e seguiu-se, então, uma caçada que mobilizou cerca de cinco mil militares. Houve diversos confrontos entre os militares e os guerrilheiros. Estes armaram emboscadas nas quais foram presos ou mortos soldados e oficiais. Apesar do forte cerco, Lamarca com alguns do grupo conseguiu se evadir da região.

Revelações

Revelou que a pessoa que se relacionava com o padre Vicente, em Curitiba, era um amigo seu que, durante meses, se fez passar por dirigido espiritual com problemas de vocação para poder conseguir a carta de apresentação.

Revelou também que "se as coisas continuassem assim" seriam expulsos da Prelazia todos os padres e leigos e, ao Padre Jentel que estava presente à conversa, afirmou que o decreto de sua expulsão estava para ser publicado.

Revelou até detalhes da correspondência familiar do bispo.

Reconheceu as injustiças nas fazendas e corrupção nos Ministérios e afirmou altivamente que ele não precisava receber nada de ninguém, como acontecera com o general Humberto de Souza e Mello, comandante do 2º Exército, que teria recebido um relógio de ouro da Codeara (o general estivera, em outubro, em Santa Terezinha, junto com outros generais, durante a Operação Aciso).

Confirmou que o ambulatório de saúde, em São Félix, mantido pela Prelazia, fora fechado por fazer "concorrência" com o médico, com um farmacêutico da cidade e porque, através dele, atingia mais facilmente os pobres e poderia despertá-los para algum movimento subversivo.

Prepotência

Por fim, exigiu que, durante aquele dia, ninguém da Prelazia se ausentasse de São Félix e proibiu aos pilotos de táxi aéreo transportarem qualquer membro da equipe de pastoral, até sua saída para Brasília.

Nos mesmos dias, haviam chegado a São Félix um tal doutor Antônio, que se apresentava como advogado, e outros dois indivíduos, que diziam ser representantes da FINASA, um banco de investimentos. Soube-se depois que o doutor Antônio era do DOPS de Mato Grosso e os outros eram do Exército.

Muito tempo mais tarde, uma secretária da Frenova informou que a Fazenda passara ao "capitão" um cheque de bom valor.

À Busca de Pretextos para Desmantelar a Ação da Igreja

Quase concomitantemente com o julgamento do padre Jentel no Superior Tribunal Militar, em São Félix do Araguaia, o Ginásio Estadual do Araguaia (GEA), dirigido por agentes de pastoral da Prelazia, suspendeu as aulas a partir de 24 de maio. O motivo eram as ameaças de morte feitas pelo senhor Lucas Rodrigues da Silva, pai de um aluno, contra o diretor da escola, Elmo Malagodi. As ameaças eram sérias (ALVORADA, 1992c).

O diretor havia chamado a atenção de um menino que jogava pedras nas janelas da escola, chegando a correr atrás dele. Sem outro motivo aparente, três meses depois, o pai do menino, comerciante, falou publicamente que iria matar o diretor e chegou a exigir do padre Pedro Mari (Pedrito) o afastamento dele.

Este fato foi o pretexto para uma intervenção violenta da repressão.

No dia 1 de junho, um contingente militar de quase 100 homens se deslocou para São Félix e exigiu o reinício imediato das aulas com soldados armados postados às portas das salas. O capitão Monteiro, da Aeronáutica, que participava da ação, chegou a uma reunião abraçado ao senhor Lucas.

Invasão, prisão e sequestro

O arquivo da Prelazia foi invadido e também foi invadida a casa dos agentes de pastoral José Pontin e Selme de Lima, no povoado de Pontinópolis.

A repressão se estendeu a outras áreas da região até mesmo à aldeia Tapirapé.

Em Serra Nova, na madrugada do dia 4, uns 60 militares chegaram ao povoado de madrugada, dando disparos de armas, invadindo casas, arrancando as pessoas de suas redes ou camas, ameaçando, amedrontando e levando espingardas, facas, facões e foices como material subversivo. Mantiveram a equipe pastoral sob severa vigilância dentro da casa, examinaram documentos e correspondência e acabaram levando presos Edgar Serra, que trabalhava como enfermeiro, e Teresa Adão, uma visitante.

Em Santa Terezinha, no dia 5, Thereza Braga Salles, agente pastoral da Prelazia, foi sequestrada pelo capitão Monteiro a caminho do trabalho (era contadora da Cooperativa Agrícola Mista do Araguaia) e levada para São Félix.

As pessoas presas foram trancadas no Posto de Saúde de São Félix.

Maria Tereza Pasqualeto Figueiredo, agente de pastoral e professora em São Félix, ao visitar os presos, também foi detida, interrogada e depois liberada.

De São Félix, os presos foram levados a Cuiabá e não mais deles se teve notícia até o dia 16 de julho. O que aconteceu com eles neste período?

De volta, outra vez

Em começos de julho, nova movimentação militar.

No dia 6, chegou à casa do bispo a notícia de que policiais tinham estado em Pontinóplis à procura de Pontin, agente de pastoral. Decidiu-se que alguém iria à delegacia saber do que se tratava. O comandante disse que não era nada. Minutos depois, mandou um soldado buscar Pontin, que estava em São Félix naquela oportunidade. O bispo mandou o recado de que Pontin só se apresentaria com ordem escrita. Imediatamente, o comandante fez uma intimação em um papel comum, sem timbre, e o bispo respondeu que não deixaria Pontin se apresentar por não haver garantias. Havia outros três presos sem que deles se tivesse notícias.

Burlando a vigilância

A situação estava difícil. A polícia acabava de montar severa vigilância na casa do bispo, de onde ninguém podia entrar nem sair, na beira do rio e na saída da cidade. Era preciso Pontin deixar a região.

Em um momento de distração da vigilância, a equipe se reuniu na casa das irmãs. De lá, padre Canuto e Pontin saíram a pé, sem serem percebidos. Passaram pelo morro que margeia São Félix e foram até o Lago da Cabaça, onde Pontin ficou escondido.

Pela tarde do dia 7, o capitão Moacir Couto, da PM de Barra do Garças, invadiu a casa do bispo e das irmãs, as vasculhou detalhadamente à procura de Pontin. Só viu Antônio Carlos Moura, que chegara horas antes de São Paulo para ajudar nos trabalhos no período em que estava de férias. Moura trabalhara na região até o final de 1971. Era preciso colocá-lo em segurança. Assim, à noite, Moura foi juntar-se a Pontin para de lá serem levados para fora da região.

Os militares estavam enfurecidos. Não entendiam como Pontin sumira diante deles.

No dia 8, chegou de Santa Terezinha a agente de pastoral Eli Pires, com a notícia da prisão do também agente de pastoral Antônio Tadeu Escame. À tarde, padre Eugênio Cônsoli trouxe a notícia da prisão de Luís Barreira, Lulu, um dos líderes dos posseiros de Serra Nova. Dona Adauta Luz, aluna do ginásio e amiga dos padres, foi presa em São Félix.

Nenhum padre escapa

Meia-noite do dia 8 para 9 de julho. Pancadas violentas na porta da casa do bispo. Quando a porta foi aberta, militares invadiram a casa. Padre Canuto quis impedi-los, mas foi agarrado e, com socos e pontapés, foi levado para um carro à frente da casa. Logo, padre Eugênio foi retirado da rede onde dormia e algemado junto com Canuto. Mandaram o bispo tirar os óculos, como para ser espancado, mas só foi agredido verbalmente. Acabada a invasão, os padres Canuto e Eugênio foram separados, interrogados e agredidos com tapas e pancadas. Padre Eugênio chegou a cuspir sangue pelas pancadas que recebeu. Depois, voltaram a ser algemados juntos e foram levados à Fazenda Agropasa, onde fora montada a sede da operação militar.

Os padres Pero Mari Sola Barbarin (Pedrito) e Leopoldo Belmonte Fernandes (Leo) não estavam na casa no momento da invasão. Tinham ido acertar os detalhes do plano de fuga com Pontin e Moura. Ao voltarem, foram presos já na beira do rio e levados à Agropasa. Também foram agredidos e espancados. Naquela hora, todos os padres da Prelazia estavam presos e eram interrogados.

De madrugada, Pedrito foi levado de volta a São Félix e obrigado a conduzir a voadeira[20] até onde deveriam estar Pontin e Moura. Despistou e os dois não foram localizados.

Às 5 horas da manhã, os padres foram devolvidos à casa do bispo para o povo não perceber o que acontecera. Pedrito, de novo, foi obrigado a ir com os militares à procura de Pontin e Moura. Os dois nada tinham percebido do que se passara à noite e estavam em pé, à espera da voadeira que os levaria para longe da região. Foram presos e levados à Agropasa, onde já estavam Tadeu, Lulu e Adauta.

O bispo Pedro escreveu em seu diário, dias depois, em 22 de julho: "Foi uma noite de terror. Todos sentimos como que encarnado em nós 'o poder das trevas'" (CASALDÁLIGA, 1978, p. 86).

No dia seguinte, um avião da FAB os transferiu para Santa Isabel onde pernoitaram algemados uns aos outros e ainda amarrados com uma corda presa ao piso do avião.

Em 10 de julho, foram transferidos para Campo Grande (MS).

A 'vigilância' da repressão se estendeu também para Goiânia, onde a Prelazia tinha uma casa-ponte. A casa esteve cercada durante uns cinco dias e um voo da Vasp foi atrasado buscando, entre os passageiros, o bispo.

O Estado procura se tornar presente

Como a presença do Estado na região era quase nula e as ações sociais, quase todas, eram feitas pela Prelazia, o governo de Mato Grosso se viu compelido a se tornar presente na região. Quase ao mesmo tempo, foram construídos um posto de saúde, uma escola estadual e uma delegacia de polícia em São Félix, Luciara e Santa Terezinha.

---

20 Embarcação movida a motor com estrutura e casco de metal, geralmente alumínio, largamente usada em transporte fluvial.

Semanalmente, um avião da FAB fazia um voo para a região, levando, quase sempre, médicos e dentistas para atender, por algumas horas, o povo. Até um capelão militar fez parte da tripulação. Escreveu o bispo: "Na região, está se criando uma "Operação Araguaia" permanente, assistencialista e [...] repressiva: para atuar contra a perniciosa influência do clero. Mais exatamente "para minimizar a ação do clero" como se publicou estes dias na imprensa do país" (CASALDÁLIGA, 1978, p. 92).

A Fé se Fortalece na Perseguição

O que aconteceu com os três primeiros agentes de pastoral presos em junho e dos quais não se tinha qualquer notícia até 16 de julho? (ALVORADA, 1993a).

Thereza Braga Salles (Terezinha), Edgar Serra e Tereza da Costa Adão tinham sido levados a Cuiabá e, de lá, foram transferidos para Brasília, onde, encapuçados, foram jogados dentro de uma Kombi e se lhes trocou a identidade. Tereza Adão recebeu o nome de Maria Silvia e ficou presa no Quartel do 1º Regimento de Cavalaria do Exército. Edgar, com a identidade de José Pereira, foi levado ao Batalhão da Guarda Presidencial. Terezinha passou a chamar-se Sandra de Oliveira e, depois de rodar muito tempo por estradas de chão, foi deixada em uma casa, longe da cidade. Os três ficaram 34 dias em Brasília, totalmente incomunicáveis.

Neste período, Edgar foi interrogado uma vez. A malária o atacou e foi levado para tratamento. Tereza Adão não foi interrogada. Terezinha, porém, não teve a mesma sorte. Logo que chegou, foi interrogada, espancada e ameaçada de ser jogada em um rio. "Durante uns 10 dias fiquei encapuçada em contínuos interrogatórios e dormia com as pernas algemadas e conforme a pessoa que lá ficava ainda amarravam minhas pernas na cama", escreveu ela em relatório à Prelazia. No dia 26 de junho, foi transferida para a Polícia do Exército, em Brasília.

No dia 12 de julho, os três voltaram a se encontrar. Foram transferidos para o Quartel da Polícia do Exército, em Campo Grande (MS), onde encontraram, também presos, Tadeu, Moura, Pontin, Lulu e Adauta, trazidos de São Félix no dia 10. Em Campo Grande, também estava preso o padre Jentel.

Interrogatórios e tortura

Pelo relatório enviado ao Juiz Auditor da 9ª Circunscrição Judiciária Militar (CJM), elaborado pelo Inspetor da Polícia Federal, Bel. Francisco de Barros Lima, responsável pelo Inquérito n.º 80/73 – SR-MT, sabe-se que, no dia 11 de julho de 1971, fora expedida por ele mesmo, um mandado de prisão contra os agentes de pastoral[21] sob a seguinte justificativa: "a fim de evitar fuga e dificuldades nas investigações".

Soa muito estranha essa justificativa, pois todos eles já estavam presos, alguns a bem mais de um mês. A prisão, porém, só foi oficializada no dia 16 de julho, depois de todos terem sido interrogados sob tortura.

Campo Grande não dispunha de estrutura para interrogatórios com torturas. Foi montada, nas dependências do quartel, uma sala para esta ação. Agentes policiais do Rio de Janeiro foram deslocados para Campo Grande para esta tarefa.

Um a um, os presos foram sendo chamados e eram interrogados sobre a organização a que pertenciam, que tipo de trabalho se fazia na Prelazia, o que significava Evangelização Libertadora, o que eram grupos de base, círculos de cultura, quais as vinculações da Prelazia com os grupos de esquerda etc. Ao responderam que pertenciam à Igreja e a cada resposta que não agradasse os interrogadores, eram submetidos a violentas descargas de choques elétricos. Terezinha foi obrigada a assistir a uma sessão em que Tadeu, à época seu noivo, era torturado.

Os torturadores acusavam a Prelazia de fazer somente um trabalho político, com o objetivo de provocar revolta, e acusavam bispo e padres de imoralidades. Ainda pretendiam dar lições de teologia.

Foram quatro dias de sofrimento e angústia. "O dia de maior sofrimento, em que todos nos sentimos deprimidos, foi quando Pontin voltou

---

21 Era este o teor do Mandado de Prisão: "Expeça-se Mandados de Prisão contra JOSÉ PONTIM, ANTONIO CARLOS DE MOURA FERREIRA, ANT6NI0 TADEU MARTIN ESCAME, EDGAR SERRA e TERE2A DA COSTA ADAO, com base no Art. 59 da Lei de Segurança Nacional, encaminhando-os ao Exmo. Sr. Comandante Geral da Polícia Militar neste Estado, solicitando àquela autoridade determinar o cumprimento dos mesmos. Campo Grande, 11 de julho de 1.973 BR.AN.RIO.TT.0.MCP.AVU.95 UP 51 382 folhas/ 382 páginas.
No mandado de prisão,. Consta, porém, na relação dos presos do relatório do Inspetor da Polícia Federal. Já o nome de Luiz Barreira de Souza (Lulu) e de Adauta Luz não constam nem no mandado de prisão, nem no relatório.

à noite dos interrogatórios, carregado, devido aos maus tratos sofridos, que impediam que se movimentasse sozinho", escreveu Tereza Adão.

Tadeu, Moura, Pontin e Lulu foram interrogados três vezes; Terezinha, quatro; Tereza Adão, cinco; Edgar, uma; e Adauta, duas vezes.

Muitas ameaças eram feitas enquanto eram interrogados. O bispo Pedro, em um comunicado feito no dia 3 de outubro sobre os acontecimentos, registra algumas das ameaças:

> 'É muito normal que um indivíduo como você não saia daqui vivo'; Outra: 'Não custa nada matar você e depois jogar o cadáver numa esquina, dizendo ter sido um acidente, como estamos acostumados a fazer'.
> O propósito básico, obsessivo, do interrogatório era arrancar-lhes absurda confissão de pertencerem eles e o bispo e os padres da Prelazia a alguma misteriosa 'organização' terrorista, subversiva ou guerrilheira. Proibiram-lhes até, algumas vezes que usassem o nome de 'Prelazia' pois queriam que fosse necessariamente 'organização' (CALSÁLIGA, 1973).

Como afirmamos acima, a prisão só foi oficializada no dia 16, e, a partir de então, os interrogatórios foram conduzidos pelo bacharel Francisco de Barros Lima, da Polícia Federal. Cessaram as torturas e o ambiente ficou mais calmo. No dia 26 de julho, foi quebrada a incomunicabilidade e puderam receber visitas, escrever cartas etc.

O bacharel Francisco Barros de Lima, responsável pelo inquérito, a partir daquele momento, ouviu os que estavam presos e, depois, esteve na região, onde ouviu o bispo e cada um dos agentes da Prelazia. A certa altura do inquérito, em telefonema a seu superior, confessou: "Major, não constatamos participação em movimentos de nenhum deles...". Em outro momento, desabafou: "Eu não entendo a Igreja de vocês, após conversar com cada um fico mais embaralhado".

A fé que sustenta

"Nos 4 dias de tortura, de 12 a 15 de julho, o que mais nos massacrava era a tensão e ansiedade. Sofríamos quando alguém subia, por pensar no que lhe aconteceria; sofríamos quando alguém voltava, pois, sabíamos que seria a vez de outro. Procurávamos, ao voltar do interrogatório, animar os outros, quando possível, dizendo que se estava bem e sobretudo rezamos muito", escreveu Moura.

"Quando ia alguém para o interrogatório ficávamos rezando. Sentimos muito, nestes dias mais difíceis, a presença da igreja. Em nenhum momento duvidei da atualidade evangélica. Nas nossas pessoas, paradoxalmente, fôramos escolhidos para felicidade do testemunho cristão... Os Salmos nunca nos pareceram tão claros como naqueles dias", escreveu Tadeu.

Depois da quebra da incomunicabilidade, todas as semanas era celebrada a missa. A visita dos familiares, de diversos bispos, padres, irmãs e de grupos das comunidades os alegrava muito. Assim diz Pontin:

> Estes dias me marcaram profundamente. Ao lado da angústia do que poderia acontecer, senti um amadurecimento muito grande na fé e sobretudo a presença viva da Igreja junto a mim. Parecia que a oração feita por todos se refletia até fisicamente em todos nós. Todos nós liamos o Evangelho e o meditávamos. Nas quintas-feiras participávamos da Eucaristia, podendo assim, consciente e cultualmente, unir nossos sofrimentos ao sofrimento redentor de Cristo. Senti realmente a realidade da comunhão dos Santos.

"Para mim este período significou um aprofundamento da minha fé, uma participação efetiva na obra da redenção que não acontece sem sofrimento, vinculada à Esperança da ressurreição", escreveu Tereza Adão.

Finalmente, no dia 20 de agosto, foram libertados. Nenhum se intimidou. Todos retornaram a seus lugares de trabalho. Como Pontin escreveu: "tudo isto me fez perceber a necessidade e a exigência de uma continuidade de testemunho e de presença junto ao povo, fora da cela".[22]

O bispo Pedro registrou no seu diário de 2 de setembro de 1973:

> Terezinha, Tadeu, Moura, Pontin, Edgar e Teresa já estão livres. Pelo menos provisoriamente. Encontrei-me com todos eles em

---

22 Os depoimentos dos presos escritos após sua libertação se encontram no arquivo da Prelazia de São Flix do Araguaia.

São Paulo. Efusivos e marcados. Mais conscientes de sua Fé e de seus compromissos. Sofreram muito. Foram brutalmente torturados, pressionados, humilhados. Queriam arrancar deles confissões impossíveis: que pertencemos a algum partido ou organização, que entre as moças e os padres havia relações sexuais etc. Foram heroicos, coitados. E deixaram um bom odor de Cristo na Igreja de Campo Grande, como pude comprovar na minha visita ao P. Francisco, no domingo dia 5.

Todos, rapazes e moças, pensam voltar para a Prelazia. Não sei ainda até que ponto isso será possível. De qualquer modo, sua coragem e seus propósitos confortam (CASALDÁLIGA, 1978, p. 90-1).

A Solidariedade Reforça a Comunhão

A repressão que se abateu sobre a Prelazia provocou um grande movimento de solidariedade com ela. A Prelazia não estava sozinha.

Um extenso comunicado do bispo Pedro, intitulado "A Prelazia de São Félix. MT, entre o processo e a solidariedade", registra os mais diferentes atos de solidariedade que a Prelazia recebeu neste período.

No dia 16 de junho, o presidente e o secretário geral da CNBB, dom Aloísio Lorscheider e dom Ivo Lorscheiter, visitaram São Félix, Santa Terezinha e a aldeia Tapirapé, "sendo pessoalmente informados dos acontecimentos", diz dom Pedro.

No dia 10 de julho, após a nova operação militar, com a prisão de mais agentes de pastoral, prisão domiciliar do bispo e dos que estavam em sua casa, dom Ivo e dom Fernando Gomes, arcebispo de Goiânia, estiveram em São Félix para se informar detalhadamente dos acontecimentos e prestarem uma profunda prova de solidariedade.

O grande ato de solidariedade, porém, aconteceu em 19 de agosto, data em que São Félix celebrava a festa de sua padroeira, Nossa Senhora da Assunção. Dezenove dioceses do Brasil se fizeram presentes em São Félix, em uma grande missa de solidariedade à Prelazia, celebrada às margens do Araguaia.

Onze bispos vieram pessoalmente a este ato: dom João Batista Mota, arcebispo de Vitória (ES), dom José Maria Pires, arcebispo de João Pessoa (PB), dom Cândido Padim, bispo de Bauru (SP), dom Antônio Fragoso, bispo de Crateús (CE), dom Hélio Campos, bispo de Viana (MA), dom Gilberto Pereira Lopes, bispo de Ipameri (GO), dom Tomás Balduino, bispo de Goiás (GO), dom Luís Peres, bispo de Jales (SP), dom Aldo Gerna, bispo de São Mateus (ES), dom Celso Pereira, bispo auxiliar de Porto Nacional (GO) e dom Estevão Cardoso de Avelar, bispo de Marabá (PA).

Outros oito bispos enviaram um padre para os representar: o cardeal dom Paulo Evaristo Arns, arcebispo de São Paulo (SP), dom Davi Picão, bispo de Santos (SP), dom Alano du Noday, bispo de Porto Nacional (GO), dom Onofre Rosa, bispo de Uberlândia (MG), dom Gregório Warmeling, bispo de Joinville (SC), dom Waldir Calheiros, bispo de Volta Redonda (RJ), dom Pedro Paulo Koop, bispo de Lins (SP), dom Manuel Edmilson Cruz, bispo auxiliar de São Luís (MA).

Outros 18 bispos que participavam, em Manaus, de um curso, enviaram uma carta dirigida a dom Pedro, assinada por eles todos, em que diziam: "Sabedores dos teus sofrimentos e dos teus colaboradores imediatos, nós, bispos reunidos em Manaus, nos solidarizamos com toda a Igreja de Cristo em São Félix e nos alegramos com tão belo testemunho de coragem e amor evangélicos".

Os que estavam presentes em São Félix naquela noite assinaram um documento que foi enviado a todos os bispos do Brasil. Eles escreveram:

> Aqui viemos, movidos pela solidariedade com esta Igreja que sofre perseguição em seu pastor e em todo seu rebanho. Solidariedade também expressa por parte dos 18 bispos participantes de Curso realizado em Manaus
>
> Os fatos aqui ocorridos revelam-nos não somente uma crise momentânea e localizada nesta Igreja, mas uma tentativa de amordaçamento e de desarticulação da Igreja que se volta para a defesa do fraco e do oprimido.
>
> Com simplicidade reconhecemos e acolhemos o testemunho da Prelazia de São Félix, assumida como instrumento de Deus para nos alertar e nos iluminar na hora atual. Com realismo notamos que esta nossa presença bem pode servir de indicação de que estamos cada vez mais atentos ao processo aqui iniciado.
>
> Nosso desejo era que todos os irmãos no episcopado tivessem tido a experiência que vivemos nesta noite com o povo, às margens do Araguaia. Eis porque lhes enviamos esta carta, a título de comunicação e em vista de uma mais profunda comunhão.

Ao mesmo tempo, foram recebidas muitas mensagens de apoio e solidariedade da presidência da CNBB e do Regional Centro-Oeste, da Igreja de Campo Grande, de muitos outros bispos e suas dioceses, de Conselhos Presbiterais, de paróquias, de comunidades eclesiais de base e de amigos de diversos países.

A celebração foi vigiada, como escreveu o bispo Pedro:

> A Polícia Federal fotografou, gravou e anotou a cerimônia. "Eles espalharam panfletos com um exótico emblema da foice e da cruz, supostamente assinados pelo 'Partido Comunista' e a 'Igreja Progressista'.23 Espalharam boatos e ameaças também. O povo, entretanto, superando tudo, participou numeroso e comovido e aquela concelebração intereclesial foi para ele como que uma confirmação na esperança (CASALDÁLIGA, 1978, p. 90).

---

23 O relatório do Inquérito 80/73, de 06 de setembro de 1973, do Departamento de Polícia Federal "Investigação sobre indícios de prática de crimes contra a Segurança Nacional, praticados por leigos e religiosos que compõem os quadros da prelazia de São Félix -MT" quis atribuir a origem do panfleto à diocese de Goiás, sendo dom Tomás quem a teria levado à celebração. Assim diz o relatório: "Nessa concelebração, um nosso Agente, em diligência na região naquela oportunidade, elaborou relatório de fls. 487, juntando o panfleto de fls. 498, onde aparece uma cruz e a legenda "Partido Comunista e Igreja Progressista pela conscientização do povo na luta comum contra a ditadura".
Um aditamento ao mesmo relatório, este de 15 de dezembro de 1973, refere que foi apurado que o texto do panfleto de alto cunho subversivo distribuído em São Félix "fez parte de uma Pastoral da Diocese da cidade de Goiás, lida em todas as paróquias da Diocese e que para São Félix teria sido levado pelo Bispo DOM TOMAZ BALDUIN0, o qual é muito ligado ao Bispo de São Félix, comungando das mesmas ideias e desenvolvendo o mesmo trabalho em suas Dioceses, no tocante ao conflito de classes sociais." BR.AN.RIO.TT.0.MCP.AVU.95 UP 51 382 folhas/ 382 páginas.

O Martírio do Padre João Bosco Libertou o Povo da Prisão do Medo

Um dos fatos que mais marcaram a história da Igreja em São Félix do Araguaia foi o assassinato do padre João Bosco Penido Burnier, que visitava a região.

Ele era missionário em Diamantino (MT), onde trabalhava junto aos índios Bakairi. Era coordenador do Conselho Indigenista Missionário (CIMI) no estado e tinha vindo à Prelazia para participar de um encontro de pastoral indigenista em Santa Terezinha, realizado de 4 a 6 de outubro de 1976.

Depois do encontro, esteve na aldeia Tapirapé, onde à noite teve um longo bate-papo com os homens. "Foi uma conversa maravilhosa", comentava ele com o bispo Pedro.

De lá, com o bispo foi a São Félix. E, no dia 11 pela manhã, pegaram o ônibus para Ribeirão Bonito, que celebrava a festa da padroeira, Nossa Senhora Aparecida.

Decidiu pernoitar por lá para conhecer aquele povo, antes de continuar viagem para Diamantino. E o que lá aconteceu, o bispo Pedro assim conta no livro *La Muerte que da sentido a mi Credo*:

> Quando chegamos ao Ribeirão, logo nos sentimos tocados por um certo clima de terror que pairava no ar... A morte do soldado Félix, da Polícia Militar, tristemente conhecido na região por suas arbitrariedades e até crimes, morto na última provocativa arbitrariedade, trouxe ao lugar um grande contingente de policiais e com eles a repressão arbitrária e até a tortura.
>
> Duas mulheres, dona Margarida e dona Santana estavam sofrendo na delegacia, impotentes e sob torturas, – um dia sem comer e beber, de joelhos, braços abertos, agulhas na garganta, debaixo

das unhas – uma repressão desumana.

Eram mais de seis horas da tarde, e seus gritos se ouviam desde a rua: 'Não me batam!'. Decidi ir à delegacia para pedir por elas. Um rapaz da equipe pastoral quis acompanhar-me. Temi por ele e não o permiti. Padre João Bosco se dispôs acompanhar-me.

Ao chegar,

> Eu me apresentei como bispo de São Félix, dando a mão aos policiais. O Padre João Bosco também se apresentou. E tivemos aquele diálogo, de talvez três ou cinco minutos. Sereno, de nossa parte; com insultos e ameaças, até de morte, da parte deles. Quando o Padre João Bosco disse aos policiais que denunciaria aos superiores dos mesmos as arbitrariedades que vinham praticando, o soldado Ezi Ramalho Feitosa pulou até ele dando-lhe uma bofetada fortíssima no rosto. Inutilmente tentei cortar aí o impossível diálogo: João Bosco, vamos... Em seguida bateu no rosto do padre com o revólver e, num segundo gesto fulminante, o tiro fatal, no crânio (CASALDÁLIGA, 1977, p. 11).

A edição de novembro de 1976 de *Alvorada* foi toda dedicada aos acontecimentos em Ribeirão Cascalheira. Registrou, além da tragédia na Delegacia de Polícia, os últimos momentos do padre João Bosco e toda a repercussão que o caso teve.

Sobre os últimos momentos do padre, assim diz:

> Sem um ai, o mártir caiu esticado no chão, parecendo morto. O bispo debruçou-se sobre ele e ele respondeu. Ainda estava vivo. Foi então levado para o ambulatório que a Prelazia havia aberto em Ribeirão. Lá o Dr. Luiz Pinto Eira Velha e a irmã Beatriz Kruch tentaram fazer o possível e o impossível para salvá-lo. Mas a situação era por demais grave. Ele ainda estava consciente. Invocou várias vezes o nome de Jesus. Ofereceu sua vida pelos índios, pelo povo. Pelo povo de nossa Prelazia, pelo povo da Prelazia de Diamantino. Lembrou-se do CIMI. Lamentou de um jeito que emocionava: 'Sinto muito não ter tomado nota do que os índios Tapirapé falaram'... Sua última palavra inteligível pareceu a pala-

vra de Jesus na Cruz 'Tudo está consumado'. Tentou levantar-se e disse, solene: 'Dom Pedro, acabamos nossa tarefa'.

Conseguiu-se um teco-teco da 'Táxi Aéreo Goiás', que estava numa fazenda próxima, e na madrugada do dia seguinte foi levado para Goiânia, onde chegou às sete e meia e foi levado para o Instituto Neurológico de Goiânia. Os médicos declararam não haver mais esperança. Às cinco horas da tarde faleceu.

A notícia logo se espalhou mundo afora. Foi velado na Catedral de Goiânia. 'Todos sentiram que aquela vida sacrificada virava um sinal de Evangelho, uma boa nova de libertação'.

Seu corpo foi levado para Diamantino, onde foi sepultado.

A cadeia cai

A morte impactou fortemente a comunidade. No sétimo dia, uma grande cruz encimada por uma placa de madeira, dizia: "No dia 11 de outubro de 1976, neste lugar de Ribeirão Bonito, MT, foi assassinado o Padre João Bosco Penido Burnier, por defender a Liberdade do Povo". Foi plantada naquele lugar.

No intenso diálogo que se iniciou entre os participantes, um disse: "Essa prisão só serviu para deter e humilhar os pobres, peões e pequenos produtores rurais. Nunca se viu um rico nela". Outro acrescentou: "A cruz representa a nossa libertação; essa cadeia representa a perseguição, a tortura, o assassinato e tudo o que nos aterroriza".

As pessoas indignadas foram se juntando e, de repente, em um gesto histórico, arrancaram as portas e grades da cadeia, "para que ninguém mais ficasse preso e judiado injustamente". Todos participaram: "[...] Quem não podia participar diretamente, batia palmas e dava gritos de encorajamento. O povo resolveu abrir as portas da prisão [...] e colocaram abaixo a delegacia de polícia". A enfermeira que atendeu o Padre João testemunhou: "Com o martírio do Padre Burnier para libertar as duas mulheres presas, libertou o povo da prisão do medo. O povo que tinha medo de sair de casa, saiu às ruas e, numa ação coletiva, destruiu a cadeia".

Naquela mesma semana, agentes da Polícia Federal, sob o comando do Dr. Hélio Máximo, foram a Ribeirão Bonito, com o único objetivo de fazer inquérito sobre a derrubada da cadeia. Queriam saber se o bispo estava presente naquela hora, e se a ação fora organizada anteriormente. O povo respondeu com toda serenidade que quem tinha derrubado a cadeia tinha sido o próprio povo. E muitos que não estavam presentes naquele momento afirmavam à polícia que se lá estivessem teriam ajudado na derrubada.

A Polícia Federal ainda ouviu da população que lá queriam erguer uma igreja em memória ao padre João.

Mas a Polícia estadual e outras autoridades impediram que este projeto do povo se concretizasse naquele local.

Mutirão de construção

No ano seguinte, 1977, o tema da Assembleia do Povo foi Como se Constrói a Igreja de Jesus Cristo. Foi realizada em Ribeirão Bonito (Ribeirão Cascalheira). Ao mesmo tempo em que se debatiam os temas, os participantes trabalhavam na construção da igreja, no outro lado do córrego. Foi um grande e bonito mutirão reunindo pessoas de todos os cantos da Prelazia.

E, no dia 12 de outubro, dia de Nossa Senhora Aparecida, fazendo memória de um ano da morte do padre João Bosco, a igreja foi inaugurada.

A *Alvorada*, edição de novembro de 1977, fez uma ampla cobertura deste evento.

Para a festa de inauguração, chegou gente de toda a Prelazia e de outros cantos do Brasil. Estavam presentes seis bispos[24], três pastores evangélicos (dois representando o Conselho Mundial das Igrejas e um pastor da Igreja Presbiteriana Unida[25]). Estavam também irmãos do padre João Bosco e representantes da CNBB Nacional e Regional Centro-Oeste. Também índios Bakairi, Bororo e Pareci com os quais o padre João Bosco trabalhava e muitos outros padres e agentes de pas-

---

24 Dom Fernando Gomes dos Santos, Goiânia, GO, Dom Waldir Calheiros, Volta Redonda, RJ, Dom Angélico Sândalo Bernardino, auxiliar de São Paulo, SP. Dom Tomás Balduíno, OP, Goiás, GO, Dom Celso Pereira, OP, Porto Nacional, GO, Dom Alano Maria Pena, OP, Marabá. PA.

25 Charles Harper, setor Direitos Humanos na América Latina, do Conselho Mundial de Igrejas, CMI; Manuel de Melo, do Conselho Central, do CMI; James Wright, Igreja Presbiteriana Unida.

toral representando diversas pastorais. De Diamantino, onde o padre João exercia seu ministério, veio um ônibus com padres e gente das comunidades. E chegaram pessoas de diversos estados do Brasil desde o Norte até o Sul.

A festa causou preocupação nas autoridades, que em tudo viam subversão e agitação.[26]

Assim publicou o jornal *O Estado de São Paulo*, de 16 de outubro de 1977: "Oitenta soldados da Polícia Militar de Mato Grosso, comandados pelo coronel José Silvério da Silva, ocuparam nesta última semana o povoado de Ribeirão Bonito".

Impressionante é o que diz a matéria: "20 policiais ostensivamente armados pelas ruas e 60 de prontidão ali por perto. Armas pesadas, gaz lacrimogêneo, lança-granadas...! Policiais disfarçados, de barba e cabeludos, antes e durante os festejos, misturando-se com o povo, assuntando as conversas, fotografando [...]".

O *Jornal de Brasília*, também do dia 16 de outubro de 1977, escreveu que o coronel Silvério disse que "a polícia só vai agir caso o povo invada a cadeia". O jornal registrou: "o povo não invadiu, passou cantando".

Na tarde daquele dia 12, a polícia deteve o professor Juarez Dayrell, agente de pastoral da Prelazia. Foi pego e jogado dentro da viatura e levado para a sede da fazenda do japonês que cercava, com a proteção da polícia, as terras mais próximas do povoado. Algemado, de olhos vendados, boca fechada com esparadrapo. Quando foi liberado, queriam que ele dissesse que havia sido interrogado no Destacamento Policial.

No interrogatório, presidido pelo coronel Silvério, foi acusado de subversão e guerrilha na escola, de incitar os posseiros contra a polícia, de receber dinheiro de Moscou, de ensinar Estudos Sociais na quinta série, dizendo eles que essa matéria era só do segundo grau. E daí pra mais. Ainda zombaram dele, perguntando se queria ser mártir. E o ameaçaram: "Vamos te matar, fazer picadinho se aparecer o nome do coronel Silvério nos jornais".

---

26 Os órgãos de informação acompanharam as celebrações e elaboraram um relatório em que são elencadas todas as instituições presentes com o nome de quem as representava, bem como são transcritas as falas dos bispos na celebração.BR DFANBSB V8.MIC, GNC.MMM.81001887 - inauguração da igreja de ribeirão bonito mt. - Dossiê - ARQUIVO.: BR_DFANBSB_V8_MIC_GNC_MMM_81001887_d0001de0001.pdf

Naquele mesmo dia, a polícia reuniu um grupo de crianças dizendo que o prefeito havia dado balinhas para elas por ser o dia da criança. Levaram-nas ao destacamento, onde lhes mostraram as armas e seu poder de destruição. As crianças ficaram traumatizadas e o povo revoltado.

No dia seguinte, o mecânico José Rocha (Zezinho mecânico) foi levado ostensivamente preso pelas ruas até o destacamento, onde lhe mostraram todo o potencial de fogo do armamento que haviam trazido e pedindo-lhe cuidado com o que fazia, pois o governo "está para estourar com este povo".

Depois reuniram um grupo de pessoas com o coronel. Na sua preleção, ele disse que era para esquecer o padre João Bosco, que já tinha morrido mesmo, e que era bom o povo deixar destas procissões e perguntou o porquê de uma igreja tão bonita em um povoado daqueles (ALVORADA, 1977).

A igreja que foi inaugurada naquele dia se tornou o Santuário dos Mártires da Caminhada, o único santuário do mundo dedicado aos que tombaram em defesa da justiça e do direito, independentemente de sua crença. A cada cinco anos, desde 1986, lá se realiza a Romaria dos Mártires da Caminhada.

A Prelazia Não Agradava a Todos na Igreja

Vimos acima como a Prelazia recebeu manifestações de solidariedade da direção da CNBB e de muitas dioceses e Prelazias do Brasil e até do exterior. A solidariedade também veio de outras igrejas cristãs e de outros grupos da sociedade.

Mas, dentro da Igreja, o apoio à Prelazia não era unânime.

As incompreensões na Igreja

Durante encontro dos bispos do Regional Centro-Oeste, acontecido em Anápolis, em dezembro de 1974, "a Prelazia de São Félix foi submetida a votação: poderíamos ou não pertencer oficialmente ao regional? Havia uma subterrânea oposição. [...] Os subversivos incomodam em toda parte", assim o bispo Pedro registrou em seu diário no dia 12 de dezembro de 1974 (CASALDÁLIGA, 1978, p. 72).

De fato, a Prelazia, apesar de se situar no Mato Grosso, regional Extremo-Oeste da CNBB, integrava o regional Centro-Oeste (Goiás e Brasília), por ser Goiânia mais próxima de São Félix do que Cuiabá e porque a região se relacionava, àquela altura, quase que exclusivamente com Goiás. Havia também uma identidade maior do bispo Pedro com vários dos bispos deste Regional.

Quando, em 2008, o bispo Pedro completou 80 anos, a Adista, uma agência de notícias e de documentação da Itália sobre o mundo católico, pediu a dom Tomás Balduino um artigo sobre o amigo. Neste artigo, dom Tomás revela alguns detalhes do fato, mas não o situa adequadamente no tempo. Segundo o relato, dom Juvenal Roriz, CSSR, bispo de Rubiataba, apresentara a proposta de desligamento da prelazia do Regional. O bispo de São Félix só teria tomado conhecimento do que acontecia durante a reunião. Diz dom Tomás:

> Dom Fernando Gomes dos Santos, presidente da Comissão episcopal, propôs a votação sobre este caso no início da sessão. Estava presente dom Ivo Lorscheiter, presidente da CNBB, em visita ao regional. Dom Epaminondas, bispo de Anápolis, por pudor, passou uma nota a dom Roriz, solicitando-lhe retirar a proposta da ordem do dia. Dom Juvenal Roriz lha devolveu escrevendo sobre a mesma folha: 'Pelo menos sete são contra ele'. Éramos treze bispos. Sua proposta foi rejeitada por onze votos contra e um a favor. Pedro foi expressamente confirmado entre nós, graças, em parte, à presença de dom Ivo (ADISTA DOCUMENTI, 2008).

"Dom Fernando nos defendeu com seu generoso coração de patriarca", escreveu o bispo Pedro (CASALDÁLIGA, 1978, p. 72).

Se fosse eu o presidente, teria-no expulso

Em dezembro de 1975, quando a equipe de pastoral estava reunida em São Félix para um dos seus encontros de avaliação e planejamento, chegou a notícia de que o padre Francisco Jentel tinha voltado ao Brasil e, tendo ido visitar dom Aloísio Lorscheider, presidente da CNBB, em Fortaleza (CE), lá fora preso e transferido para o Rio de Janeiro (RJ), de onde seria expulso do país.

A notícia causou comoção na equipe e decidiram enviar o padre Canuto ao Rio de Janeiro para tentar se encontrar com o padre Jentel, para lhe dizer que a Prelazia o estava acompanhando com atenção. A única pessoa que tinha acesso ao padre era o cardeal dom Eugênio Sales. Padre Canuto foi à sua residência para saber se poderia acompanhá-lo quando ele fosse estar com o padre preso. Ele disse: "Vou falar com o ministro da Justiça para lhe comunicar que o senhor vai me acompanhar". Como os tempos não eram fáceis, padre Canuto propôs então escrever uma carta a Jentel comunicando-lhe que estava no Rio e que a Prelazia toda o acompanhava. O Cardeal lhe disse: "Vou telefonar para o ministro da Justiça para lhe dizer que estou levando esta carta". Ao que então padre Canuto retrucou: "O senhor tem que informar ao ministro o que fala ao padre?

O senhor então poderia dizer a ele que estou aqui em nome da Prelazia e que o seguimos com preocupação". Não houve oportunidade de um novo contato porque, nesta mesma noite, foi assinado o decreto de expulsão e, no dia seguinte, 16 de dezembro, Jentel foi embarcado para a França.

Canuto escreveu quando da morte de dom Eugênio:

> Não vi da parte do cardeal nenhum gesto, nenhum sinal, nenhuma palavra que demonstrasse contrariedade, muito menos inconformidade com a situação do padre que estava para ser expulso. Mais que isso. No rápido diálogo que tivemos demonstrou seu desagrado com os escritos do bispo Pedro. (Não fazia muito tempo, havia sido lançado um livro de poemas do bispo, prefaciado por Ernesto Cardenal, que a certa altura dizia que o Brasil era 'governado por decrépitos generais'). Dom Eugênio então lhe disse:'Se fosse eu o presidente, o teria expulso'. [27]

Dom Sigaud acusa o bispo Pedro de comunista[28]

Apesar das posturas firmes da direção da CNBB e da maioria do episcopado em defesa da liberdade e contra as arbitrariedades e violências do regime militar, havia alguns bispos que acreditavam na ditadura e a apoiavam.

O caso que possivelmente ganhou maior repercussão foi o das denúncias feitas pelo arcebispo de Diamantina (MG), dom Geraldo Proença Sigaud, contra dom Tomás Balduino e dom Pedro Casaldáliga. Ele os acusava de serem comunistas e apontou-os como os principais responsáveis pelo clima tenso nas relações entre Igreja e Governo. Estas acusações foram feitas no dia 25 de feve-

---

27 O texto foi publicado entre outros por Tribuna do Norte, Natal (RN), no dia 22.07.2012.

28 Dom Geraldo de Proença Sigaud (1909-1999), arcebispo de Diamantina, MG, era um bispo conservador que se opôs à renovação da Igreja proposta pelo Concílio Vaticano II. Sua grande preocupação era o comunismo e sobre ele escreveu uma carta pastoral e o "Catecismo Anticomunista". Junto com o bispo de Campos, dom Antônio de Castro Mayer, atuou em favor da Sociedade Brasileira de Defesa da Tradição, Família e Propriedade (TFP), fundada em 1960 por Plinio Corrêa de Oliveira. Este grupo de extrema direita se opunha ferozmente à Reforma Agrária e era contra qualquer mudança na ordem política e social vigente e na Igreja por serem consideradas um caminho para o comunismo.

reiro de 1977, e publicadas no dia seguinte no *Jornal do Brasil*, do Rio de Janeiro.

Era a seguinte a matéria do *Jornal do Brasil*: "Há infiltração comunista em todas as partes e até na Igreja. As ideias de Dom Pedro Casaldáliga que chama os proprietários de porcos gordos e os fazendeiros de ladrões, além de considerar as cercas como maldição, são de alguém que participa da invasão comunista no país".

A matéria prosseguia: "Na opinião do bispo mineiro, o clima em que vive a Igreja em São Félix do Araguaia, Mato Grosso, é nocivo ao restabelecimento de boas relações entre a igreja e o governo. Dom Sigaud apontou Dom Pedro Casaldáliga como o "grande responsável pelos conflitos e pela morte de dois padres na região, Rodolfo Lukenbein e João Bosco Penido Burnier".

Quanto ao bispo da diocese de Goiás, dom Tomás Balduino, dom Geraldo Sigaud afirmou que ele compactua "com a linha do bispo de São Félix, e que tem uma atividade pastoral que até os próprios missionários discordam".

Os trabalhos das chamadas comunidades de base foram descritos pelo bispo como "muito perigosas", pois "possuem um cunho esquisito". Advertiu que "caso estes bispos não mudem radicalmente de posição, as consequências com o governo serão as piores possíveis". E acrescentou: "Se isto acontecer, não estarei do lado deles".

Estas denúncias encontraram forte repercussão na imprensa, tanto nacional quanto internacional, provocando reações da CNBB e de muitos bispos e, sobretudo, uma onda de solidariedade aos bispos atacados.

Isto levou o núncio, dom Carmine Rocco, a solicitar a dom Sigaud que apresentasse provas do que denunciava e pedindo que se abstivesse de dar novas entrevistas para não colocar mais lenha na fogueira.

Em 25 de março de 1977, dom Sigaud enviou à nunciatura, um longo relatório com as provas e documentos que, segundo ele, sustentavam suas acusações. No dia 8 de maio de 1977, o *O Estado de São Paulo* e o *Jornal do Brasil* publicaram na íntegra o relatório enviado ao núncio.

O que contém este relatório?

Dom Sigaud fala das entrevistas que concedeu, o que nelas afirmou e as fontes em que se baseou para suas denúncias. As fontes são livros publicados pelo bispo Pedro: *Clamor Elemental*, livro de poemas publicado na Espanha, em 1971, *Tierra Nuestra, Libertad*, também de poesias, publicado em Buenos Aires, em 1974, *Yo Creo en la Justicia y en la Esperanza*, publicado na Espanha, em 1976, o jornal *Alvorada* e outros escritos.

A base das denúncias é a trajetória da vida do bispo Pedro estampada no livro *Creio na Justiça e na Esperança*, em poemas em que se rebela contra as situações de injustiça e contra certas posturas da própria Igreja, e ainda em celebrações, como a realizada em 1973, com a presença de 19 igrejas solidárias, e até sobre uma encenação realizada em 1975, por ocasião da inauguração da Catedral, em São Félix.

Destes escritos, poemas e até de encenações, ele deduz que o bispo Pedro é comunista, porque se coloca de frente contra os latifundiários. O bispo é comunista porque rompeu com os latifundiários e também com o regime militar.

Sobre dom Tomás, ele diz que o bispo de Goiás "aprova as ideias e atitudes de Pedro e se manifesta defendendo na teoria e na prática, os mesmos princípios de ação". Mas sobre ele, diz que é muito mais difícil apresentar provas, pois "é muito mais prudente que Dom Pedro".

Por fim, ele explica o porquê de ter feito suas denúncias através da imprensa e por não ter procurado a CNBB.

Ele diz que dom Pedro e dom Tomás não estão sozinhos, pois "é grande o número de bispos que fizeram opção pelo comunismo". Porém, o que o levou a procurar a imprensa foi o que teria acontecido em Itaici na XV Assembleia da CNBB. Nesta Assembleia, o tema central debatido era "Exigências Cristãs de uma Ordem Política". Segundo ele, para surpresa de todos, no dia 12 de fevereiro, a "Folha de São Paulo" publicou o documento que estava sendo debatido. A Secretaria da CNBB nada teria feito para descobrir quem teria entregue o documento à imprensa. Teriam sido levantadas três versões para explicar o vazamento, mas segundo ele "enquanto se fazia toda esta farsa, a Secretaria sabia que Dom Pedro Casaldáliga é quem havia entregue o texto secreto aos repórteres da Folha, em reunião havida em Campinas". E que se montou todo um esquema para não incriminar dom Pedro. E então cita um texto do *Jornal Voz Operária*, do Partido Comunista do Brasil em que "propõe uma aliança com a Igreja Católica, para um movimento de massa a fim de derrubar o governo".

Dom Sigaud teria colocado no mural, com a autorização de dom Ivo, este artigo no final do dia e o mesmo teria sido retirado, com a desculpa de que, se viesse alguma visita e visse o texto, poderia pensar que os bispos leem artigos comunistas, com o que ele não concordou.

Ele concluiu:

> São estas as razões que me levaram a recorrer à imprensa e alertar meus irmãos no Episcopado e a Nação brasileira sobre o grave perigo que corremos com a infiltração de ideias comunistas e do procedimento subversivo da parte de alguns bispos brasileiros.
>
> Denunciando-os à opinião pública, prestei um serviço à minha Pátria e à Igreja, minha mãe.
>
> Espero que, diante das acusações e das provas que me parecem graves e evidentes a Santa Sé tome as medidas que o problema exige.

As acusações de dom Sigaud, segundo entendidos, seriam o material necessário que o governo militar precisava para expulsar o bispo de São Félix Brasil. Com estas acusações a Igreja não se oporia a esta expulsão.

O *Jornal do Brasil*, de 20 de julho de 1977, traz a seguinte notícia: "Dom Ivo revela informação de que a expulsão de Dom Pedro Casaldáliga está iminente". Esta informação teria partido de "fontes fidedignas de Goiânia e de Brasília". Dom Ivo fez um apelo ao governo para que "tal ato de injustiça e hostilidade à Igreja não se consuma". E o jornal diz que, desde fevereiro, quando das denúncias de dom Sigaud, o bispo Pedro "tornou-se objeto do noticiário e de investigações".

O assessor de imprensa da Presidência da República disse ao repórter não ter sido assinado decreto de expulsão de dom Pedro.

Na mesma matéria, dom Helder Câmara diz: "Mas, sem dúvida, quando as injustiças e arbitrariedades chegam a atingir os próprios bispos, temos a prova plena de que os desrespeitos chegaram ao auge".

Dom Helder ainda disse que não foram as denúncias de dom Sigaud que provocaram a possível expulsão do bispo, mas que era uma decisão já tomada "a denúncia (de dom Sigaud) contra dom Pedro veio apenas para dar cobertura de aparência eclesiástica à expulsão provavelmente já decretada".

Na verdade, o Vaticano se preocupou com as acusações feitas e nomeou o arcebispo de Teresina (PI), dom José Freire Falcão, como visitador apostólico para investigar o que realmente acontecia. Já no dia 16 de agosto de 1977, ele chegava a São Félix.

Alvorada, na edição de setembro de 1977, assim registrou a visita: "Foi uma visita bastante amiga. Ele conversou com nosso bispo, com o pessoal da casa e alguns moradores mais. [...] Dom José demonstrou ter ficado muito satisfeito, pelo que pareceu. Nem encontrou nenhum destes lobisomens que alguns, por aí afora, estão sempre vendo aqui entre nós".

Anos mais tarde, a Congregação para os bispos fez referência ao relatório escrito pelo Visitador, mas que nunca chegara ao conhecimento da Prelazia.

Ultrapassando as Fronteiras da Prelazia

O grupo-não-grupo de bispos

As preocupações pastorais da Prelazia não se restringiam aos seus limites geográficos, sobretudo devido à ampla visão que o bispo Pedro tinha sobre a realidade e sobre a missão da Igreja.

A situação de exploração e opressão do povo era a mesma em toda a Amazônia e em praticamente todo o Brasil. A atuação pastoral da Igreja tinha que ser mais ampla, indo a fundo à raiz dos problemas. A carta pastoral havia sido um grito que ecoara Brasil afora. Era preciso haver uma articulação entre todos os que enfrentavam os mesmos desafios e estavam empenhados na renovação da Igreja de acordo com o Concílio Vaticano II.

Assim, os bispos que tinham as mesmas preocupações pastorais e os mesmos compromissos com os mais pobres passaram a se reunir. Juntos aprofundavam o conhecimento da realidade e traçavam estratégias comuns de enfrentamento dos problemas. O bispo Pedro chamou este grupo de grupo-não-grupo. Encontramos referência a ele no seu diário do dia 13 de setembro de 1972: "No Rio e em São Paulo, o grupo-não-grupo, aqueles bispos que pretendemos comprometer-nos particularmente com a realidade da Igreja e do país, tivemos três encontros" (CASALDÁLIGA, 1978, p. 66).

Articulado com os bispos do Centro-Oeste, assinou o manifesto Marginalização de um povo – Grito das Igrejas, lançado no dia 6 de maio de 1973. Era um documento em linguagem popular que denunciava as injustiças vividas pelo povo do Centro-Oeste, sobretudo no campo.

Participou também da elaboração do manifesto dos bispos e missionários que atuavam junto aos povos indígenas, "Y-Juca Pirama, o Índio: Aquele que deve morrer. Documento de urgência de bispos e missionários".

Este documento veio a público no final de 1973. Ele escreveu em seu diário no dia 15 de maio de 1974: "Saiu "Y Juca Pirama" (o manifesto de urgência sobre a causa do índio que assinamos – um grupo de missionários particularmente sensibilizados por esta causa "perdida". Suficientemente incisivo e urgente)" (CASALDÁLIGA, 1978, p. 99).

Em 1976, os bispos do Grupo Igreja dos Pobres, coordenado por dom Leônidas Proaño, bispo de Riobamba, no Equador, foram presos pela repressão. Eram bispos da América Latina que se reuniam todos os anos e que se propunham fazer valer o Pacto das Catacumbas.[29] Por isso, dom Paulo Evaristo Arns acolheu, em São Paulo, este grupo, que ali passou a se reunir anualmente para analisar a conjuntura política e social da América Latina, tomar pé dos debates teológicos mais recentes e celebrar a fé. Praticamente todos os bispos do grupo-não-grupo passaram a participar do Grupo Igreja dos Pobres, que passou a incluir também bispos e pastores de outras igrejas cristãs. Até hoje, eles se reúnem para estudar os temas mais prementes da realidade social e da Igreja. A partir de 1983, tem a coordenação do Centro Ecumênico de Evangelização e Educação Popular (CESEEP).

O Conselho Indigenista Missionário

Em 1972, enquanto o bispo Pedro acompanhava os processos contra o padre Jentel, houve, em Brasília, uma reunião de bispos e missionários com atuação na área indígena. Por haver na Prelazia diversos povos indígenas, ele também participou. Dom Tomás escreveu:

> Em 1972 encontrei-me com Pedro em Brasília, onde estava ocupado com o processo do pe. Jentel. Tomou-me por um braço e me conduziu a um encontro convocado por dom Ivo Lorscheiter,

---

29 Em 16 de novembro de 1965, com o Concílio Vaticano II já prestes a ser concluído, 42 bispos assinaram um pacto chamado Pacto da Igreja Servidora e Pobre que ficou conhecido como Pacto das Catacumbas. pois foi assinado ao final de uma missa solene celebrada nas catacumbas de Santa Domitila, em Roma. Os signatários se comprometeram a rejeitar todos os símbolos ou privilégios do poder e a se colocar a serviço dos pobres. Uns outros 500 bispos do mundo aderiram à proposta. Foi a expressão pública da caminhada da Igreja dos Pobres.

encontro no qual estava nascendo o Conselho Indigenista Missionário (Cimi). O relator da histórica sessão foi dom Sigaud, arcebispo de Diamantina, MG. Saí dali como um dos conselheiros deste instrumento pastoral que revolucionou totalmente a missão indigenista no Brasil, passando a considerar os povos indígenas não mais como um objeto de nossa assistência e de nossa catequese, mas como sujeitos, autores e destinatários da própria história (ADISTA DOCUMENTI, 2008).

A presença e atuação das Irmãzinhas de Jesus junto aos Tapirapé foi a grande inspiração para uma nova pastoral indigenista que a Igreja passou a adotar, respeitadora dos valores e da cultura de cada povo. O CIMI foi o grande promotor desta renovação da pastoral indigenista no Brasil.

O bispo Pedro e as equipes que atuavam junto aos Tapirapé e Karajá sempre tiveram presença marcante em todas as Assembleias, tanto regionais quanto nacionais do CIMI. Agentes da Prelazia assumiram funções tanto nas coordenações regionais quanto nacionais do Conselho.

A Comissão Pastoral da Terra

A realidade dos camponeses, Amazônia afora, era muito preocupante. Era preciso que a Igreja, como um todo, encontrasse caminhos comuns de enfrentamento de uma realidade tão adversa.

O bispo Pedro propôs a criação de um instrumento para atingir este objetivo. Assim, dom Tomás escreveu:

> Em 1974, por ocasião da assembleia da CNBB em Itaici, dom Pedro propôs a um grupo de bispos um encontro sobre a Amazônia, prioridade da política governamental. Já desde então Pedro via a Amazônia como símbolo de uma realidade muito grande, complexa e conflitiva, de caráter sociopolítico-cultural-econômico e religioso, de dimensão nacional e latino-americana. Hoje ela conquistou ainda mais peso, atingindo uma dimensão planetária.

O fruto desta preocupação foi o encontro de bispos e prelados da Amazônia, que se realizou em junho de 1975, em Goiânia, no qual se decidiu pela criação de uma pastoral que acompanhasse a realidade dos camponeses e camponesas da região amazônica. Aí nasceu a CPT.

"Para nós que nos consideramos co-fundadores, Pedro é o legítimo iniciador, ou, melhor ainda, o pai da CPT, concebida a partir da compaixão pelos sofrimentos dos camponeses de sua igreja local", diz dom Tomás (ADISTA DOCUMENTI, 2008).

O bispo Pedro e agentes da Prelazia acompanhavam religiosamente todas as Assembleias desta Pastoral, e diversos de seus agentes assumiram funções nos regionais, onde participavam, e na Secretaria Nacional. O bispo só deixou de participar quando a saúde não mais lhe permitiu. Era sempre uma voz que se fazia ouvir para garantir a coerência e a fidelidade com seus princípios fundacionais. Foi eleito seu vice-presidente por dois mandatos de 1981 a 1985.

Na Prelazia, até uma certa altura, toda a equipe pastoral se dedicava com prioridade à pastoral da terra, levando aos homens e mulheres o conhecimento de seus direitos e apoiando-os em sua luta por conquistar e permanecer na terra. Somente em 1988, quando a realidade social da região se tornou mais complexa e a população cresceu exponencialmente e se constituíram novos municípios é que se formou uma equipe específica de CPT.

A pátria grande

A visão do bispo Pedro ia, porém, mais longe. Abrangia a América Latina toda, que ele, tomando emprestados o sonho e as palavras dos grandes libertadores da América hispânica, chamava de Pátria Grande.

Sua preocupação com a Pátria Grande o levou à América Central para apoiar as lutas de libertação que lá aconteciam.

Nos últimos anos da década de 1970, o mundo acompanhou a luta da Nicarágua para derrubar uma ditadura de 40 anos da família Somoza, subordinada aos interesses dos Estados Unidos.

Constituiu-se a Frente Sandinista, que, em 1979, foi vitoriosa e formou um governo popular que atendeu às aspirações populares de liberdade. Setores da igreja apoiaram com firmeza esta revolução[30], de tal forma que três padres foram convocados para assumir ministérios no novo governo. Eram o monge Ernesto Cardenal para o Ministério da Cultura, o jesuíta Fernando Cardenal para o ministério da Educação e o padre Miguel D'Escoto para o ministério das Relações Exteriores.

Mas os grandes capitalistas do país não toleravam ter perdido o poder e se formou um forte grupo de oposição contrarrevolucionária, os "contra", como eram conhecidos. Com o apoio dos Estados Unidos, eles tentavam sabotar toda e qualquer conquista popular do novo governo.

O bispo Pedro já era conhecido de alguma forma na Nicarágua, pois, no início de 1983, o comandante Tomás Borge lhe escreveu: "Querido bispo e irmão: Sem adjetivos inúteis, com carinho e respeito, desejo convidá-lo a que visite Nicarágua, que é uma extensão de tua linda luta pelos pobres. Fraterno, T.B." (CASALDÁLIGA, 1983, p. 169).

Em 1985, o padre Miguel D'Escoto, como forma de chamar a atenção sobre os ataques que o povo e o governo sofriam por parte dos "contra", iniciou uma greve de fome.

A edição de julho/agosto de 1985 do *Alvorada* assim dizia: "Toda Igreja de São Félix do Araguaia se une à vigília do padre D'Escoto e à esperança de uma nova Nicarágua".

O bispo Pedro se sentiu convocado a prestar solidariedade concreta a este povo e, depois de consultar a equipe pastoral com quem convivia, decidiu ir à Nicarágua para se incorporar à greve de fome do padre.

Ficou quase dois meses na América Central, basicamente na Nicarágua, passando também por El Salvador, onde rezou diante do túmulo de dom Oscar Romero, e Cuba.

Na edição de setembro/outubro de 1985 do *Alvorada*, ele prestou contas de sua viagem: "A Igreja é Universal. Toda a Igreja é nossa Igreja. Toda a América Latina e o Caribe são nossa Pátria Grande. América Central é hoje um desafio, uma cruz de morte e libertação e nós todos devemos sentir como carne e missão nossas, essa América Central sofrida".

Na mesma edição, ele concedeu ao *Alvorada* uma longa entrevista na qual dizia:

---

30 Praticamente nenhum bispo apoiou a revolução.

Há um verdadeiro boicote, um cerco de informações. Nicarágua e América Central são proibidas de serem notícia.

Durante este mês todo fiquei rodando pela montanha e na fronteira e a gente se viu nas áreas mais conflitivas. Inclusive por três vezes nos encontramos com a 'contrarrevolução'. Quase que nos pegam.... Não se tem ideia de que há uma guerra constante contra a Nicarágua.

Os bispos não apoiam a revolução popular. Alguns não me quiseram receber, outro fugiu de mim. Falta a estes bispos a aproximação com o sofrimento do povo. Fui a alguns lugares onde nunca tinha ido um bispo.

O bispo voltou de novo à América Central em 1987, dizendo que era para cumprir promessa, pois, em 1985, tinha prometido lá voltar todos os anos, a partir de1987.

Sobre esta segunda viagem ele disse:

A presença de um bispo pode ajudar a desfazer as mentiras com que interesseiros pretendem acabar com a revolução da Nicarágua apresentando-a como antirreligiosa. [...] Eu vou à Nicarágua, como amigo, como latino-americano, como cristão, como bispo. Para confortar os irmãos na fé, para apoiar todos os companheiros que na Nicarágua defendem a dignidade da América Latina e a Justiça dos pequenos.

Levo para eles o apoio dos irmãos do Brasil. Rezamos juntos, celebramos a Eucaristia. Visito hospitais, povoados perdidos na montanha, comunidades. Conforto famílias aflitas, participo das celebrações das mães dos 'caídos', mortos na guerra; participo dos encontros de pastoral, de juventude, de professores.

Nesta segunda visita, o bispo Pedro disse que a tensão entre os bispos e governo havia se suavizado (ALVORADA, 1987).

No começo de 1988, ele voltou pela terceira vez. Na edição de março/abril de 1988 do *Alvorada*, o recado de nosso Bispo trazia como título: "América Central mais urgente ainda". Antes de chegar à Nicarágua, passara pelo Panamá, Honduras e México.

No Panamá, pregara um retiro para agentes de pastoral de vários países da América Central.

No México, visitou o Santuário de Nossa Senhora de Guadalupe. Foi a Chiapas, onde grande número de refugiados guatemaltecos vivia e lá se encontrou com o bispo de El Quiché, da Guatemala, "a diocese da Guatemala mais martirizada pela repressão militar".

Na Nicarágua, "visitei as comunidades. Senti a guerra de perto. Ainda há 6.000 contras atacando o país. Vi muitos feridos, muitas mães sofrendo. E o cerco econômico, com a carestia. Todo dia morrem na Nicarágua, por causa da guerra, diretamente, de 30 a 50 pessoas".

Muitos, nos países por ele visitados, passaram a considerar a Pedro como seu bispo, pois ele lhes alimentava a fé. Por isso, manifestavam profundo agradecimento à Prelazia por permitir que ele lá fosse.

O povo da Nicarágua enviou uma série de cartas agradecendo ao bispo e à Prelazia pelo apoio dado, mas ele não pôde continuar estas visitas por imposição do Vaticano (ALVORADA, 1987).

O Bispo Pedro Incomodava o Vaticano

A ação e as posições tomadas pela Igreja de São Félix, sobretudo na pessoa de seu bispo, não provocaram somente a ira dos grandes fazendeiros da região e do governo militar. Ele, como os profetas bíblicos, criticava a própria Igreja e sua estrutura que, muitas vezes, compactuava com o poder dominante, cega para a realidade do povo. Por isso, encontrou oposição até dentro da própria igreja, como vimos anteriormente, e recebeu severas advertências do Vaticano. As maiores admoestações se deram em relação às visitas que fez à Nicarágua e a outros países da América Central.

As primeiras advertências

Quando o padre Pedro, em 1970 (ainda não era bispo), lançou um documento intitulado "Escravidão e Feudalismo no Norte de Mato Grosso" sobre a situação dos peões, o Núncio Apostólico lhe escreveu: "O que lhe recomendo, é evitar que sua denúncia atinja certos círculos estrangeiros, que poderiam explorá-la para seus conhecidos fins". [31]

Anos mais tarde, em 1975, a Sagrada Congregação para os Bispos, através do Núncio, chamou a atenção do bispo, pelo livro de poemas, publicado na Argentina, *Tierra Nuestra, Libertad*. Dizia o ofício enviado:

> Na verdade, a publicação daquelas poesias, cujo vocabulário é, às vezes, explicitamente subversivo, ultrapassa todos os limites da

---

31 Ofício de Dom Humberto Mozzoni, Núncio Apostólico. Rio de Janeiro, 12 de novembro de 1970.

prudência e da oportunidade." Com a poesia introdutória "Epístola a Mosenhor Casaldáliga" de sabor marxista e de linguagem indecente toda a coleção se presta para ser utilizada ideologicamente em determinado sentido.

Venho, portanto, rogar mui fraternalmente a Vossa Excelência que tome muito a peito, na sua atividade pastoral, dar prioridade ao diálogo cristão, como método para resolver eventuais conflitos, e conceder à evangelização a primazia que lhe compete, conforme os recentes documentos da Igreja.[32]

No segundo aniversário da morte do padre Rodolfo Lunkenbein e do índio Simão Bororo, o bispo Pedro concedeu uma entrevista ao *Jornal do Brasil*, do Rio de Janeiro, em que criticava a impunidade que cercava este crime, bem como a do assassinato do padre João Bosco Penido Burnier. O Núncio então lhe enviou um ofício: "A Santa Sé houve por bem confiar-me o encargo de pedir vivamente e insistentemente a Vossa Excelência que se abstenha de conceder à imprensa, ao rádio e à televisão entrevistas sobre questões políticas".[33]

As publicações da Prelazia

A Prelazia produzia a cada ano material sobre temas a serem debatidos nas Assembleias do Povo (batismo, missa, Igreja, crisma, família etc). Estes materiais foram publicados pela Editora Vozes, na Coleção da Base para a Base.

Em 1981, o bispo recebeu correspondência da Sagrada Congregação para a Doutrina da Fé, dizendo que "a Doutrina sobre o Batismo e sobre a Missa é apresentada de uma forma parcial e redutiva" e que o pecado era apresentado só na sua dimensão social. Por isso, pedia que fossem revisados os textos "com o fim de preservar a pureza da fé em matérias tão importantes".[34]

O Vaticano enviou também cartas ao superior dos padres Claretianos e ao superior dos frades Franciscanos, a quem a Editora Vozes es-

---

32 Ofício de Dom Carmine Rocco, Núncio Apostólico. Brasília, 02 de junho de 1975.

33 Ofício de Dom Carmine Rocco, Núncio Apostólico. 20 de maio de 1978.

34 Ofício 1947/68 da Sacra Congregatio pro Doctrina Fidei, Roma 5 de fevereiro de 1981.

tava subordinada, pedindo a retificação dos textos. Este assunto chegou à CNBB, que pediu a dom Albano Cavalin, na ocasião bispo auxiliar de Curitiba e responsável pela catequese e assuntos de fé e moral na CNBB, que fizesse uma análise dos referidos textos. No seu relato, procurou contextualizar o lugar onde os textos foram redigidos ressaltando seu caráter catequético e fazendo algumas breves anotações sobre eles.

Visitas à Nicarágua

Mas o que muito incomodou o Vaticano foram as visitas que o bispo fez à América Central, de modo especial à Nicarágua. Nelas, criticava o distanciamento dos bispos da realidade do povo.

Em 27 de setembro de 1985, recebeu uma forte chamada de atenção da Congregação para os Bispos, transmitida pelo Núncio. [35]

Visita ad Limina[36]

Neste contexto, a partir de agosto de 1985, o bispo Pedro passou a ser cobrado por não ir às *Visitas ad Limina*, que os bispos, a cada cinco anos, deveriam fazer a Roma.

Ele respondeu não ter intenção de viajar à Europa, pois nunca para lá tinha voltado, nem mesmo quando sua mãe falecera.

Recebeu, então, uma severa advertência da Congregação para os Bispos, que taxou a visita à América Central como "abandono da Diocese". E, voltando às denúncias de dom Sigaud, dizia que o relatório do Visitador Apostólico apontava "uma série de carências e desvios de ordem pastoral, doutrinal e disciplinar que pediam séria e pronta correção" e que agora "a Congregação está reexaminando o citado relatório". Este relatório nunca havia chegado ao conhecimento do bispo, nem de ninguém da Prelazia.[37]

---

35 Ofício n.º 66. Da Nunciatura Apostólica no Brasil. Brasília, 27 de setembro de 1985.

36 O Código de Direito Canônico, nos cânones 399/400, estabelece que os bispos diocesanos de todo o mundo devem fazer a cada cinco anos uma visita ao túmulo dos apóstolos Pedro e Paulo em Roma, quando os bispos devem apresentar ao Papa e às Congregações que fazem parte da administração da Igreja relatórios sobre a ação desenvolvida em suas dioceses.

37 Ofício Prot. 42/81 da Congregatio pro Episcopis, Roma, 18 de janeiro de 1986.

Carta ao Papa

Em resposta ao ofício anterior de 18 de janeiro de 1986, o bispo Pedro informou que escreveria uma carta pessoal ao Papa. O que fez em 22 de fevereiro de 1986: uma longa carta de nove páginas.

Ele começou contando um pouco de sua trajetória desde que, como missionário, chegou a São Félix e descreveu brevemente a situação da região dominada pelo grande latifúndio. Mostrou a situação em que o povo vivia sem serviços adequados de educação, saúde, transporte, segurança. Contou sobre as perseguições que ele e outros agentes de pastoral da Prelazia sofreram pelas forças da ditadura; como também se multiplicaram as incompreensões e calúnias dos grandes proprietários de terra, "nenhum vivendo na região".

A seguir dizia ao Papa:

> Não tome como impertinência a alusão que farei a temas, situações e práticas secularmente controvertidos na igreja ou até contestados, sobretudo hoje, quando o espírito crítico e o secularismo perpassam também fortemente a vida eclesiástica. [...] Abordar novamente estes assuntos incômodos, falando com o Papa é, para mim, expressar a corresponsabilidade em relação à voz de milhões de irmãos católicos – de muitos bispos também – e de irmãos não-católicos, evangélicos, de outras religiões, humanos.

E pontuou que "a igreja deve estar atenta aos sinais dos tempos", e assinalou que não se pode dizer que fizemos já a opção pelos pobres, porque não partilhamos com eles a pobreza real, e "porque não agimos frente à "riqueza da iniquidade" com aquela liberdade e firmeza empregadas pelo Senhor".

Em relação à *Visita ad Limina*, disse que esta prática deveria ser renovada, pois "ela se mostra incapaz de gerar um verdadeiro intercâmbio de colegialidade apostólica". E, em relação a certas estruturas da Cúria Romana, ele enfaticamente afirmou que "não respondem ao testemunho de simplicidade evangélica e de comunhão fraterna que o Senhor e o mundo de nós reclamam". E, claramente, disse que "não faltam, com frequência, em setores da Cúria Romana, preconceitos, atenção unilateral para as informações e até posturas, mais ou menos inconscientes, de etnocentrismo cultural europeu frente à América Latina, à África e à Ásia".

Em relação à mulher na Igreja, disse ao Papa:

> Ninguém pode negar, com isenção de ânimo, que a mulher continua a ser fortemente marginalizada na igreja: na legislação canônica, na liturgia, nos ministérios, na estrutura eclesiástica. Para uma fé e uma comunidade daquela Boa-Nova que não mais discrimina entre 'judeu e grego, livre e escravo, homem e mulher', essa discriminação da mulher na Igreja, nunca poderá ser justificada. Tradições culturais masculinizantes que não podem anular a novidade do Evangelho, explicarão talvez o passado; não podem justificar o presente, nem menos ainda o futuro imediato.

Também se manifestou sobre o Celibato:

> Outro ponto delicado em si e muito sensível para o seu coração, irmão João Paulo, é o celibato. Eu, pessoalmente, nunca duvidei de seu valor evangélico e de sua necessidade para a plenitude da vida eclesial, como um carisma de serviço ao Reino e como testemunho da gloriosa condição futura. Penso, entretanto, que não estamos sendo compreensivos, nem justos com estes milhares de sacerdotes, muitos deles em situação dramática, que aceitaram o celibato compulsoriamente, como exigência, atualmente vinculante, para o ministério sacerdotal na Igreja latina. Posteriormente, por causa desta exigência não vitalmente assumida, tiveram de deixar o ministério. Não puderam mais regularizar sua vida, nem dentro da Igreja, nem, por vezes, diante da sociedade.

O bispo Pedro ainda teceu considerações sobre o Colégio dos Cardeais e as Nunciaturas. E, depois, dirigiu-se ao próprio Papa, dizendo que os títulos que lhe são atribuídos "resultam pouco evangélicos e até extravagantes humanamente falando". E sugeriu simplificar a indumentária, gestos e distâncias dentro de nossa Igreja.

Sugeriu ainda que, se fizesse uma avaliação das viagens que o Papa fazia a diversos países, "conflitivas para o ecumenismo, revestindo-se de certa prepotência e de privilégios cívico-políticos em relação à igreja

Católica". Levantou ainda a questão do Estado do Vaticano, que investe o Papa de uma função nitidamente política "que prejudica a liberdade e transparência de seu múnus de Pastor Universal da Igreja". "Por que não se decidir, com liberdade evangélica e, com realismo também, por uma profunda renovação da Cúria Romana?", perguntou ao Papa.

Expressou livremente sua visão em relação à Nicarágua e sobre a viagem que o Papa fez àquele país, que "deixou uma ferida no coração de muitos nicaraguenses e de muitos latino-americanos, como ficou no coração do senhor". Falou longamente sobre sua visita à Nicarágua no ano anterior e as motivações que o levaram a fazê-lo.

E perguntou: "Só com o socialismo e ou com o Sandinismo não pode a Igreja dialogar, sim, como criticamente deve dialogar com a realidade humana? Poderá a Igreja deixar de dialogar com a História? [...] O perigo do comunismo não justificará nossa omissão ou nossa conivência com o capitalismo".

E apelou à condição de polonês do Papa, que viu muitas vezes seu país invadido e ocupado por Estados vizinhos, uma condição semelhante à vivida pela América Central em relação aos Estados Unidos.

Falou ainda, com liberdade, a respeito de como vinha sendo tratada a Teologia da Libertação[38] e seus teólogos. Reclamou que o Relatório da Visita Apostólica à Prelazia, em 1977, jamais lhe tivesse sido enviado.

O bispo, em toda a carta, fez questão de confessar seu amor à Igreja e sua fidelidade ao Papa, mas com aquela liberdade de espírito que o marcaram a vida toda por querer ver a Igreja renovada.[39]

---

38 Teologia da Libertação é uma leitura da fé cristã na esteira do Concílio Vaticano II e da II Conferência do Episcopado Latino-americano, realizada em Medellín, Colômbia, em 1968. É uma leitura da fé cristã a partir da realidade do povo, sobretudo dos marginalizados pelo sistema político-econômico-social. Esta teologia construiu um método próprio, a partir da prática e da vivência junto às comunidades cristãs que viviam situações de exploração e pobreza. Os pobres deixaram de ser simples destinatários da evangelização, eles se tornaram evangelizadores por sua prática. O teólogo Gustavo Gutierrez, do Peru, foi quem primeiro escreveu um livro com esta leitura "Uma Teologia da Libertação: História, Política e Salvação", em 1971. A partir daí foram inúmeros os teólogos e teólogas de diferentes igrejas cristãs que se aprofundaram nesta leitura em todos os países do continente. O Vaticano quis barrar esta teologia afirmando se tratar de uma leitura política alicerçada em princípios do marxismo. Diversos teólogos foram condenados ao silêncio, como o frei Leonardo Boff.

39 Para ler na integra esta carta: http://www.servicioskoinonia.org/Casaldaliga/cartas/CartaAlPapa.htm

Queriam que o Bispo Pedro se Calasse

Pedro vai a Roma

Depois das muitas cobranças para que o bispo Pedro fizesse a *Visita ad Limina*, por fim ele cedeu. Foi a Roma, em junho de 1988, onde teve audiências com os cardeais responsáveis pelas congregações romanas e, por fim, se encontrou com o Papa.

No dia 17, aconteceu a audiência com os cardeais Bernardin Gantin, da Congregação para os Bispos e Joseph Ratzinger, da Congregação para a Doutrina da Fé. Foi, praticamente, um interrogatório sobre as questões que incomodavam o Vaticano.

No dia 21, foi recebido pelo papa João Paulo II, por breves 15 minutos.

Nas audiências com os cardeais, se insinuava que ele deveria assinar ao fim um documento. Mas o bispo regressou ao Brasil sem que tal documento lhe fosse apresentado.

Depois de ter retornado ao Brasil, no final de agosto, ele recebeu uma carta do Núncio dizendo haver um documento relativo à sua *Visita ad Limina* que deveria ser assinado.

Era um documento chamado, em latim, de "Monitum" e traduzido como "Intimação". Constava que era de "caráter reservado e pessoal".

Antes mesmo do bispo Pedro ter reagido a ele, a Rede Globo, no dia 22 de setembro, ligou para a Prelazia dizendo ter recebido um telex de Roma, informando que o bispo teria sido punido pelo Vaticano e que se lhe havia imposto o silêncio. A Globo queria falar com o bispo a respeito, mas ele não estava em São Félix. No dia seguinte, toda a grande imprensa brasileira e também do exterior publicava esta notícia.

Era o vazamento de um documento de "caráter reservado e pessoal". A quem interessava isso?

A Intimação

Qual era o conteúdo desta intimação? Qual o seu propósito?

A Intimação era dividida em quatro partes. Era uma tentativa clara de tentar impedir que o bispo Pedro se pronunciasse publicamente sobre diversas situações, de calar esta voz profética.

Na primeira parte, foram elencadas algumas posições tomadas por ele: Críticas ao Documento *Libertatis Nuntius*[40]; assinatura em Declaração contra a condenação de Leonardo Boff; protestos, em uma carta no Natal de 1986, contra medidas tomadas pelo Vaticano contra teólogos e bispos, em particular dos Estados Unidos; e, na Introdução ao livro "Túnica Dilacerada" de G. Giraldi, o bispo Pedro teria feito críticas à hierarquia e de modo particular à Sé Apostólica.

Diante destas tomadas de posição, a intimação estabelecia:[41] *"Portanto, o Ex.mo senhor Dom Pedro Casaldáliga é intimado a abster-se de qualquer pronunciamento, por meio de escritos e de entrevistas públicas, contra a Santa Sé, em modo particular quando se trate de matéria que diga respeito ao ensinamento sobre a Teologia da Libertação e às suas decisões tomadas defronte a Bispos e Teólogos".*

A segunda parte, tratava dos livros *Batismo, o que é* e *Missa, o que é*, produzidos pela Prelazia. Dizia a intimação que, neles, a "doutrina da Igreja vem exposta em forma parcial e restritiva, apresentando o pecado quase exclusivamente nas suas dimensões sociais".

Por isso, determinava: *"Portanto, o Ex.mo senhor Dom Pedro Casaldáliga é intimado a abster-se de aprovar escritos, especialmente catequéticos, que tragam dano à ortodoxia da fé ou aos bons costumes, recordando-lhes antes o dever sancionado pelo Canon 823 § 1, de confirmar publicamente as verdades da fé, costumes em sua integridade tais como são ensinadas pelo magistério, incluso o ordinário da Igreja, em conformidade à norma do Cânon 750 (cfr LG25)".*

O terceiro ponto da intimação referia-se às celebrações dos Mártires da Caminhada: "Constatando que ele promove cada ano em sua Prelazia celebrações pelos "mártires da Caminhada", os quais não foram reconhecidos como tais pela competente autoridade eclesiástica", dizia a intimação, *"Portanto, o Ex.mo Senhor Dom Pedro Casaldáliga é intimado a abster-se de fazer celebrações litúrgicas com fins sociopolíticos".*

A última parte, referia-se às viagens à Nicarágua e a outros países da América Central. A intimação estabelecia: *"Portanto, o Ex.mo Senhor Dom Pedro Casaldáliga é intimado a abster-se de qualquer outra visita*

---

40 Instrução da Sagrada Congregação para a Doutrina da Fé sobre alguns aspectos da Teologia da Libertação.

41 Grifos do autor.

à Nicarágua ou dioceses de qualquer outro país, sobretudo da América Central para pregar ou exercitar celebrações litúrgicas sem o prévio consentimento da respectiva e legítima autoridade eclesiástica local".

A Intimação terminava assim: *"Dom Pedro Casaldáliga, Bispo Prelado de São Félix, Brasil, aceita no espírito de obediência ao Sumo Pontífice as advertências acima referidas, comprometendo-se a observá-las a partir desta data".*

O vazamento deste documento obrigou a Sala de Imprensa do Vaticano a emitir nota dizendo que o que foi divulgado não era exato. E que o referido documento lembrava a dom Pedro "alguns dos deveres próprios dos bispos", a se manter sempre "fiel ao magistério da Igreja", e "a não interferir nos assuntos de outras igrejas particulares".

O vazamento desta Intimação provocou uma grande onda de solidariedade ao bispo Pedro da parte de muitos bispos do Brasil e de outros países e de muitas instituições religiosas e civis.

Por ter vazado antes, o bispo encontrou uma justificativa para não o assinar, como ele mesmo o disse, em 21 de abril de 2005, em entrevista à "Folha de São Paulo".

O presidente da CNBB, dom Luciano Mendes de Almeida, em 19 de outubro de 1988, escreveu de próprio punho ao Papa, dizendo que o bispo Pedro não havia assinado a tal intimação, "esperando poder esclarecer alguns pontos do documento".

O bispo Pedro sempre amou profundamente a Igreja, por isso mesmo queria que ela voltasse a ser o que Jesus Cristo queria que fosse. Por isso também, para evitar maiores contratempos, suspendeu suas visitas à Nicarágua e à América Central.

Em 16 de novembro, escreveu ao papa João Paulo II:

> Para evitar novas incompreensões e atritos entre irmãos, vou suspender minha ida à Nicarágua, no próximo mês de fevereiro. Espero que não faltem a oração e a solidariedade de muitos em favor da América Central, tão conflitiva e decisiva para o futuro político e eclesial de nosso Continente; e particularmente espero que não falte a solidariedade de emergência à pobre Nicarágua, agredida, cercada economicamente e flagelada agora por um terrível furacão.

Já que ele se comprometera a não ir à América Central, em fevereiro de 1989, o padre Paulo Gabriel Lopes Blanco, agostiniano, que há anos convivia com o bispo em sua residência, lá esteve em nome da Prelazia de São Félix do Araguaia.

Entre Processos de Expulsão e Ameaças de Morte

A ação da Prelazia de São Félix em favor dos posseiros, indígenas e peões, e na defesa da reforma agrária sempre foram corroboradas pelas firmes atitudes do bispo Pedro, que lhe valeram ameaças de morte e processos de expulsão do Brasil.

Já antes de sua ordenação episcopal

Como registramos anteriormente, antes mesmo de sua ordenação episcopal, durante a Campanha Missionária em Serra Nova, no segundo semestre de 1971, ele sofreu, por parte da Fazenda Bordon, dos Frigoríficos Bordon, ameaças de morte e tocaias.

Assim ele registrou a tensão existente no pequeno povoado em agosto de 1971:

> A tensão em Serra Nova está se tonando mais aguda com ameaças por parte da Companhia Bordon de matar-me a mim e ao Moura, (o rapaz, companheiro da campanha missionária) assim como de queimar o povoado. Lulu, - o posseiro amigo - e eu fomos tocaiados, na floresta, pelo empreiteiro da fazenda, Benedito Boca-Quente; A "boca quente" era a de seu revólver (CASALDÁLIGA, 1978, p. 46).

Em outubro, porém, aproximando-se a data da sua ordenação, como os fazendeiros não conseguiram impedir que ela se realizasse, mesmo tendo apelado ao Núncio, no Rio de Janeiro, o mesmo pistoleiro foi contratado para pôr um fim à sua vida. O pistoleiro, porém, desistiu da empreitada e confessou toda a trama e o quanto receberia diante da Polícia Federal. Assim, o bispo Pedro assentou no livro *Creio na Justiça e na Esperança*: "E durante o mês de outubro insistiram em pôr minha vida a preço, para impedir minha consagração episcopal. Conforme consta no documento assinado pelo pretenso assassino diante da Polícia Federal, davam por minha cabeça, "mil cruzeiros, um revólver 38 e uma passagem de viagem para onde quisesse" (CASALDÁLIGA, 1978, p. 46).

Um louco?

Já ordenado, em 1972, dado o apoio que dava aos posseiros de Santa Terezinha e ao padre Jentel, no conflito com a poderosa Codeara, a tentativa dos empresários era a de o desmoralizar e minar sua credibilidade.

Assim, o bipo registrou:

> Em Brasília uns funcionários do INCRA tinham contado ao padre Francisco um incidente pitoresco. O dr. Seixas, um dos donos da Codeara e vice-presidente da Associação do Empresários Agropecuários da Amazônia acabava de lhes pedir apoio para processar-me como louco (CASALDÁLIGA, 1978, p. 52).

Melhor expulsá-lo

Uma saída para tentar conter a militância do bispo Pedro foi buscada junto ao governo federal. Já que era estrangeiro, por que não expulsá-lo do país?

No ano de 1973, no contexto da mais severa repressão na região, com invasão de casas, prisão de agentes de pastoral e de outras duas lideranças populares, e. ao mesmo tempo em que o padre Jentel era condenado pela Justiça Militar de Campo Grande (MT), correram notícias de que o bispo poderia ser expulso.

Assim, ele registrou em seu diário no dia 22 de julho de 1973:

> A paróquia da Vila Operária, em Goiânia, onde Leopoldo mora – nossa casa-ponte da Missão – esteve cercada também durante cinco dias e os agentes policiais nos procuraram com fastidiosa insistência. Passamos três dias na clandestinidade. No domin-

go, a polícia ou o Exército – mais provavelmente o Exército – atrasou de uma hora o voo da VASP, procurando meu nome entre os passageiros. Segundo as últimas informações de um general de Goiânia, querem expulsar-me do País (CASALDÁLIGA, 1978, p. 86).

Buscando justificativas

A repressão militar estava à procura de algo que pudesse imputar ao bispo Pedro para apresentá-la como justificativa para sua expulsão e assim ter o apoio do povo.

Em 19 de agosto, na grande celebração de solidariedade para com a Prelazia que reuniu, em São Félix, bispos e representantes de 19 igrejas diferentes, foi espalhado entre o povo da região um panfleto, com a ilustração de uma cruz e uma foice entrelaçadas. O texto trazia a assinatura do Partido Comunista e da Igreja Progressista. Com isso, queriam fazer com que o povo cresse que o bispo tinha ligações com o Partido Comunista e, assim, se justificava expulsá-lo.

Mas, em 1975, a expulsão do bispo parecia que se concretizaria. Um ofício do Núncio Apostólico, dom Carmine Rocco, de 2 de junho, enviado ao bispo Pedro, que tratava especificamente do livro de poemas publicado na Argentina, *Tierra Nuestra, Libertad*, deixava transparecer que algo pairava no ar em relação a uma possível medida do governo militar contra o bispo. O Núncio dizia que "a publicação daquelas poesias, cujo vocabulário é, às vezes, explicitamente subversivo, ultrapassa todos os limites da prudência e da oportunidade".

E então advertia o bispo sobre as consequências que poderia sofrer por parte da autoridade, que ele denomina "civil" e que poderiam impedir a continuidade do seu trabalho no país:

> O método que usou expõe inutilmente seu ministério episcopal a ser empregado para fins indesejáveis e sua pessoa, a medidas desagradáveis por parte da autoridade civil...Tenho a certeza de que Vossa Excelência saberá ver, com sua conhecida capacidade intelectual nestas observações tão somente a preocupação de quem não deseja outra coisa senão a continuidade de seu apostolado

neste caro País e nesta Prelazia que deve enfrentar tantos e tão graves problemas.[42]

Um relatório da divisão de Segurança e Informações do Ministério do Interior, de 19 de março de 1975, intitulado Subersão Em Santa Isabel Do Morro – Bispo Pedro Maria Casaldáliga Plá, acusava a irmã Mercedes Setem, diretora do Hospital do Índio, de colocar os índios contra o destacamento da FAB lá existente. Com isso, estaria fazendo o jogo do bispo. Concluía o relatório: "torna-se evidente que a permanência no país de D. PEDRO MARIA CASALDÁLIGA PLÁ, de nacionalidade espanhola, é, de há muito, indesejável e perniciosa à Segurança Nacional".[43]

Montando o circo

A Rede Globo, naquele mesmo mês de junho, noticiou que circulava na região um número do jornal da Prelazia, *Alvorada*, com a ilustração de uma cruz e uma foice entrelaçadas. A forjada publicação foi mostrada na tela da televisão e se informava que o texto do jornal incitava o povo à luta armada, por meio dos sacramentos. Ninguém na região da Prelazia viu este exemplar.

O bispo, no dia 7 de julho, publicou uma nota de esclarecimento sobre o noticiado pela Rede Globo.

Poucos dias depois, em 16 de julho, a Globo colocou mais lenha na fogueira. Um editorial, escrito e apresentado pelo diretor Edgardo Erichsen, comentava o poema Me Chamarão de Subversivo, que fazia parte do livro *Tierra Nuestra, Libertad*. Alguém fizera chegar às suas mãos o livro. Neste editorial, ele se confessa católico e cita versos do poema e acaba dizendo:

> Parece que este bispo trocou o crucifixo e o rosário pela foice e o martelo, o breviário pelos pensamentos de Mao Tsé Tung, a piedade sacerdotal, pela violência, e aguarda apenas o momento de trocar a batina pela roupa de campanha da guerra subversiva.

---

42 Ofício de Dom Carmine Rocco, Núncio Apostólico, Brasília. 02 de junho de 1975.

43 BR_DFANBSB_AA3_0_PSS_0553_d0001de0001.pdf

De alguns sacerdotes alinhados com setores esquerdistas pode-se dizer que acendem uma vela a Deus e a outra ao diabo. Mas com relação ao bispo Pedro Maria Casaldáliga o mínimo que se pode afirmar é que acende todas as velas ao Diabo.

Como gesto de solidariedade à Prelazia e ao bispo, diante da sua iminente expulsão, no dia 15 agosto, dom Aloisio Lorscheider, presidente da CNBB, participou da inauguração da nova Catedral de São Félix.

Enquanto isso, o processo de expulsão andava. Uma correspondência de 10 de setembro do padre Leopoldo Belmonte (Leo) à Prelazia dizia: "O processo de expulsão está seriamente em andamento no SNI e na Polícia Federal. Aproveitando que eu tinha uma reunião no Rio, conversei com quem fui encontrando; primeiro em São Paulo, depois no Rio conversei com o Padre Virgílio[44] que confirmou a mesma preocupação da CNBB".

Na correspondência, ele diz que, no Rio, encontrou-se com dom Geraldo Fernandes, também claretiano, bispo de Londrina (PR), que não acreditou muito no que se lhe contava. Mas como o Núncio estava para chegar ao Rio, padre Leo pediu-lhe que o sondasse sobre o assunto, o que de fato aconteceu. O Núncio disse a dom Geraldo que "Oficialmente não há nada, mas, se for expulso Dom Pedro, o será como um cidadão qualquer, estrangeiro, e não como bispo".

Diante deste quadro, a equipe pastoral publicou, no dia 20 de setembro, um Comunicado Urgente com o título Querem Expulsar do País nosso Bispo Pedro.

Nele, se dizia:

> em julho e agosto, o delegado de polícia em São Félix e outros oficiais vindos de Barra do Garças e Cuiabá procuraram com insistência fotografias de Dom Pedro e alguns deles anunciaram, que em breve, iria estourar algo muito grave contra o bispo e os padres de São Félix.
> Elementos oficiais alertaram dom Pedro que sua vida corria perigo que da parte do governo se armava um processo contra ele que poderia ser preso a qualquer momento.

---

44 Padre Virgílio Uchoa, assessor da CNBB.

Também a presidência da Funai, recentemente, proibiu a dom Pedro e a dois missionários entrarem em áreas indígenas; dando ordem de prisão caso visitarem essas áreas.

A notícia da possível expulsão do bispo se espalhou e provocou uma avalanche de cartas de apoio e solidariedade enviadas a ele e à CNBB. Tornou-se notícia nacional e internacional e chegou até o próprio papa Paulo VI. Dom Paulo Evaristo Arns havia levado ao papa o que se tramava contra dom Pedro. O papa disse a dom Paulo Evaristo que "os bispos e missionários que trabalham nestas regiões do interior são verdadeiros heróis e que mexer com o bispo de Sã Félix será mexer com o próprio papa" (CASALDÁLIGA, 1978, p. 119).

Toda a repercussão que o caso teve, fez o governo recuar de sua pretensão.

A morte de perto

Em 1976, testemunhas informaram ao bispo que teria havido uma tentativa de matá-lo em São Félix, no mesmo dia 22 de setembro em que dom Adriano Hipólito fora sequestrado em Nova Iguaçu. Ele escreveu: "Queriam, os inimigos do Povo, dar uma 'lição' à igreja do povo, simultaneamente na cidade e no campo?" (CASALDÁLIGA, 1978, p. 143-4).

Em outubro de 1976, o bispo Pedro viu de perto a morte. Ao ir interceder por duas mulheres presas e torturadas em Ribeirão Bonito (hoje Ribeirão Cascalheira), foi acompanhado pelo padre jesuíta João Bosco Penido Burnier, de passagem pela Prelazia. Na rápida conversa com os policiais, um soldado agrediu o padre e depois disparou um tiro em sua cabeça, em frente ao bispo Pedro.

Foi consenso entre todos que o tiro estava endereçado ao bispo. O soldado não o identificou como tal, pois o padre tinha uma estrutura física e estava vestido de uma forma mais próxima do que no imaginário comum corresponderia a um bispo. O bispo, de porte franzino, sandálias havaianas nos pés e em mangas de camisa não deveria ser bispo.

Na semana seguinte, o povo derrubou a cadeia diante da qual o padre foi morto. Circularam rumores de que caso o bispo estivesse presente no ato da derrubada, ele seria expulso. Ele, porém, lá não estava.

Nova investida para expulsão

A expulsão do bispo Pedro continuava no horizonte.

Conforme assentado acima, em fevereiro de 1977, o arcebispo de Diamantina, dom Geraldo Sigaud, acusou os bispos Pedro e Tomás Balduino de serem comunistas.

Esta denúncia era o que a ditadura buscava para alicerçar as justificativas para uma possível expulsão. Pensavam os militares que, com estas acusações, não haveria oposição por parte da Igreja, caso a expulsão se concretizasse.

A edição de 20 de julho de 1977 do *Jornal do Brasil* apontava que, desde fevereiro, quando das denúncias de dom Sigaud, o bispo Pedro "tornou-se objeto do noticiário e de investigações".

O jornal estampava em manchete: Dom Ivo Revela Informação de que a Expulsão de Dom Pedro Casaldáliga Está Iminente. Esta informação teria partido de "fontes fidedignas de Goiânia e de Brasília". Dom Ivo, fez um apelo ao governo para que "tal ato de injustiça e hostilidade à Igreja não se consuma".

Dom Helder, na mesma edição do jornal, traduziu com clareza o que estava acontecendo. Não eram as denúncias de dom Sigaud que provocariam a expulsão. Esta era uma decisão já tomada, "a denúncia (de Dom Sigaud) contra Dom Pedro veio apenas para dar cobertura de aparência eclesiástica à expulsão provavelmente já decretada", afirmou ele ao jornal.

O processo realmente estava em andamento. Assim, se lê na mesma página do *Jornal do Brasil*: "Decreto É Negado – Brasília - O assessor de imprensa da Presidência da República, Coronel Toledo Camargo, afirmou – após um telefonema ao Ministério da Justiça – que não foi assinado o decreto expulsando Dom Pedro Casaldáliga do pais, ao contrário de notícias que circularam a respeito... Posso assegurar que não há este decreto de expulsão".

Pode ser que o decreto não tenha sido publicado, o que não quer dizer que o processo não estivesse em andamento.

Sobre este episódio, o bispo escreveu:

> Disse e repito que não guardo o menor ressentimento contra Dom Geraldo. Ele foi usado, um pouco inconscientemente, pela

Repressão e pelos interesses do Latifúndio. Esse 'escândalo episcopal' saiu a público para encobrir a luz e o grito do Documento de Itaici e para dar sinal verde à perseguição contra a igreja do povo, contra nossa igreja da Amazônia (CASALDÁLIGA, 1978, p. 152-3).

E registrou em seu diário no dia 4 de agosto: "A expulsão é possível, quase fatal. Em todo caso, já faz um tempo que estou um pouco preparado para o deserto e o exílio. Sei que a História continuará sendo Salvação em Cristo. Creio que o Espírito de Jesus extrairá bem deste 'mal'. Não sou necessário aqui. Posso inclusive ser prejudicial" (CASALDÁLIGA, 1983, p. 8).

Mais um boato

No final de outubro de 1980, foi expulso do Brasil o padre Vitor Miracapillo, que atuava na diocese de Palmares, Pernambuco.

A expulsão do padre fez circular na região o boato (seria só boato?) de que o próximo na lista de expulsão seria o bispo Pedro. Políticos do partido do governo (PDS), fazendeiros e militares da linha dura estariam pedindo sua expulsão. Emissoras de rádio e um jornal que acabava de ser lançado na região, chamado Vale do Araguaia, se encarregaram de difundir entre o povo esta notícia.

O bispo registrou no seu diário no dia 6 de novembro de 1980: "Penso que isso não acontecerá, apesar de que tudo é possível. Estou nas mãos de Deus e não propriamente e sob as unhas dos poderosos deste mundo" (CASALDALIGA, 1983, p. 45).

Em 29 de outubro de 1981, o chefe do Serviço Nacional de Informações (SNI) enviou ao Ministro da Justiça, Abi-Ackel, um documento elaborado no dia 09 do mesmo mês intitulado Tensão Social no Vale do Araguaia. Dizia o documento: "É do consenso geral das autoridades estaduais e dos proprietários de terras na região do ARAGUAIA, que a expulsão do Bispo D. PEDRO CASALDÁLIGA e a retirada da área dos seus principais "assessores" impõe-se para o restabelecimento da tranquilidade na região".[45]

---

45 BR_RJANRIO_TT_0_MCP_AVU_0567.

Agressão

O bispo Pedro visitava Ribeirão Cascalheira no final de abril de 1982. Tinha visitado algumas famílias da área onde fora construído o Santuário dos Mártires. No final da tarde, voltava para casa, quando, chegando na ponte, foi atacado por dois jovens que o agarraram, o levaram para beira da ponte, o insultaram de todas as formas.

Ele escreveu em seu diário no dia 1 de maio: "O córrego está atrás de mim, profundo e indiferente. Imaginei, várias vezes, o mergulho, talvez fatal pelas tábuas e pedras. Ou um tiro, claro. Levei somente um murro e um empurrão. E permaneceu pairando no ar do povoado, a renovada ameaça, talvez a morte" (CASALDÁLGA, 1983, p. 108).

Um carro que passava pelo local foi providencial e livrou o bispo da pior.

A notícia de mais esta agressão se espalhou e ele recebeu muitas mensagens de solidariedade.

"Se eu puder, eu mato o bispo Pedro Casaldáliga"

Foi o que afirmou o senador Flávio Brito, presidente da Confederação Nacional da Agricultura (CNA), a um grupo de uns duzentos empresários e técnicos agrícolas, no Rio de Janeiro, quando defendia o papel dos empresários rurais no processo econômico brasileiro. Assim, noticiava o jornal *O Estado de São Paulo*, de 6 de fevereiro de 1985: "O bispo Casaldáliga foi acusado pelos empresários de promover agitação política no meio rural, incitando os lavradores contra os donos da terra. O senador disse que "pistoleiros do bispo intentaram matá-lo e por isso ele não duvida de fazer o mesmo com Dom Casaldáliga" (CASALDÁLIGA, 2005, p. 141).

Em agosto de 1987, enquanto participava da Assembleia Geral da CPT, em Goiânia, recebeu uma carta de um padre amigo que lhe comunicava a conversa que alguém ouvira de três pessoas, um fazendeiro, um policial e um vereador, que falavam sobre uma caixinha que estava se fazendo para matá-lo. O fazendeiro, às gargalhadas, dizia que ele tinha contribuído para a caixinha do padre Josimo e que deu resultado. A caixinha do bispo seria um pouco maior, dizia (CASALDÁLIGA, 2005, p. 240-1).

A agente pastoral Mercedes Budallés que durante alguns anos morou, junto com outras pessoas, na casa do bispo Pedro, relata um fato que viveu e marcou sua vida.

Ela conta que num dia de agosto de 1989, depois da oração da manhã, quando os membros da equipe estavam ainda reunidos, apareceu Arcelino Ribeiro, alfaiate, homem fiel da comunidade com uma notícia que recebera pelo telefone.

Uma pessoa de São José do Xingu ligara duas vezes dizendo que uma 'mulher da vida' escutara no prostíbulo que um pistoleiro recebera 25.000,00 contos e um revólver do mais conhecido fazendeiro na região para matar o bispo Pedro. E a pessoa que ligava dizia: "Cuidem do bispo Pedro, cuidem". Ela escreveu:

> deveríamos verificar o que estava acontecendo. Surgiram as perguntas: Quem seria essa mulher? [...] O que deveríamos fazer? Conversamos entre nós e resolvemos. O primeiro foi mudar o lugar onde Pedro se sentava para escrever. Ele compreendeu e aceitou logo, porque duas portas sempre abertas, uma na frente e outra nas costas e duas janelas aos dois lados dele, facilitariam ser alvo de qualquer tiro. Que outras providencias deveríamos tomar? Confiar na polícia, algo que até então nunca poderia ser feito? Aconteceu que acabava de chegar a São Félix um novo delegado. Ele tinha vindo conhecer Pedro alegando ter ouvido falar dele na igreja que frequentava na sua cidade natal. Podíamos acreditar? Resolvemos conhecer o delegado um pouco mais. Não tínhamos mais dados para fazer uma denúncia. Pedimos uma conversa e ele mesmo veio na casa. Escutou, anotou o relatado e prometeu uma pronta resposta.

Padre Paulo Gabriel que também morava na casa com Pedro foi à Delegacia e registrou Boletim de Ocorrência[46]. Dias depois o delegado comunicou que numa pousada fora encontrado um homem com 25.000,00 contos e um revólver.

---

46 Arquivo A3.19.03A P1.2.jpg

Almerinda, mulher da comunidade que participava da pastoral carcerária, até hoje lembra que esta pessoa ficou presa no presídio de São Félix do Araguaia.

Mercedes conclui seu relato dizendo: "Eu lembro sempre dessa abençoada 'mulher da vida' com gratidão. Salvou a vida do Pedro!".

Vida a prêmio

Seguiu-se um período de relativa calma. As agressões e ameaças contra o bispo Pedro, porém, voltaram com força no final de 2003, quando aguardava um sucessor, pois, em fevereiro, havia apresentado sua renúncia, por ter completado 75 anos.

Elas se sucederam no contexto da luta dos Xavante para voltar a uma parte do território de onde haviam sido expulsos em 1966. Todo seu território fora ocupado por grandes fazendas, sendo a maior e mais conhecida a Suiá Missu, que passou das mãos de Ariosto da Riva para o grupo Ometto, que a repassou para a empresa italiana AGIP.

Durante a Conferência das Nações Unidas sobre o Meio Ambiente e o Desenvolvimento, a Eco-92, ou Rio/92, o presidente da AGIP, Gabriele Cagliari, se comprometeu publicamente a devolver 165 mil hectares da área aos Xavante.

Este anúncio desagradou executivos da subsidiária brasileira, bem como políticos e fazendeiros da região, que promoveram rápida ocupação da área destinada aos indígenas. Foram incentivados trabalhadores sem terra e posseiros de outras localidades a invadirem a área proposta para o retorno dos Xavante. Estes serviriam de escudo protetor para ocupação de áreas maiores por comerciantes, políticos e até membros do judiciário. A ocupação foi rápida.

Em 1993, foi assinada Portaria declarando a área como Terra Indígena Marawãitsédé. Em 1995, a área foi demarcada e, em 1998, homologada pelo presidente da república, Fernando Henrique Cardoso.

Mas o que estava definido pelo poder executivo, esbarrou no judiciário. Uma série de apelações judiciais foram retardando cansativamente o retorno dos indígenas.

Em 2000, decisão da Justiça Federal garantiu o retorno dos Xavante, decisão que foi cassada posteriormente. No final de 2003, cansados de esperar, os indígenas acamparam às margens da BR-158, em frente à área que seria deles.

Os invasores, que tinham se multiplicado, já tinham formado um povoado na altura do Posto da Mata, que se chamou Estrela do Araguaia.[47] Eles sentiram que poderiam perder a área que haviam invadido e então passaram a desenvolver uma série de ações – bloqueio de estradas, destruição de pontes, formação de acampamento defronte ao dos indígenas – para impedir que os Xavante tomassem posse de sua terra.

O bispo Pedro, diante da iminência de um conflito sério entre as partes, apelou às autoridades na tentativa de superar o conflito. Ele defendia o direito primeiro dos indígenas, mas reivindicava que os que haviam invadido o território e tinham necessidade de uma terra para trabalhar, fossem assentados em área a ser definida pelo Incra.

Os invasores não concordaram de forma alguma com a proposta do bispo que passou a ser agredido em manifestações públicas, em programas de rádio e em matérias de jornais. Os invasores foram convocados para uma concentração em meados de novembro. A manifestação era abertamente hostil à Prelazia e principalmente ao bispo Pedro. Faixas atacavam o bispo e a Prelazia. O bispo foi proclamado em toda a região como entrave ao desenvolvimento. A igreja da cidade de Alto de Boa Vista, município ao qual pertencia parte da área dos Xavante, foi pichada com agressões ao bispo.

Ele, outros agentes de pastoral e servidores da Funai passaram inclusive a receber ameaças de morte.

Em toda a região da Prelazia, o discurso contra o bispo e a Prelazia era um só: quem se atrevesse a mostrar que os indígenas tinham direito, garantido pela constituição, corria o risco de ser agredido.

Diante de tal situação, as manifestações de apoio e solidariedade ao bispo e à Prelazia se multiplicaram Brasil afora e também no exterior. Houve moções de solidariedade na Assembleia Legislativa do Estado. A senadora Serys Shlessarenko (PT) denunciou da tribuna do Senado, no dia 09 de dezembro, o conflito e as ameaças de morte contra o bispo. Segundo ela, o preço oferecido pela morte de dom Pedro era de R$ 60 mil reais. Ela destacou também que os ataques atingiam

---

47 Entroncamento da BR 158 com a BR 242.

Edson Beiritz, coordenador da Funai e o padre Franklin Machado, da Prelazia.

Atendendo uma solicitação da CNBB, o ministro da Justiça, Márcio Thomas Bastos, determinou que a Polícia Federal oferecesse proteção ao bispo.

A partir daquele momento, as tensões sempre foram grandes toda vez que se tratava da terra indígena Marãiwatsédé. O bispo passou a ser responsabilizado pela situação de insegurança das famílias que haviam invadido o território indígena.

As agressões e as ameaças, porém, voltaram a crescer no final de 2012, quando, depois de esgotados todos os trâmites judiciais, se passou efetivamente a efetuar a desintrusão da área, sendo retirados pela Força Nacional e a Polícia Federal todos os não índios que lá estavam. Ameaças surdas e veladas se multiplicaram ao lado de outras bem explícitas. Isso levou a Polícia Federal a sugerir que o bispo deixasse a região. E assim foi feito. Aproveitando que nos dias 8 e 9 de dezembro haveria um grande evento na Cidade de Goiás, comemorando os 90 anos de dom Tomás Balduino, o bispo Pedro para lá se dirigiu e participou das celebrações.

E ficou por Goiás, sem endereço certo mais algum tempo até que o clima em São Félix se tornasse mais respirável.

Toda a campanha midiática feita contra os índios, a Prelazia e o bispo Pedro deixaram marcas profundas na região. Quem foi o grande defensor dos pequenos no decorrer da história acabou acusado de ser o responsável pelo infortúnio de algumas centenas de famílias, também pobres, que se deixaram iludir pela conversa de fazendeiros e de políticos inescrupulosos e que acreditaram que a terra por eles invadida iria ser legalizada, não se levando em conta toda a história e luta dos Xavante.

Alguns Fatos Desconcertantes

Se não bastassem os conflitos diários com as grandes empresas, que, com o discurso do desenvolvimento e do progresso, expulsavam as famílias de posseiros, se apropriavam de terras indígenas e exploravam o trabalho de peões em condições mais que degradantes, a Prelazia ainda foi espionada por organizações internacionais a serviço da ditadura militar e passou por um severo controle de informações.

Alvorada, na seção Retalhos de Nossa História, edição de julho/agosto de 1993, publicou os conteúdos abaixo.

Na mira da organização internacional de mercenários

Em primeiro de janeiro de 1975, em Santa Terezinha, aconteceram revelações desconcertantes com lances de espionagem e mistério que até hoje não se elucidaram e, talvez, nunca sejam elucidadas (ALVORADA, 1993b).

Pessoas estranhas

Uma pessoa, conhecida simplesmente como "alemão", morava em Santa Terezinha. Muito bom mecânico, mostrava-se amigo do pessoal da Igreja com quem colaborava algumas vezes, na manutenção de máquinas existentes. Trabalhara na Fazenda Porta da Amazônia até meados de 1974, quando, segundo ele mesmo, se desligou por desentendimentos com o gerente. Casara-se e tinha um filho. No final de 1974, vivia bêbado, metia-se em brigas, devia para muitos na cidade e maltratava a mulher que, por isso, o abandonou.

Em dezembro, "alemão" procurou várias vezes a equipe de pastoral como se tivesse coisas importantes a conversar, apresentou ao padre Canuto pessoas da Codeara: um mecânico, Luiz "Japonês", o chefe da mecânica sr. Ataíde, que teria sido da ativa do exército durante 11 anos e que, ultimamente, largara o 4º ano de Engenharia no Mackenzie, em São Paulo, diante de uma ótima proposta que a fazenda lhe fizera. Apresentou-lhe também Fernando, gerente da Fazenda Frenova.

No dia 1º de janeiro de 1975, "alemão" convidou padre Canuto para tomar uma cerveja. Estava acompanhado de Ataíde e de outras duas pessoas. No bar, Ataíde se fez de bêbado e saiu acompanhado pelos outros dois, deixando sozinhos "alemão" e o padre.

Começou, então, uma longa e desconcertante revelação.

"Alemão" tentou fazer lembrar de conversas anteriores e contou que chegara à região durante a primeira Operação Aciso do Exército, em 1972, comandada pelo major Euro Barbosa de Barros. E desfilou nomes de diversos militares que participaram da Operação.

Chamou a atenção para o crescente número de estrangeiros na região: o gerente da Codeara, holandês; o mecânico Luiz, "japonês", na verdade filipino; outro mecânico da Codeara, alemão e o novo Delegado de Polícia do município de Luciara, suíço.

Organização poderosa

"Alemão" revelou que pertencia a uma organização que se chamava ADIP, na realidade, uma escola de espionagem que prestava serviços mercenários. Esta "organização" seria formada por técnicos em diversas áreas, inclusive militar, e por assassinos (ele, "alemão", faria parte dos técnicos; Luiz "japonês" seria dos assassinos e "bastante perigoso", afirmou). A "organização" prestava serviços à CIA, FBI, bem como aos serviços secretos da URSS. A serviço da "organização", ele estivera em Israel, Irã, Paquistão, Congo, Argélia, Canadá, México e Cuba. No Brasil, a "organização" teria sido contratada pelo governo brasileiro.

A "organização" lhe dera ordens de adotar o comportamento que vinha adotando com a mulher, embriaguez, brigas. E a "organização" lhe dera ordem de falar para o padre, o que estava falando.

Influência na igreja

Revelou que a "organização" tinha influência dentro da própria Igreja e que a irmã Luiza, diretora do Colégio Madre Marta, das irmãs salesianas de Barra do Garças, fazia parte da mesma e que ela já estivera em Santa Terezinha (realmente, em 1974, houve substituição da diretora do Colégio Madre Marta e a nova diretora estivera, com um grupo de alunas, em Santa Terezinha, num voo da FAB).

Padre Canuto então perguntou por que estava revelando isso e ele respondeu que era para saber que não pesava mais nenhuma acusação contra a Igreja. "Tem quem os defende", disse. E acrescentou que era para fazer bom uso desta informação para o bem do padre Francisco Jentel. Convidou o padre Canuto a acompanhá-lo a Campo Grande e que de lá retornaria chefe político da região.

Fez questão que o padre conhecesse o novo Delegado de Polícia de Luciara, um suíço, e que estava em Santa Terezinha investigando um crime. "Alemão" apresentou o padre ao delegado dizendo: "Já contei tudo para o senhor padre". O delegado perguntou ao padre: "Entendeu tudo?". O delegado contou que estivera no Canadá e México e que, durante dois anos, passara de fazenda em fazenda na região "só pescando". Durante a conversa, "alemão" chamava a atenção para que o padre fizesse ligação com o que ele antes havia falado, e dava a entender que, por trás de toda esta movimentação de gente, estava a ADIP.

"Alemão" revelou ainda que a acusação maior que existia contra o padre Jentel partira da Fazenda Porta da Amazônia, cujos donos eram franceses. A Fazenda era acusada de ter dois aeroportos clandestinos e de plantar maconha. "É verdade", disse. Haveria ligação com a máfia francesa. Os donos da Fazenda, para se verem livres, lançaram acusação contra outro francês residente na região, padre Jentel.

Sobre o coronel Euro Barbosa de Barros, "alemão" disse que tivera uma ascensão muito rápida no Exército devido à sua atuação na região. Em dois anos, galgara quatro postos. Por desejar ser coronel, comandante da PM, é que foi colocado diante da alternativa: fazer um depoimento acusando padre Jentel e ser promovido ou deixar de fazê-lo e ser aposentado (realmente, o major Euro que estivera em Santa Terezinha, em 1972, foi guindado ao posto de Coronel e por fim exerceu o cargo de Secretário de Segurança do estado de Mato

Grosso e na qualidade de secretário comandou a repressão na região em 1973).[48]

No final da conversa, disse que gostaria de ver o padre Canuto se tornar bispo e que ele teria condições de influenciar para esta nomeação.

Padre Canuto fez logo um relatório ao bispo sobre esta conversa. A Equipe de Pastoral da Prelazia optou por não dar maior atenção a estas revelações.

Entre a suspeita e o controle

Pode-se imaginar como seria a comunicação na região 50 anos atrás. A única estrada existente era a que ligava Barra do Garças a São Félix e a BR-080 levava ao Xingu. A Viação Xavante tinha uma linha semanal de ônibus para São Félix e a VASP mantinha linha regular de aviões em Santa Terezinha e Santa Isabel do Morro, na Ilha do Bananal, umas duas vezes por semana com os velhos DC 3. Muitas vezes os voos eram cancelados. O Araguaia, com sua lentidão, era a via comum de comunicação na região (ALVORADA, 1993c).

Correio, não havia. A equipe de pastoral de Santa Terezinha, até 1982, tinha como endereço postal: Caixa Postal 866 – Goiânia. Quando houvesse portador, a correspondência era remetida.

Em condições tão precárias, o que intrigava o governo era como as notícias da região chegavam ao restante do Brasil e do mundo com tanta rapidez. Era preciso disposição e criatividade para fazer chegar as notícias fora da região. Alguém que viajava, algum piloto de avião, eram os portadores normais das notícias.

Onde estão os transmissores?

Por isso, as forças da repressão suspeitavam que os responsáveis pela comunicação rápida eram os agentes de pastoral. Esta agilidade só seria possível através de rádio.

---

48 Segundo relato de Edgar Serra, agente pastoral, quando foi preso em Serra Nova, em junho de 1973, ouviu o comandante da Operação Cel. Euro, comentar: "Se esse barco virar minha vida não valer um tostão. Mas o barco nunca vai virar". Manuscrito de Edgar Serra, no arquivo da Prelazia.

Em cada ação militar que acontecia, a primeira preocupação era a de descobrir onde estariam os transmissores de rádio. As residências das equipes eram cuidadosamente vasculhadas, inclusive caixas d'água, cisternas e fossas.

Mostrando interesse e preocupação pelo isolamento da região, alguns oficiais insistiam em que a igreja deveria ter rádio para a comunicação, procurando, com isso, obter alguma informação a respeito de algum transmissor clandestino que confirmasse suas suspeitas.

Durante a operação Ação Cívico-Social (Aciso), com participação do Exército, Marinha e Aeronáutica, além da Polícia Militar, em outubro de 1972, um oficial chamou à parte um agente de pastoral para aconselhar que tomasse cuidado, pois, na noite anterior, no acampamento, fora sintonizada a Rádio Albânia, que noticiava a presença dos militares na área.

Furando o cerco

Em 8 de julho de 1973. O maior esquema de repressão já montado na região. A casa do bispo cercada. Ninguém podia entrar, nem sair.

Eli Pires, agente de pastoral, chegou a São Félix, procedente de Santa Terezinha, com a notícia da prisão de Tadeu Escame, também agente de pastoral. Em um momento de descuido da guarda, entrou na casa do bispo, que rapidamente escreveu uma carta a dom Fernando, arcebispo de Goiânia, e à direção da CNBB, dando conta do que acontecia.

Eli conseguiu logo um lugar num avião que saia para Goiânia. Nos dias seguintes, as emissoras internacionais divulgavam a notícia.

No dia 10 de julho, as Irmãzinhas de Jesus, na aldeia Tapirapé, a menos de 200 km de São Félix, souberam do que acontecia através da programação diária para o Brasil da rádio americana "Voz da América". Altair, agente pastoral em Porto Alegre do Norte, casualmente sintonizou a Rádio Vaticana, que noticiava a repressão à Prelazia de São Félix.

Censura e mentiras

Enquanto as rádios internacionais divulgavam os acontecimentos da região, os jornais e emissoras brasileiras silenciavam.

A censura do governo federal, entre muitos outros temas, proibiu qualquer divulgação de fatos relacionados com a Prelazia de São Félix, o bispo Casaldáliga e os conflitos em Santa Terezinha.

O embaixador brasileiro na Inglaterra, à época, Roberto Campos, reclamou junto à "BBC" de Londres por dar muita cobertura à Prelazia de São Félix, segundo informou funcionário da emissora ao bispo Pedro.

Por outro lado, o Jornal Nacional da Rede Globo foi utilizado para passar notícias falsas ou forjadas sobre a Prelazia com o objetivo de justificar a repressão e a desejada expulsão do bispo, como se pôde ler anteriormente.

Instrumentos de controle

Os militares sentiram que a Amazônia toda estava como que a descoberto. As rádios internacionais eram sintonizadas com mais facilidade do que as nacionais e, por isso, decidiram criar a Rádio Nacional da Amazônia, ligada ao Sistema Radiobrás de Comunicação. Era a mais potente emissora da América Latina. Com isso, o governo militar manteria a informação sob seu controle. E conseguiu seu objetivo: por muitos anos, a emissora se tornou a líder absoluta de audiência em toda a Amazônia.

E, por imposição dos militares, a Radiobrás criou o Projeto Cigano, uma emissora montada em um furgão, facilmente transportável de um lado para outro. Esta emissora, segundo informações da época, foi montada em tempo recorde por exigência dos mesmos militares. O destino desta emissora: São Félix do Araguaia. No dia 8 de setembro de 1981, entrava no ar a Rádio Nacional de São Félix do Araguaia.

Com isto, o governo queria ter o controle da opinião pública na região, na hora em que se tramava, mais uma vez, a expulsão do bispo.

A partir do final de 1973, havia sido criada uma linha semanal de aviões da FAB, que trazia médicos para algumas horas de consulta, às vezes dentista e até capelães militares. O objetivo primeiro, porém, era o de colher informações e de manter a região sob controle diante da permanente suspeita de que a igreja estaria servindo a outros interesses diferentes da evangelização.

Sonhos, Flores e Cores

Para comemorar os 25 anos de existência da Prelazia, em junho de 1995, foi realizada uma grande Assembleia do Povo de Deus.

A noite de 8 de junho foi reservada para um momento cultural. Cada regional apresentou o que tinha preparado para esta noite.

O Regional de São Félix apresentou bonitas coreografias das músicas Cuitelino e Nos Bailes da Vida, cantadas por Milton Nascimento, e Tocando em Frente, de Almir Sater. As coreografias acompanhavam a declamação de um poema que ressaltava a presença e ação dos agentes de pastoral na história dos 25 anos da Prelazia.

O número especial de *Alvorada*, de julho/agosto de 1995, reproduziu o poema:

> *A garça brinca na areia*
> *Olhando o Araguaia que desliza preguiçosamente.*
> *Os Karajá cortam o silêncio com seu canto*
> *E a canoa – parece uma pena –*
> *É carregada pela correnteza.*
> *A paz se espalha sobre o rio e suas margens*
> *Invade campos e matas.*
> *A liberdade tem aqui sua morada.*
>
> *Nesta imensidão livre,*
> *Chegam os sertanejos,*
> *– pacatos, mas decididos –*
> *à procura da terra, dos gerais, da bandeira verde.*

O Araguaia traz e leva a todos na sua quietude.

Mas...
Nuvens escuras quebram o azul.
Chega o latifúndio
Enorme,
Impiedoso.
Com ele a cerca,
a arma,
a morte.
A liberdade da terra é encurralada.
Espinhos de ferro ferem a terra,
os animais,
as pessoas.
A terra livre se torna escrava,
e escravos os filhos livres da terra.
O grito de liberdade, aprisionado na garganta do povo, porém,
teima em sair.
É preciso libertar a terra e seus filhos.
A revolução se torna parceira da terra escrava.
Nesta hora,
semeando flores,
espalhando mudas de liberdade,
acendendo fogueiras de justiça,
cantando a vida,
transportados por sonhos de uma terra nova
onde a justiça e o direito se abraçam
chegam os pregoeiros da Boa Nova:
As irmãzinhas de Jesus,
o padre Francisco Jentel com seus companheiros,
os missionários claretianos capitaneados por Pedro Casaldáliga,
as irmãs de São José, e um significativo grupo de jovens, plenos
de vida e de ideais.

E no borbulhar do entusiasmo
o sorriso se torna pesadelo.
As flores são arrancadas violentamente,

os desejos de liberdade, trancados entre as paredes da prisão.
As fogueiras de justiça se transformam em choques elétricos.

O sonho, porém, é mais forte.
A certeza do novo queima o coração,
a chama da esperança se mantém acesa
e as flores voltam a ser plantadas.
O grito de liberdade ecoa vibrante em todas as praias,
 E a justiça é anunciada de cima dos telhados.

***

A tormenta,
O vendaval se foram.
A vida e a história continuam
mesclando os sorrisos com as cores do arco-íris,
e a esperança com as cores do amanhã.

O conflito permanece no horizonte
 E sempre vem passear na estrada do povo.
Sonhos e poesia
cheios de calor e de cores
se tornam perigo.
Acorrentá-los,
expulsá-los é preciso.

Mas também é preciso o povo tomar em suas mãos a história.
É preciso organizar seus sonhos e projetos,
é preciso estar "onde o povo está".
Sindicatos e associações florescem,
Prefeituras se tornam casa do povo.

Padres agostinianos e estigmatinos,
Irmãs de São José de Rochester
e muitos leigos e leigas
"com a roupa encharcada e alma repleta de chão"
ajudam a pintar de cores vivas,
os sonhos que se tornam realidade.

***

Com um pé na história,
outro no presente,
o olhar permanece firme no futuro
abraçando o amanhã que se avizinha.

As folhas secas, o verão as carrega.
Os sonhos livres, nada os detém
- apesar de muitos quererem enquadrá-los. –
As flores teimam em desabrochar.
E a fogueira da justiça continua a crepitar.

Na teimosa tarefa
de manter vivo o sonho
e vivas as cores da vida –
leigos e leigas,
padres e irmãs
desta igreja viva
com os pés empoeirados,
o corpo cansado,
mas o coração ardente
"vão tocando em frente".

TERCEIRA PARTE

A ORGANIZAÇÃO
INTERNA DA PRELAZIA

Os Primeiros Atendimentos às Comunidades

Como vimos na primeira parte deste livro, excluindo Santa Terezinha, que tinha um atendimento pastoral regular oferecido pela Prelazia de Conceição do Araguaia, o restante da região era atendido esporadicamente.

Com a chegada dos padres claretianos, em 1968, São Félix e também Luciara passaram a ter a presença permanente de padres.

No restante da região, o atendimento era feito no antigo regime de desobrigas. Estas consistiam em visitas aos diversos núcleos de moradores onde se celebravam missas e se administravam sacramentos, sobretudo batizados e casamentos. Era o que o povo esperava e pedia.

Em São Félix, a educação e a saúde também foram enfrentadas como parte da ação pastoral da nova missão.

Uma nova ação pastoral

Em 1971, com a vinda de mais alguns leigos missionários, iniciou-se uma nova experiência pastoral: as Campanhas Missionárias.

Uma equipe ia a uma determinada comunidade e lá permanecia durante alguns meses, em que, além das celebrações de missas, casamentos e batizados, que eram precedidas de um período de preparação, havia aulas de alfabetização para adultos, orientavam-se as professoras e professores existentes, e se faziam ações de saúde. Mas, sobretudo, se conhecia mais profundamente a realidade vivida pela comunidade. Todas e cada uma das famílias era visitada e, com elas, se estabeleciam laços de amizade.

As primeiras Campanhas Missionárias se realizaram em Pontinópolis, no primeiro semestre de 1971, e a segunda, no segundo semestre, em Serra Nova.

A última Campanha Missionária se realizou no primeiro semestre de 1972, em Ribeirão Bonito (Ribeirão Cascalheira).

Então avaliou-se que, melhor que uma campanha de alguns meses, era ter equipes fixas, residentes em cada povoado.

Assim, em 1973, foram constituídas equipes em Pontinópolis, Serra Nova e Ribeirão Bonito.[1] Em Pontinópolis, um casal, José e Helena, foram a presença da

Igreja lá. E, em Serra Nova, padre Eugênio Cônsoli, Alita Bulcão, Edgar Serra e Diomar formavam outra equipe.[2]

Em 1974, quando Santo Antônio do Rio das Mortes sofria as maiores agressões a seus direitos de posse, ali se estabeleceu uma equipe formada pela irmã Judite Gonçalves de Albuquerque e, logo depois, pelo padre Geraldo Rosânia para apoiarem a escola, com isto, fortalecendo a luta das famílias na luta pela terra, pois, de outra forma, se corria o risco de deixarem a terra para buscar escola para as crianças.

Em 1977, se realizou outra Campanha Missionária na Ilha do Bananal, da qual participaram o padre Faliero Bonci, claretiano, e a irmã Edna da Silva Reis. Dois anos depois, ali na ilha também se constituiu uma equipe pastoral formada quase que exclusivamente por leigas e leigos: Margarida Maia e Maria Benvinda de Moraes formaram esta equipe, que tinha o apoio e participação do padre Faliero Bonci até 1980, quando novamente foi eleito provincial. Logo, fez parte da equipe Eliseo Antonio Gobato. A residência da equipe era às margens do rio Javaé, em São Joao do Javaé, também conhecido como Porto Piaui. Além do trabalho pastoral, a equipe lecionava na escola.

---

1 Goiânia era a cidade de referência para toda a região do Araguaia e também para a Prelazia. Diante disto se resolveu instalar lá uma casa ponte. Era a paróquia Nossa Senhora das Graças, na Vila Operária. Todos os que se dirigiam para a Prelazia por lá passavam. Todos os que vinham da Prelazia para qualquer atividade, lá eram acolhidos. O padre Leopoldo Belmonte, o Leo, foi quem lá viveu.

2 Anteriormente, em Porto Alegre, em 1971, havia sido formada uma equipe para dar suporte à educação, já que a escola existente fora derrubada pela fazenda Frenova, com anuência do prefeito de Luciara, sede do município. Todo o material escolar fora levado para a sede da fazenda. Em 1972, a equipe foi reforçada com Diomar, Irmãzinha de Jesus que se encontrava em experiência fora da congregação. Padre Eugênio, logo após sua ordenação, passou a acompanhar também esta comunidade.

Preocupação pastoral com os Karajá

O acompanhamento pastoral aos Karajá era uma das preocupações da Prelazia.

Conhecendo a falta de profissionais qualificados para atender no Hospital do Índio, em Santa Isabel do Morto, foi apresentada à Funai, através de terceiros, a enfermeira irmã Mercedes Setem, das irmãs de São José de Chambery. Em 1974, a Funai a contratou. Ela desempenhou, com grande competência, suas atividades. Mas, quando sua ligação com a Prelazia ficou conhecida, por interferência da FAB, foi demitida já em 1975.

A partir de 1979, leigos e leigas da Operação Anchieta (OPAN) passaram a compor a equipe indigenista junto aos Karajá, tanto na aldeia Itxalá na confluência dos rios Tapirapé e Araguaia, próxima à aldeia do povo Tapirapé, quanto na aldeia São Domingos, em Luciara.

A Região Muda de Cara

A região, porém, passou a viver um crescimento populacional impressionante.

Com a continuidade da BR-158, que chegou a Porto Alegre em 1975 e, poucos anos depois, completou a ligação com o Pará, o eixo de crescimento da região mudou para as beiras das estradas.

Já em 1974, um paulista, Otávio Leoncini, havia decidido lotear parte de sua fazenda para formar um povoado às margens da BR-080, a poucos quilômetros do Parque do Xingu. Aí nascia São José do Xingu.[3]

Com a BR-158 chegando a Porto Alegre, o pequeno povoado passou a atrair a atenção de centenas de famílias da região que para lá se mudaram. E Canabrava do Norte, a partir de 1976, passou a ser outro núcleo de atração de famílias à procura de terra para trabalhar.

Em 1976, São Félix se emancipou de Barra do Garças, constituindo-se no novo município de São Félix do Araguaia. Quatro anos depois, em 1980, Santa Terezinha se emancipou de Luciara. Com isso, alguns serviços públicos ficaram mais ao alcance das comunidades.

As estradas também foram a oportunidade para que empresas que se instalaram na região com recursos da Sudam passassem a lançar mão de uma outra linha de crédito, oferecida pelo programa do governo federal, conhecido como Proterra. E, assim, se formaram na

---

3 A BR-080, como até hoje é chamada, teve seu projeto original abandonado. O traçado da estrada atualmente é denominado MT-322, que vai da divisa com Goiás, à altura de Luís Alves, passando por Novo Santo Antônio, Serra Nova Dourada, Bom Jesus do Araguaia, Alô Brasil, São José do Xingu, atravessando o Parque Indígena do Xingu, findando na BR-163, na altura de Matupá.

região as colonizadoras.[4] Em 1978, a uns 30km de Porto Alegre, foi constituída a Colonizadora Frenova Sapeva (Confresa), que trouxe famílias do Rio Grande do Sul.

Mais ao Norte, já na divisa do estado com o Pará, também em 1978, um grupo de sete fazendeiros mineiros, liderados por Rubens Peres e Alair Álvares Fernandes, colocaram parte de suas terras para se constituir a Colonizadora Vila Rica. A colonizadora atraiu trabalhadores de Minas Gerais e Goiás, em um primeiro momento, mas apostou mesmo nos estados do Sul, de lá trazendo centenas e centenas de famílias.

Já no final da estrada Perdida (hoje, MT-430), foi estabelecida a Colonizadora e Representações do Brasil S/A (Corebrasa), fundada por Geraldo de Andrade Carvalho, que trouxe do Sul colonos para o projeto denominado Santa Cruz. Os primeiros colonos começaram a chegar em 1980.

Eram novos núcleos que demandavam atendimento pastoral.

Aumentava o número de comunidades que pediam acompanhamento e, ao mesmo tempo, o número de agentes diminuía. Não seria a hora de mudar a forma de atendimento criando equipes que atendessem uma região toda, ao invés de ter uma equipe em cada local?

Assim, escreveu o bispo Pedro em seu diário no dia 14 de agosto de 1979: "aqui na Prelazia alguns agentes de pastoral se despedem. Estamos começando uma nova fase. Já em nosso último encontro se esboçou uma perspectiva de regionalização do trabalho, que significará também uma nucleação da equipe. Seja para o bem de nossa Igreja. Será, se o povo assumir mais diretamente toda a vida da Igreja" (CASALDÁLIGA, 1983, p. 31).

A situação se complicou ainda mais a partir de 1983. Nas eleições municipais de 1982, agentes de pastoral em Santa Terezinha e São Félix foram eleitos prefeitos. Em Canarana, um candidato de Ribeirão Cascalheira, muito ligado à equipe pastoral, também foi eleito. Isso provocou a saída de 10 agentes de pastoral para as administrações municipais.

---

4 Os primeiros projetos de Colonização no Vale do Araguaia haviam sido instalados no começo da década de 1970. Os municípios de Canarana e Água Boa são resultado desses projetos.

O bispo registrou em seu diário no dia 17 de janeiro de 1983:

> Nossa equipe se reduz agora a 32 pessoas, 11 delas na pastoral indigenista.
> A regionalização da Prelazia se faz agora mais urgente e viável:
>
> - Ribeirão Cascalheira
> - Porto Alegre
> - Santa Terezinha
> - São Félix
>
> Com os povoados e o sertão próximo forma as 4 grandes regiões pastorais de nossa pequena Igreja (CASALDÁLIGA, 1983, p. 160).

Novas Equipes de Pastoral

Mas, na realidade, não foi bem a regionalização que aconteceu.

Diante da perspectiva de a equipe que vivia na Ilha do Bananal encerrar suas atividades, o bispo escreveu em seu diário no dia 3 de janeiro de 1981: "Uma nova preocupação urgente: quem atenderá a Ilha do Bananal? A aldeia karajá da Barra do Tapirapé ficará sem a presença da Missão? [...] Seria um absurdo deixar sem agentes de pastoral a Ilha, neste ano que promete ser particularmente decisivo" (CASALDÁLIGA, 1983, p. 50).

A região continuava crescendo. No final do ano de 1980, o novo proprietário da fazenda Agropasa, que fazia limite com a Suiá-Missu, resolveu criar uma cidade nas imediações do que se chamava Bate-Papo, um armazém/bar/restaurante, no entroncamento para Pontinópolis à direita e para Serra Nova à esquerda da estrada que vinha de São Félix em direção a Barra do Garças. Ali, se formou o povoado Alto Boa Vista.

A Cooperativa Agropecuária Mista Canarana Ltda (Coopercana), em 1985, colocou à venda 170 mil hectares de terra no Projeto Querência, para onde chegaram do Sul 506 famílias. Esse projeto praticamente marcou o fim do processo de colonização em toda a região.

Todos esses novos núcleos se transformaram em municípios: Vila Rica, Confresa, Querência e Santa Cruz do Xingu, Alto Boavista[5]. Os três primeiros, em 2018, eram os municípios com maior número de habitantes na região..[6]

---

5 Em 1986, emanciparam-se Porto Alegre do Norte e Vila Rica. Em 1988, Ribeirão Cascalheira também se emancipou. Em 1991, emanciparam-se: Alto Boa Vista, Canabrava do Norte, Confresa, Querência, São José do Xingu. Por fim, em 1999, emanciparam-se Bom Jesus do Araguaia, Serra Nova Dourada, Santa Cruz do Xingu e Novo Santo Antonio.

6 Segundo o professor Ariovaldo Umbelino de Oliveira, a implantação das colonizadoras no Vale do Araguaia respondeu a um projeto estratégico do governo federal para criar

As novas levas de pessoas que chegavam à região precisavam de acompanhamento pastoral. E, por isso, pouco a pouco foram sendo criadas novas equipes de pastoral.

Já em 1975, diante das perspectivas de que Canabrava se tornaria um polo de atração para muitas famílias à busca de terra, no final do ano, o agente de pastoral Dirceu Aguirre lá passou a residir e Altair da Silva lecionou durante um período. Dirceu, ao mesmo tempo em que animava a comunidade e lecionava na escolinha, ajudou na organização do povoado que se iniciava e na localização das novas famílias que a cada dia chegavam. Com o crescimento do povoado em 1978, mais para o final do ano, para lá foram o padre Manuel Luzón e Altair de modo definitivo.

Em 1978, Leopoldo Belmonte e Vera Furlan, agentes da Prelazia, visitaram São José do Xingu e elaboraram um relatório sobre o que lá viram. No dia 16 de maio de 1980, o bispo Pedro celebrou a primeira missa ao pé de um cruzeiro, colocado em um lote onde o povo construiu sua igreja.

Mesmo a contragosto do fazendeiro, dono da área, que cercou a igreja com arame, a comunidade manteve este espaço para suas celebrações. O arame foi cortado e foram liberadas as ruas e praças que davam acesso à igreja. O fazendeiro esbravejou e fez diversas ameaças; plantou capim ao redor do cruzeiro e na porta da Igreja.

Em 1986, lá também se constituiu uma equipe pastoral formada pelos padres Clélio Boccato e Geraldo Rosânia, irmã Dirce Genésio dos Santos.

---

um colchão de amortização dos conflitos sociais, formando uma classe média rural, já que os grandes conflitos na região aconteciam pois, de um lado, havia posseiros e indígenas, e, de outro, grandes empresas. Não havia qualquer possibilidade de aproximação entre esses dois polos. Eram dois mundos diametralmente opostos. O mundo das empresas que viam na ocupação da Amazônia a possibilidade de auferir maiores lucros para seus negócios. O mundo indígena e sertanejo para quem a ocupação da terra era o elemento fundamental para sua sobrevivência e reprodução. Os colonos, a maior parte vindos do Sul, já forjados no mundo capitalista, seriam os que saberiam dialogar com o mundo das empresas. "A cooperativa Coopercol, Cooperativa 31 de Março Ltda., fundada pelo pastor luterano Norberto Schwantes beneficiou-se da amizade do pastor com o então presidente general Geisel, que via no projeto de colonização uma resposta oficial (capitalista) aos efeitos da guerrilha e da luta dos posseiros no vale do Araguaia" (OLIVEIRA, 2016, p. 391).

Vila Rica

A Colonizadora Vila Rica, com o fim do programa Proterra criou uma nova estratégia para atrair colonos, sobretudo do Sul, a permuta de terras.[7]

Com isso, era constante a chegada de novas famílias.

Em 1979, padre Canuto, entre 30 de maio e 2 de junho, visitou os colonos, passando na maior parte dos lotes e conversando sobre o projeto. Ao final, fez um extenso relato de como viu o novo projeto. Pouco tempo depois, o padre Jesus Pina Crespo, da equipe pastoral de Porto Alegre, celebrou lá a primeira missa. A equipe de Porto Alegre assumiu o atendimento pastoral da comunidade.

Mas o número de famílias não parava de crescer, o que demandava um acompanhamento pastoral mais próximo. E, assim, em 1983, se formou uma equipe pastoral que lá passou a residir, formada pela irmã Mercedes Setem, das Irmãs de São José de Chambery, e Suzana Wills, das Irmãs de São José de Rochester. Padre Canuto passou a integrar também essa equipe, passando metade do tempo em Santa Terezinha e outra metade em Vila Rica. A comunidade já havia construído uma igreja, e, depois que a equipe já estava na Vila, construiu uma casa para a alojar.

Como as famílias vindas do Sul tinham o costume de ter suas comunidades na área rural, logo criaram, em cada projeto, uma comunidade que passou a ser atendida pela equipe pastoral.

Para ter uma noção mais próxima da realidade em crescimento, a equipe pastoral, em 1985, fez um abrangente levantamento da realidade (CANUTO, 2019, p. 309-14).

Confresa

Os colonos que chegaram em Confresa, de 1978 em diante, também tiveram atendimento da equipe de Porto Alegre, já a partir do primeiro ano. Como a distância era pequena, uns 30km, o atendimento era mais fácil.

A partir de 1989, o povoado e o interior apresentaram um rápido crescimento. Tanto na área urbana quanto na rural houve

---

7 Para maiores detalhes ver Canuto (2019, p. 303-16).

ocupação de lotes. Em pouco tempo, lá também se multiplicaram as comunidades. Então, em 1993, o padre Samuel de Souza Lyra e Umbelina de Oliveira, leiga, que faziam parte da equipe de Porto Alegre do Norte, passaram a viver a maior parte do tempo em Confresa. Primeiro, moraram na casa de uma família e, depois, foi construída casa para a equipe pastoral para onde se mudaram. Em 1994, lá se radicou uma comunidade das Irmãs de São José de Rochester, formada pelas irmãs Jeane Bellini, Maura Finn e Dolores Turner. O padre Samuel continuou acompanhando as comunidades.

Querência

Os primeiros colonos chegaram a Querência, em 1986. Eram católicos ou luteranos, vindos do Rio Grande do Sul e logo organizaram pequenas comunidades. Sua ligação era com a sede do município, Canarana, e por isso lá procuraram o padre para atendimento pastoral às famílias. O território de Querência, porém, pertencia à Prelazia de são Félix do Araguaia e não demorou e a equipe pastoral de Ribeirão Cascalheira passou a atender esta nova realidade. Padre e agentes de pastoral passavam uma semana por mês em Querência, visitando famílias e comunidades e fazendo celebrações dos sacramentos, na cidade, assentamentos e fazendas. Já em maio de 1988, o bispo Pedro Casaldáliga visitou a comunidade e celebrou as primeiras crismas.

Era necessária uma presença mais permanente da igreja na nova cidade. Assim, em 1997, uma equipe pastoral, formada por duas irmãs da Congregação das Irmãs Escolares de Nossa Senhora e uma missionária leiga ali se estabeleceu.

Em 2006, os frades franciscanos passaram a morar e a atuar em Querência. Dividiam com as irmãs e os leigos o atendimento pastoral do município.[8]

---

8 Informações de Frei Arcides Luiz Favaretto, OFM.

Alto Boa Vista

O povoado de Alto Boa Vista se emancipou no final de 1991. Este novo município também pedia a presença de uma equipe de pastoral da Prelazia.

Com o retorno das Irmãs de São José de Chambery à Prelazia, elas assumiram o acompanhamento pastoral deste município. Formaram parte desta equipe as irmãs Maria Inês Coelho Rosa, Irena Pilz e Irene Franceschini. Elas chegaram ao Alto Boa Vista no dia 4 de junho de 1992. Mais tarde, uniu-se a elas a irmã Maria de Lourdes de Biasi.[9] O padre Francisco Machado acompanhava o novo município.

Bom Jesus do Araguaia

Em 1988, um grupo de oito moradores de Serra Nova localizou uma área de terra entre as fazendas Bordon e Macife totalmente desocupada, e a ocupou. Para lá se mudaram com suas famílias e lá plantaram suas roças. Era uma área que pertencia, à época, aos municípios de Ribeirão Cascalheira e São Félix do Araguaia. Assim começou Bom Jesus.

Uma das primeiras providências, "foi rezar uma missa no lugar. O padre Paulo Gabriel Lopes Blanco, da equipe pastoral de São Félix, estando em atendimento a Serra Nova, no dia 17 de julho de 1988, foi ao local da nova ocupação e lá celebrou a primeira missa, em um barracão coberto com uma lona preta" (CANUTO, 2019, p. 279).

O grupo cresceu e se reunia para suas celebrações em um barracão de palha. Em 1991, propôs-se construir uma igreja de material e, para isto, pediu o apoio da prelazia e do Ceris (Centro de Estatística Religiosa e Investigações Sociais). As famílias se propuseram construir a igreja em mutirão.

Em 2005, quando a comunidade era acompanhada pela equipe pastoral de Ribeirão Cascalheira, também lá se constituiu uma equipe pastoral, formada pelas Irmãs Franciscanas de Dillingen.

---

9 Também atuaram em Alto Boa Vista as irmãs Maria Cacilda dos Santos, Ir. Neide Stenico, Ir. Ana Maria de Jesus e outros que ficaram pouco tempo.

Uma Comunidade Ecumênica – Experiência Inovadora

Santa Cruz do Xingu, como dito anteriormente, se formou a partir de um projeto de colonização. Os primeiros colonos chegaram do Sul, em 1980. Quase no final de 1981, o bispo Pedro, acompanhado pelo padre Jesus Pina, de Porto Alegre do Norte, visitaram, pela primeira vez, o projeto. Um dos colonos foi procurá-los de trator no entroncamento da estrada, que ia em direção a São José do Xingu. Foram 12 horas de viagem, contou o bispo. Em 1982, o padre Jesus e o bispo Pedro voltaram a Santa Cruz, que já contava com 70 famílias moradoras (ALVORADA, 1982). O projeto foi acompanhado, nos primeiros anos, pela equipe pastoral de Porto Alegre do Norte.

Alguns anos depois, o acompanhamento passou a ser feito a partir da equipe de Vila Rica. Com isso, se buscava que as áreas de colonização tivessem um acompanhamento uniforme.

As famílias eram poucas e as distâncias enormes, quase 300km desde Vila Rica. E as poucas famílias pertenciam basicamente a três igrejas diferentes: Católica, Evangélica de Confissão Luterana no Brasil (IECLB) e Evangélica Luterana do Brasil (IELB).[10]

---

10 No Brasil, há duas igrejas luteranas, a Igreja Evangélica de Confissão Luterana no Brasil, IECLB e a Igreja Evangélica Luterana do Brasil, IELB. As duas igrejas têm sua fonte e origem na reforma de Lutero. Mas há grandes diferenças entre as duas. A IECLB é vinculada de certa forma com as igrejas luteranas da Europa. Os luteranos que migraram da Alemanha para o Brasil no século XIX, em sua maior parte, são vinculados a esta igreja. Já a IELB é uma igreja luterana vinculada ao Sínodo de Missouri, nos Estados Unidos. A IECLB é uma igreja aberta ao ecumenismo. Participa de todos os organismos ecumênicos que existem no Brasil, aceita ordenar mulheres como pastoras e até como pastorais sinodais (o que equivale, na Igreja Católica, ao bispo). É uma Igreja que partilha com outras denominações tanto a palavra, quanto a Eucaristia. Já a IELB tem muitas restrições ao ecumenismo

Ainda havia algumas famílias isoladas que pertenciam a outras igrejas.

Dadas estas condições, o padre Canuto e o pastor da IECLB, Reine Lebtag, passaram a atender conjuntamente a comunidade. Um mês ia o padre e atendia tanto a comunidade católica quanto a luterana, no mês seguinte ia o pastor que prestava igual atendimento. Aos domingos em que nem o padre e nem o pastor estavam presentes, a celebração era coordenada alternadamente pelos católicos e luteranos. A catequese era ministrada por um membro da Igreja Luterana. As festas também eram compartilhadas. E se chegou a ter um caixa comum das duas comunidades.

Desde maio de 1990, as comunidades se empenharam na construção de um prédio para a igreja, que foi solenemente inaugurada no dia 14 de setembro de 1991, na festa da Exaltação da Santa Cruz. Era a primeira igreja ecumênica da região e, possivelmente, a única.

Para a inauguração, estiveram presentes o bispo Pedro, o pastor Helmut Burger, Secretário para Assuntos da América Latina da Obra Missionária Evangélica Luterana da Baixa Saxônia (Alemanha), Ivo Lange, presidente da paróquia evangélico-luterana de Vila Rica, e Nerci Martins de Lima, da Coordenação do Conselho Regional de Pastoral de Porto Alegre do Norte.

A celebração começou aos pés da cruz na praça do povoado. Ao chegar à igreja, o bispo Pedro e o pastor Reine abriram as portas. Na celebração, foram lidos os princípios que norteavam esta comunidade ecumênica e que haviam sido elaborados em agosto de 1990 (ALVORADA, 1991).

Ao centro do presbitério, uma grande Cruz. Nas paredes laterais, à altura do presbitério, em um lado, estava uma estampa de Lutero e, no outro, a do papa João Paulo II.

Em uma ocasião em que estava programada a confirmação de jovens luteranos (corresponde mais ou menos à primeira eucaristia dos católicos), o pastor adoeceu e o padre então assumiu o rito da confirmação. Em outra oportunidade, o pastor celebrou o batizado de criança católica.

---

e não participa dos organismos ecumênicos existentes. Não aceita a ordenação de mulheres. Também não aceita a partilha da Palavra e da Eucaristia com outras Igrejas. Há maior proximidade entre a Igreja Católica e a IECLB do que entre a IELB e a IECLB.

Quando, em 2005, dom Leonardo Steiner, OFM, assumiu a Prelazia, ao visitar as comunidades em Santa Cruz do Xingu, encontrou essa comunidade ecumênica, como se poderá ver adiante em seu depoimento. Na primeira visita, "pensei que todos eram católicos, depois da missa no momento da partilha da comida cada um foi se apresentando. Várias famílias eram luteranas. Uma Igreja com expressão eclesial diversa. Na diferença uma profunda comunhão e caridade. Uma convivência harmônica. Muitas vezes pensei: uma só fé, uma só caridade", escreveu ele.

As Reuniões da Equipe Pastoral

Todos os agentes de pastoral formavam o que era chamada de Equipe da Prelazia, que se reunia algumas vezes a cada ano para compartilhar as experiências vividas e para traçar os objetivos comuns, as prioridades da ação e os rumos a serem seguidos por todas e todos em seu local de trabalho. Todos tinham direito a voz e voto sem distinção.

No final de 1972, em um destes encontros, de 8 a 10 de dezembro, definiram-se:

OBJETIVO E LINHAS BÁSICAS DE PASTORAL DA PRELAZIA DE SÃO FÉLIX, MT.

A Igreja particular da prelazia de São Félix, MT, em comunhão com a Igreja do Terceiro Mundo.

- por causa do Evangelho
- e interpelada pela realidade local opta pelos oprimidos e, em consequência, define sua pastoral como Evangelização Libertadora, segundo a Palavra:

'O Espírito do Senhor está sobre mim,
porque ele me ungiu
para levar a Boa Nova aos pobres,
anunciar aos cativos a libertação,
e aos cegos a restauração da vista,
dar liberdade aos oprimidos,
proclamar o ano da graça do Senhor' (Is 62,1-2, Lc 4, 18-19).

Numa primeira análise que não pretende ser exaustiva, destacamos da realidade de opressão do povo da região os seguintes itens:

- superstição, fatalismo, passividade;
- analfabetismo e semi-analfabetismo;
- marginalização social;
- latifúndio capitalista, responsável desta situação de opressão.

OBJETIVO: a Prelazia tem como objetivo desencadear e acelerar no Povo da região
o processo de libertação total com que Cristo nos libertou (Cf. Gal. Cap. 5)

MEIOS:

1. Encarnação na pobreza, na luta e na esperança do povo.
2. Educação libertadora pela conscientização e pela promoção humana.
3. Denúncia profética.

COMPROMISSOS:

a. conscientes dos conflitos e das implicações que essa opção fundamental comporta, comprometemo-nos a respeitar as etapas do crescimento libertador do povo, e o pluralismo de carismas e serviços.
b. Respeitando as opções pessoais dos diferentes membros da equipe, comprometemo-nos, também, como grupo eclesial, a uma vivência explícita da fé – no testemunho de vida e na oração, particularmente na celebração eucarística – e a uma revisão periódica de confrontação entre a opção básica e a ação concreta.

O que estes compromissos significavam na prática

A encarnação na pobreza se refletia na procura de compartilhar ao máximo da vida do povo em moradias simples, iguais às demais; nos meios de locomoção (as viagens eram feitas de barco ou de ônibus, onde este circulava; a bicicleta se tornou o veículo mais usado). Cada agente de pastoral, desde o bispo até o último leigo ou leiga que havia se incorporado à equipe, recebia um salário mínimo. Com este valor, colocado em comum, cada equipe cobria suas despesas. Gastos extraordinários, como tratamentos de saúde ou algumas viagens, eram assumidos pela Prelazia.

A educação libertadora se concretizava nos trabalhos de educação que a maior parte das equipes assumia e em encontros e reuniões para fazer as pessoas conhecerem seus direitos, sobretudo o direito do posseiro à terra que ocupava e trabalhava.

A denúncia profética, pode-se dizer, foi uma marca forte de toda a equipe pastoral. Não acontecia qualquer agressão aos direitos do povo que a equipe não a registrasse. E tudo era divulgado no *Alvorada.*

O respeito às "diferentes opções pessoais dos membros das equipes" era necessário porque nem todos tinham a mesma fé, mas todos comungavam da mesma luta comum. Muitas vezes, leigos e leigas "sem fé" eram mais radicais no seu modo de vida do que padres e religiosas.

As reuniões da equipe se realizavam normalmente num clima de família, de tal forma que, até hoje, a maioria dos que lá passaram se consideram 'Prelazia'.

Povo em Assembleia

Desde os primeiros tempos da Prelazia, sempre se procurou ouvir a palavra do povo das comunidades. E, para isso, se convocavam lideranças de todas as comunidades para a realização de assembleias.

Em 1972, realizou-se, nos dias 28 e 29 de outubro, em uma posse no sertão de Pontinópolis, o que se chamou de 1º Encontro de Lideranças. Participaram 23 pessoas de todos os recantos da Prelazia. Por questões de segurança, em tempos de repressão, é que foi escolhido aquele local.

O encontro aprofundou o tema da parábola dos convidados para a festa de casamento (Mt 22, 1-14 e Lc 14. 15-24), e nele se decidiu realizar outros encontros semelhantes e uma maior comunicação entre os patrimônios.[11]

Em 1974, realizou-se, em Santa Terezinha, o que se chamou de 1ª Assembleia Geral da Prelazia de São Félix, com o tema Igreja, Povo de Deus. Aprofundou-se o texto de João 15, 1-10, A Videira e os Ramos.

Cinquenta foram os participantes das localidades então existentes: Pontinópolis, Porto Alegre, Serra Nova, Santo Antônio, Barreira Amarela, Curichão, Piabanha, Cascalheira, Santa Terezinha, São Félix e Cadete.

Grande parte do tempo foi dedicado aos problemas enfrentados por cada um dos lugares ali representados: terra, saúde, escola, perseguição.

A partir de 1975, as assembleias passaram a se chamar de Assembleia do Povo.

Como se Constrói a Igreja de Jesus Cristo foi o tema da Assembleia do Povo de 1977. Realizou-se em Ribeirão Bonito (Ribeirão

---

11 "Patrimônio" era como, na região, eram chamados os povoados.

Cascalheira). Ao mesmo tempo em que se debatiam os temas, os participantes trabalhavam na construção da igreja do Ribeirão Bonito em memória do padre João Bosco Penido Burnier, morto no ano anterior, ali mesmo.

Envolvimento maior

De 1979 em diante, a Assembleia do Povo adquiriu uma dinâmica nova e uma importância maior. Todas as pessoas das comunidades deveriam ser envolvidas em seus processos de realização. Para isto, foram preparadas cartilhas, estudadas em pequenos grupos. Depois, eram realizadas assembleias locais, nas quais se escolhiam os representantes para a grande Assembleia. Uma comunidade ficava responsável pela organização e dinamização do encontro. A primeira Assembleia nesta nova modalidade debateu o tema Batismo, o que É? Este esquema durou até 1991.

Assembleia representativa

A Assembleia do Povo era o órgão máximo das decisões da Prelazia. Sentia-se, porém, que muitas pessoas pouco contribuíam na tomada de decisões pelo pouco conhecimento da realidade. Criou-se, então, um outro espaço do qual participariam pessoas mais envolvidas com o trabalho pastoral para os processos de avaliação e planejamento, antes feitos somente pela equipe pastoral.

Assim, a partir de 1982, criou-se o que se denominou Assembleia Representativa. Reunia-se no início de cada ano para avaliar e dar os encaminhamentos necessários para a ação pastoral, inclusive a ela cabia o "remanejamento", isto é, mudança de agentes de uma comunidade para outra.

Também, a partir de 1982, foi criada uma Equipe Central, formada por cinco ou seis pessoas, todos agentes de pastoral, com o bispo, que teria como missão resolver os casos urgentes que não poderiam esperar pela realização de uma Assembleia.

Na reunião da Assembleia Representativa, em janeiro de 1986, se clarearam as funções das diferentes instâncias da Prelazia.

Assim definiu que a

ASSEMBLEIA DO POVO: estuda, faz leis, marca os rumos gerais da Prelazia toda. É um encontro e celebração geral de toda nossa Igreja. Serve para animação do trabalho pastoral de todas as comunidades e nela participa mais gente.

REPRESENTATIVA: concretiza e executa as decisões e conclusões da Assembleia do Povo. Escolhe as prioridades pastorais, planeja as atividades gerais de toda a Prelazia. Avalia os trabalhos das comunidades e adubação e formação dos enfrentantes[12]. Dela participam pessoas comprometidas, enfrentantes que acompanham bem a caminhada, de preferência membros do Conselho Pastoral de cada comunidade.

EQUIPE PASTORAL: tem a função de manter a unidade do trabalho e da caminhada:
Se reúne para verificar se acompanha as decisões da Assembleia do Povo e da Representativa; prevê o bom atendimento em todas as áreas da Prelazia; organiza os cursos de formação dos enfrentantes; faz revisão de vida da mesma equipe e remaneja o destino de seus membros, de acordo om suas possibilidades e as necessidades das comunidades de toda a Prelazia.
Na reunião da Representativa se apresentava sempre um quadro real da situação da Equipe (ALVORADA, 1986).

---

12 "Enfrentantes" eram denominadas pessoas que assumiam a liderança, a animação de uma comunidade. Elas estavam à frente dos trabalhos e atividades da comunidade.

Levantamento e Avaliação Pastoral

A região passava por uma transformação radical. As demandas das novas comunidades que surgiam não eram as mesmas dos primeiros anos. Por isso, a Prelazia viu que seu trabalho e sua organização precisavam ser avaliados. Estava-se agindo corretamente? O que precisava ser fortalecido nesta forma de organização, o que precisava ser corrigido?

Para isso, foi solicitado ao Instituto do Estudos da Religião (ISER), do Rio de Janeiro, fazer um levantamento e uma avaliação da atuação da Prelazia nesta nova conjuntura. O responsável por este levantamento foi o sociólogo Pedro Ribeiro de Oliveira.

As Assembleias do Povo de 1989 e 1990 foram dedicadas mais a acompanhar e analisar os resultados do Levantamento Pastoral.

O levantamento constatou que a Prelazia era formada por uma grande rede de 103 comunidades. Constatou também que a Prelazia tinha uma equipe pastoral muito forte e era muito forte também na base, nas comunidades. O que faltava era um grupo intermediário entre a equipe e as comunidades.

As conclusões do levantamento foram estudadas por todas as comunidades e debatidas posteriormente em assembleias locais. As conclusões destas assembleias foram levadas e debatidas na Assembleia Geral de 1990.

Quatro grandes temas

Todas as conclusões foram reunidas em quatro grandes temas:

1. Diante da constatação que existe uma grande distância entre os agentes de pastoral e os animadores de comunidade o que se deve fazer para diminuir esta distância?
2. Constatou-se que as grandes decisões da Prelazia são tomadas pelos agentes de pastoral. Mesmo quando o povo participa, suas opiniões pesam pouco nas decisões. Diante disso, quais as formas que a Prelazia deve adotar para que a opinião do povo tenha mais peso nas decisões?
3. As Assembleias locais constataram que o envolvimento da Igreja com a política afastou muitos da comunidade. Qual deve ser a participação da Igreja diante da política partidária?
4. O levantamento constatou que os católicos que participam das atividades da Igreja são muito poucos. Diante disso o que a Igreja deveria fazer para atingir este povo que não participa?

Cada tema destes foi debatido longamente e se chegou às seguintes conclusões:

I – Sobre a relação entre enfrentantes e agentes

a. Os enfrentantes, antes de iniciarem suas atividades, devem passar por um período de formação;
b. Devem-se fazer reuniões periódicas entre enfrentantes e agentes para troca de experiências e retiros espirituais;
c. Na medida do possível representantes dos enfrentantes e agentes participem das reuniões da equipe pastoral;
d. Deve-se procurar mais agentes para integrar as equipes de pastoral, trabalhar para formar mais agentes da região;
e. Os agentes de preferência morem na casa da equipe, abrindo-se a possibilidade de morar fora;
f. A Prelazia deve aceitar agentes de fora somente se tiverem experiência e formação pastoral;

g. As equipes locais devem proporcionar momentos específicos de estudo e aprofundamento com os animadores;
h. O uso da palavra enfrentante ou animador será definido pelas conveniências locais.

II – Sobre as formas de participação

a. Criar em cada comunidade um Conselho de Pastoral, mesmo onde as pessoas foram poucas;
b. Criar Conselhos Regionais de Pastoral. Estes Conselhos serão formados por um representante de cada Conselho local ou setor e pelos membros da equipe de pastoral, e deverão se reunir pelo menos duas vezes por ano;
c. Criar o Conselho Geral de Pastoral que será formado por dois agentes de pastoral de cada regional, por cinco representantes dos Conselhos Regionais, e por um representante de cada pastoral específica e terá uma coordenação própria que resolverá os casos mais urgentes;
d. A Assembleia do Povo de Deus realizar-se-á a cada dois anos e terá um caráter celebrativo e de definição dos rumos gerais da pastoral. Dela deverão participar representantes de todas as comunidades, toda a equipe de pastoral, representantes de pastorais específicas e serão convidadas pessoas de outras igrejas;
e. A Prelazia deve manter a celebração das Romarias;
f. Os conselhos regionais estudarão a forma de como garantir a sustentação da Igreja, instituindo o dízimo e outras formas de contribuição.

A Assembleia também definiu os prazos para a constituição dos diferentes conselhos locais, regionais e geral. Este último devendo estar criado até o fim de 1991. Também criou um Conselho Geral provisório, que deveria coordenar a Prelazia enquanto não fosse formado o Conselho Geral.

III – Sobre Igreja e Política

a. Não se deve mencionar política partidária nas celebrações;
b. Deve-se incentivar lideranças populares e animadores a assumirem a política partidária;
c. Os agentes podem participar da política partidária, mas não devem ser dirigentes, nem candidatos;
d. Procurar manter sempre a ligação Fé-Luta- Evangelho;
e. Criar uma pastoral política que, entre outras coisas, se encarregará de fazer cursos e cartilhas de formação política;
f. A Igreja deve participar de ações político-sociais-culturais, mesmo se estas atividades não forem promovidas por ela;
g. Tomar posição político-social;
h. A Igreja não deve se identificar com um partido;
i. Não se permitirão comícios, nem reuniões de política partidária nos locais da Igreja.

IV – Sobre o Povão Católico e a Igreja

a. Os enfrentantes devem visitar e acompanhar as pessoas que procuram o batismo;
b. Os conselhos locais devem se preocupar com os chegantes e afastados, criando uma equipe de animadores destacada para isto;
c. Criar formas de evangelização que atinjam outros setores da sociedade;
d. Procurar:

   - fazer celebrações mais animadas e criativas;
   - ter momentos fortes de espiritualidade com o povo;
   - criar grupos bíblicos onde se ligue melhor fé-luta-vida;
   - ter mais celebrações de missas no interior.

e. Formar enfrentantes para o preparo dos batizados e outros sacramentos;
f. Cada comunidade e cada regional devem criar pastorais que respondam às suas necessidades e devem se destacar agentes para isto;

g. Os Regionais devem assumir o *Alvorada* e nele deve haver espaço para outras pastorais;

h. Para que o povo conheça melhor a história desta Igreja deve-se produz ir folhetos, cartilhas, slides e vídeos, que contem esta história e divulguem o trabalho das comunidades;

i. Sugeriu-se a criação de ministros para o batismo e o casamento e se debateram longamente as normas   hoje existentes para participação nos sacramentos. Estes temas ficaram para estudo e decisão da Assembleia do Povo do próximo ano (ALVORADA, 1990).

De acordo com as decisões tomadas, a Assembleia do Povo aconteceria a cada dois anos com caráter mais de massa, um grande encontro celebrativo das comunidades, indicando pistas de ação, mas sem tomar decisões.

Em 1993, realizou-se a primeira Assembleia nesta nova modalidade, com 190 delegados. O tema era Vocação e Missão e o lema era Vem, entra na Roda com a Gente!.

Na Assembleia do Povo comemorativa dos 25 anos da Prelazia, em 1995, quase 400 pessoas, deles 220 delegados, celebraram O Senhor Conduz nossa História.

Conselhos de Pastoral

De acordo com as decisões da Assembleia de 1990, foram sendo criados em cada comunidade e em cada regional os conselhos de Pastoral.

Cada comunidade teria seu Conselho de Pastoral para planejar, avaliar e encaminhar os trabalhos da própria comunidade. Um Conselho Regional planejaria e avaliaria os trabalhos em nível de região e um Conselho Geral seria o responsável pelas grandes decisões em nível de Prelazia.

Em 1991, reuniu-se o Conselho Geral Provisório e, no ano seguinte, tomou posse o novo Conselho Geral. Participavam deste conselho cinco pessoas de cada regional, mais dois agentes. Reunia-se praticamente uma vez por ano. A coordenação reunia-se com mais frequência para resolver as questões pendentes que não podiam esperar pelas reuniões gerais e também para planejar as reuniões do próprio Conselho Geral.

Em 1996, avaliando a nova estrutura, viu-se que o Conselho Geral não satisfazia às necessidades da Prelazia. Em uma nova reestruturação, reafirmou-se a necessidade dos Conselhos Locais e Regionais. E se decidiu que o órgão máximo de decisões seria a Assembleia Pastoral, formada por todos os membros dos Conselhos Regionais. Com o conhecimento e a experiência adquiridos nos Conselhos Regionais, a contribuição de cada um poderia ser maior. E o Conselho Geral seria um órgão mais ágil, formado por um grupo menor – o bispo, o vigário geral, um representante dos Agentes de Pastoral, um representante de cada regional e das pastorais organizadas. Seria o executor das deliberações da Assembleia Pastoral e encaminharia a solução para os problemas mais urgentes.

Assim, nos primeiros dias de janeiro de 1997, realizou-se a Primeira Assembleia de Pastoral da Prelazia de São Félix.

Preocupação com a Formação

Praticamente todas as pessoas que viviam na região, com poucas exceções, eram católicas. Eram católicas, porque nasceram em uma família católica e foram batizadas, mas não houve um processo de formação para aprofundarem sua fé. O que conheciam eram as devoções que se lhes havia ensinado: o terço, alguns benditos, promessas etc.

A equipe pastoral viu que era preciso fazer todo um processo de formação com as comunidades. De acordo com esta necessidade, se passou a elaborar materiais de evangelização.

O primeiro deles foi uma série de 30 encontros que se intitulou Deus na Vida do Povo. Perpassava toda a história bíblica, desde a criação do mundo até as primeiras comunidades cristãs.

Utilizou-se como metodologia partir da realidade de hoje para refletir sobre a história da salvação. A leitura da realidade era feita sobre um desenho que representava um fato da vida. Aproveitando dos dotes artísticos do padre Faliero Bonci, CMF, estes desenhos foram reproduzidos em panos (o primeiro trabalho em serigrafia na região), que eram expostos aos participantes da reunião e sobre os quais se iniciava a conversa.

Este material foi utilizado pelas comunidades nos anos de 1976 a 1978.

Como ficou registrado anteriormente, a partir do ano de 1979, as Assembleias do Povo eram preparadas antes nas comunidades. E, para esta atividade, se produziram cartilhas, que eram estudadas e rezadas nas comunidades.

O tema da assembleia de 1979 foi o Batismo. A cartilha elaborada se intitulava *Batismo, o que é?*. Assim, a cada ano, para debater e aprofundar o tema da assembleia, era feita uma cartilha.

Em 1980, frei Betto foi assessor de um encontro da Prelazia. Ele, ao ver o que fora produzido, achou que o material merecia ser divulgado para outras igrejas. Fez contato com a Editora Vozes, que já tinha iniciado uma coleção de folhetos e livretos intitulada *Da Base para a Base* e que abraçou esta proposta, e o material que a Prelazia produzia passou a ser impresso por ela. Os materiais tiveram ampla aceitação Brasil afora, e diversos deles foram traduzidos e publicados no exterior, de modo particular na Colômbia.

Os materiais produzidos pela prelazia e publicados pela Vozes são os seguintes, de acordo com as informações repassadas pela Editora: *Batismo, o que é?* (teve 22 edições, a primeira em 1980 e última em 1999, com uma tiragem de 247 mil exemplares); *Missa, o que é?* (12 edições, a primeira em 1980 e a última em 1995, com tiragem de 117 mil exemplares); *Igreja, o que é?* (13 edições, a primeira em 1981 e a última em 1992, com tiragem de 119 mil exemplares); *Crisma, o que é?* (12 edições, a primeira em 1984 e a última em 1996, com tiragem de 81 mil exemplares); *Família, o que é?* (4 edições, a primeira em 1989 e última em 1992, com tiragem de 13 mil exemplares); *Deus na vida do povo* (3 edições, a primeira em 1981, e a última 1983, com tiragem de 15 mil exemplares); *A cruz de Jesus na vida do povo – uma via-sacra* (uma única edição em 1985, com tiragem de 10 mil exemplares); e, por fim, *Nosso catecismo* (8 edições, a primeira em 1983, e a última em 1997, com 55 mil exemplares).

Além destes, outros muitos materiais foram produzidos, que não foram publicados pela Vozes. São materiais para formação política como *Vergonha na cara e amor no coração*, e folhetos sobre o Dízimo e outros.

De olho nos materiais produzidos

Como se pode ler na seção O Bispo Pedro Incomodava o Vaticano, ele recebeu advertências da Cúria Romana sobre as publicações *Batismo, o que é?* e *Missa, o que* é?.

Mas não era só o Vaticano que estava de olho nas publicações da Prelazia: o governo militar também estava.

Em março de 1982, o Serviço Nacional de Informações (SNI), agência de São Paulo, produziu o informe 0895 sobre o livreto *Batismo, o que* é?. Após identificar a publicação e os coordenadores da Coleção Da Base para a Base, frei Carlos Mesters, frei Betto, Clodovis Boff e Leonardo Boff, que são qualificados como esquerdistas e membros do clero progressista ligados à Teologia da Libertação, diz que o material está sendo usado "nas igrejas de São Miguel Paulista, nesta capital".[13]

Sobre o mesmo material, a Agência Central do SNI produziu outro informe em abril de 1982, e nele assenta:

> Redigida em linguagem grosseira, segue a norma 'progressista' de deturpar os valores cristãos e adaptar passagens bíblicas à promoção da luta de classes. [...]
>
> No desenvolvimento, a cartilha conduz o assunto de modo a induzir ao raciocínio de que a aceitação do batismo implica, automaticamente, engajamento a favor dos movimentos contestatórios ao regime e às instituições, indicando esta atitude como o único meio de se transformar em um verdadeiro cristão.[14]

Outros dois informes foram produzidos sobre a publicação *Igreja o que é?*. O primeiro informe (n.º 11- 471/82/SCI/S3PIRS), produzido pela Supervisão Central de Informações da Secretaria de Segurança Pública do Estado do Rio Grande do Sul, em 11 de fevereiro de 1982, recebeu o título de *Cartilha Política Lançada pela Prelazia de São Félix do Araguaia/ MT.*

De acordo com o informe, a equipe editorial da coleção foi quem coordenou a elaboração desta cartilha. O informe afirma que a publicação "faz uma opção clara pelo chamado "socialismo cristão" pregado pela Teologia da Libertação. [...] Reafirma a disposição do Bispo CASALDÁLIGA e demais membros da Igreja de SÃO FÉLIX DO ARAGUAIA, em apoiar toda a forma de luta e organização do povo pobre e oprimido em prol dos seus direitos".[15]

---

13 BR DFANBSB V8.MIC, GNC.EEE.82011355 - livreto o batismo, o que e. - Dossiê - ARQUIVO.: BR_DFANBSB_V8_MIC_GNC_EEE_82011355_d0001de0001.pdf

14 BR DFANBSB V8.MIC, GNC.AAA.82025120 - cartilha o batismo o que e dom pedro maria casaldaliga pla. - Dossiê - ARQUIVO.: BR_DFANBSB_V8_MIC_GNC_ AAA_82025120_d0001de0001.pdf

15 BR DFANBSB V8.MIC, GNC.GGG.82004597 - cartilha política lançada pela prelazia de são félix do araguaia mt. - Dossiê - ARQUIVO.: BR_DFANBSB_V8_MIC_GNC_ GGG_82004597_d0001de0001.pdf

O outro informe foi produzido pela Assessoria de Segurança e Informação da Fundação Universidade Estadual de Londrina, em 17 de maio de 1982.

Diz o informe: "O presente trabalho foi recomendado para ser utilizado nos trabalhos da Pastoral da Terra e nos trabalhos de catequese".

Formação para ministérios ordenados

Uma outra preocupação da Prelazia foi com a formação de futuros padres.

Em 1984, criou-se uma equipe para pensar essa formação. Faziam parte dela o padre Valeriano Casillas, a irmã Jeane Bellini e Milton Barros, leigo.

Acabavam de chegar à Prelazia os ex-seminaristas José Davi Passos, José Raimundo Ribeiro da Silva (Zecão) e Dirsomar Chaves, que, apesar de terem deixado o seminário, ainda pretendiam ser padres. Dois jovens da região, Franklin Machado e José Sinvaldo Ribeiro da Silva (Zezinho), também tinham demonstrado interesse em ser padres.

Os três primeiros, como já haviam cursado filosofia, foram encaminhados, em 1985, para cursar teologia na Faculdade Assunção, em São Paulo. Foram acolhidos por dom Luciano Mendes de Almeida, bispo da Zona Leste de São Paulo, e foram morar na casa de padres. Franklin e Zezinho, como iam iniciar a filosofia, foram encaminhados para a Diocese de Goiás, onde se desenvolvia um processo diferente de formação, chamada de Escola do Evangelho, que o bispo Pedro já conhecia.

No decorrer do tempo, a formação dos vocacionados ao presbiterado passou por mudanças, as mais diversas. Estudos em Goiânia, no Instituto de Filosofia e Teologia (Ifiteg), coordenado pelos religiosos, mais tarde a filosofia em Goiânia, mas a teologia em Cuiabá. Os vocacionados, no primeiro momento, moraram na casa de formação da Diocese de Goiás. Tempos depois, a Prelazia adquiriu, em Goiânia, uma casa onde os estudantes de filosofia e teologia passaram a morar, acompanhados por um padre da Prelazia.

Ao mesmo tempo, a Prelazia passou a se preocupar com a formação de jovens da região que ainda cursavam o ensino médio e pretendiam ser padres. Nos primeiros anos da década de 1990, a casa da equipe pastoral da Vila Santo Antônio, em São Félix do Araguaia, foi quem acolheu e acompanhou estes jovens. Uma equipe de formação foi constituída por Mercedes Budallés, padre Laudemiro de Jesus Borges (Mirim) e irmã Jeane Bellini. Esta equipe era responsável pelo acompanhamento aos vocacionados. Mercedes é quem estava presente no dia a dia do grupo, pois ela morava na casa que os acolheu.

Posteriormente, em Porto Alegre do Norte, montou-se uma casa destinada a acolher os vocacionados. Um padre os acompanhava.

Um levantamento efetuado em 2010, indicava a existência de 11 seminaristas: três cursando teologia em Cuiabá; cinco cursando filosofia em Goiânia; e três no "propedêutico" (ensino médio) em Porto Alegre do Norte.

Dom Adriano Ciocca Vasino, ao tomar posse, em 2012, como bispo da Prelazia, colocou como prioridade de sua ação a formação, tanto de futuros padres quanto de animadores e animadoras das comunidades.

Empenhou-se em criar a Escola de Teologia, que deveria formar, na região, os futuros padres, sem terem que sair para estudar fora. É uma escola nos moldes da experiência realizada no Nordeste, conhecida como Teologia da Enxada.[16] Esta escola funciona nos períodos das férias escolares (janeiro e julho). Além dos candidatos a presbíteros, participam também mulheres e homens casados com a perspectiva de que poderão assumir a formação no âmbito da Prelazia.

Outra escola criada foi a Escola de Formação de Animadores Missionários, destinada prioritariamente para lideranças das comunidades para desempenharem melhor suas funções em suas comunidades.

---

16 Na esteira da renovação provocada pelo Concílio Vaticano II e a Conferência do Episcopado Latino-Americano, em Medellin, seminaristas e formadores buscaram caminhos novos de formação para o ministério presbiteral que fossem mais próximos da vida do povo. Assim, no Nordeste brasileiro, com o apoio de dom Helder Câmara, bispo do Recife e de diversos outros bispos, iniciou-se uma nova experiência em que os candidatos ao ministério ordenado dividiam sua vida junto aos camponeses e camponesas no trabalho da roça com o estudo e atividades pastorais. Quem coordenou todo este trabalho, que foi identificado como Teologia da Enxada, foi o padre José Comblin. Uma geração inteira de novos padres assim se formou.

Uma Igreja na qual Leigas e Leigos tinham Voz

Depois que a Prelazia completou 25 anos de existência, em 1996, em cada edição do *Alvorada*, na seção Retalhos de Nossa História, foi sendo resgatada a memória dos diferentes grupos que compuseram a equipe pastoral da Prelazia: leigos e leigas, religiosas e padres.

O que lá foi registrado, acrescido de novas informações, é o que vamos ver a seguir.

Leigas e leigos na equipe pastoral

O que marcou os primeiros anos da Prelazia de São Félix do Araguaia foi a presença marcante de agentes de pastoral leigos e leigas.

Essa presença, na sua quase totalidade formada de jovens cheios de vida e de ideais, foi de fundamental importância para imprimir uma cara diferente a esta Igreja.

Esta presença cheia de entusiasmo também chamou a atenção dos militares na época da ditadura. Vários foram presos e torturados, como vimos acima (ALVORADA, 1996e).

Procurando servir

Nos anos anteriores à criação da Prelazia, já encontramos, em Santa Terezinha e no Tapirapé, leigos e leigas missionários.

Em 1957, a muito conhecida dona Paula – que formara parte da Fraternidade Karajá das irmãzinhas de Jesus – radicou-se na região de Santa Terezinha/Furo de Pedras. Dedicou-se, com a força e o impulso que a caracterizavam, à educação e à assistência à saúde. Muitos dos antigos de Santa Terezinha foram alfabetizados por ela.

Padre Jentel, com sua preocupação com a educação, a saúde e o desenvolvimento da região, procurou pessoas que pudessem assumir estas tarefas.

Assim, Mike, da Inglaterra, aluno do professor Charles Wagley (que escreveu um livro sobre os Tapirapé depois de suas pesquisas), lecionou pouco menos de um ano na aldeia. Outras tentativas foram feitas para responder ao desejo dos Tapirapé de terem escola. Hosana lecionou na aldeia e também em Santa Terezinha.

Para Santa Terezinha, em 1969/1970, as enfermeiras Suzanne Robin, francesa, e Denise Payeur, canadense, deram valiosa contribuição. E o japonês Genckichi Yamaki colocou seus conhecimentos de agricultura a serviço dos Tapirapé nos anos 1968/1970, em que viveu na aldeia com sua esposa Luiza e depois em Santa Terezinha. Também lá contribuíram, quando a Prelazia já estava instalada, Altair da Silva, Edgar Serra, Francisco Negrini Romero e sua companheira Rosa e Salvador Ienne.

Energia e sonhos a serviço do povo

Com a criação da Prelazia de São Félix, a presença de leigos cresceu e tomou corpo. Era tempo da ditadura militar. Grandes sonhos de mudança povoavam a mente e o coração de muitos jovens.

Os padres claretianos, chegados a São Félix, diante do quadro de abandono em que viram a região, elegeram como prioridade a educação e a saúde para atender às necessidades básicas do povo, como suporte da evangelização. Construíram prédio para ginásio (5ª a 8ª séries). Os professores foram procurados em Campinas (SP). Um grupo de ex-seminaristas claretianos que viviam juntos respondeu com prontidão ao apelo desta nova igreja. A partir de 1970, algumas pessoas do grupo e outras vinculadas a ele por conhecimento, amizade, preocupações e procuras alimentaram de gente a equipe pastoral.[17]

---

17 O primeiro grupo de leigos que foram a São Félix para o trabalho no ginásio foi formado por Elmo José Amador Malagodi, Hélio de Souza Reis, Eunice Dias e Luiz Gouvêa de Paula. A eles se juntaram, em 1971, Vaime João Rocha, Luiz Goya, Antonio Carlos Moura Ferreira. No ano seguinte, uma boa leva de leigos foi à prelazia: José Pontin, Antonio Tadeu Martin Escame, Thereza Braga Salles, Eli Pires, Eugênio Côn-

Em uma reunião, em julho de 1972, contavam-se 6 padres, 7 irmãs e 13 entre leigos e leigas missionários.

Os leigos, em sua maioria, eram universitários. Assumiam com competência a educação em São Félix no ginásio, em Santa Terezinha, e as campanhas de alfabetização nos povoados por onde iam. Dedicavam-se também ao acompanhamento à saúde, à administração da cooperativa, em Santa Terezinha, e a diversas atividades pastorais. Nestes recantos do mundo, era preciso ser polivalente.

Algumas equipes eram formadas só por leigos e leigas, que tinham que se desdobrar para atender todas as necessidades e ainda acompanhar a organização do povo e sua luta na defesa e na conquista da terra. Tarefa importante assumida com garra, porém cheia de perigos.

Na aldeia Tapirapé, em 1973, o casal Luiz Gouvêa de Paula e Eunice Dias de Paula assumiu a escola e a ela se dedicam até hoje. Quem leva a direção e o dia a dia da escola hoje são os Tapirapé. Muitos já concluíram o ensino superior e alguns cursam o mestrado.

Quando, em 1973, a repressão se abateu violenta sobre a região, os mais visados foram estes leigos. Os militares não compreendiam porque aqui se encontravam. José Pontin, Antônio Tadeu Martin Escame, Thereza Braga Sales (Therezinha), Edgar Serra e Antônio Carlos Moura Ferreira foram presos e torturados. Também Teresa Adão, que visitava amigos da equipe, passou pelos mesmos sofrimentos.

A ação da Prelazia foi sendo conhecida em todo o Brasil, os contatos foram se ampliando e outras pessoas, de outras regiões e de outros estados, foram se incorporando à equipe pastoral. De 1976 a 1986, um bom grupo de mineiros participou da história desta região.[18]

Em 1977, os jovens Rodolfo Alexandre Inácio (Cascão) e Fernanda Macruz chegaram à região e se integraram na equipe pastoral de Porto Alegre do Norte.

---

soli, Aparecida Matiello, Tereza Pasqualoto Figueiredo, Ilda Pires a eles se somou Ana de Souza Pinto.

18 Um expressivo número de jovens de Minas Gerais, ou a eles ligados, desempenharam um relevante papel em Ribeirão Cascalheira na área da educação. Chegaram para atuar na escola, mobilizados pela Prelazia. Não eram diretamente agentes de pastoral, mas intimamente ligados à equipe. Em 1979, chegou Lucia Helena Alvares Leite (Lucinha) e nos anos seguintes foram chegando Carlos Eduardo Morato (Carlão), Francisco Marques (o Chico dos Bonecos), Maria Cristina Ferreira, Heloísa Gentil, Águeda Aparecida da Cruz Borges, Luiz Paiva.

Junto aos Karajá, a partir de 1979, a Prelazia pôde contar com agentes leigos e leigas ligados à Operação Anchieta (OPAN). A primeira que passou a conviver com os Karajá, na aldeia Itxalá, na confluência dos rios Tapirapé e Araguaia, próxima à aldeia do povo Tapirapé, foi Silvia Maria Gasperini Bonotto. No início de 1981, junto aos Karajá da aldeia Kré-hawá, em Luciara, passou a atuar José Lopes da Cunha Júnior, que ficou conhecido como Zé Karajá. A eles se seguiram diversos outros, tanto ligados à OPAN quanto outros ligados diretamente à Prelazia.[19] Jovens da região se integraram neste trabalho.

A partir de 1981, em São Félix do Araguaia, a equipe pastoral passou a contar com uma advogada, Maria José de Souza Moraes, que prestou um precioso serviço, sobretudo orientando e assessorando os trabalhadores rurais na sua luta em defesa de seus direitos em toda a região. Um serviço que se estende até os dias atuais.

A preocupação com a saúde do povo foi constante, e a procura de profissionais de saúde que tivessem espírito missionário também não cessou. Pelo menos seis médicos do Brasil trabalharam na região, atraídos pela ação da Prelazia, mesmo que, por motivos táticos, não aparecessem ligados à equipe. E, em 1996, contava-se com a participação do médico espanhol José Ramón e sua esposa Fidela.[20]

Vida de muitos encontros

A convivência destes jovens em equipes mistas com padres e religiosas fez a Prelazia ter uma cara diferente. Em muitas reuniões

---

19 Agentes leigos que atuaram junto aos Karajá nos anos 80: José Bonotto, Dilson Capkiewicz, Sérgio Gobbi, Paulo e Margarida Maia, Heloísa Helena Rodrigues Dias, Ângela Bianchetti, Lázaro Dirceu Mendes Aguirre e sua esposa Rozália. Já nos anos 90, em Luciara, atuou o casal italiano Daniela Luise e Michele Sartori, e se incorporou à equipe a jovem da região: Joana Saira Sousa Torres. Junto aos Tapirapé, as jovens Maristela Sousa Torres e Regina Rodrigues lecionaram na escola e posteriormente fizeram parte do regional Mato Grosso do Cimi. O mesmo aconteceu com Gilberto Vieira dos Santos e Augusta Eulália Ferreira que atuaram juntos aos Karajá e também aos Tapirapé. Também Maria Gorete Neto foi professora nas escolas Tapirapé. Muitos outros leigos contribuíram de alguma forma e por um período não muito longo na pastoral indigenista da prelazia.

20 Além dos nomes citados, diversos outros leigos e leigas com muita dedicação prestaram valiosos serviços ao povo da região. Não foi possível lembrar de todos.

da equipe pastoral, os leigos é que davam o tom com seus questionamentos, suas propostas, suas argumentações, apaixonadas até.

Como em toda a convivência humana, os conflitos não faltaram. Mas a riqueza da vida era incontestável. O ardor da juventude não permitia instalação ou marasmo no trabalho.

Devido às dificuldades impostas pelo regime militar que cerceava todas as atividades políticas e sociais, encontravam-se, na equipe pastoral, alguns que não tinham uma fé explícita, mas que comungavam profundamente a preocupação e a busca de uma sociedade nova, irmã, igualitária e empurravam todos para um compromisso cada vez maior com a sorte e a luta do povo.

E, ao mesmo tempo em que a vida propiciava alguns desencontros, oportunizava muitos encontros. Quando a Prelazia completou 25 anos, dezoito casamentos haviam sido realizados entre os membros da equipe pastoral.

Nenhuma atividade e nenhum trabalho podiam deixar de ser avaliados em profundidade. Avaliações sérias, duras, às vezes.

Uma destas avaliações, no final dos anos 1970, era sobre a participação política. Até que, em 1982, se decidiu que os leigos da equipe pastoral poderiam disputar as eleições municipais. E as urnas os tornaram prefeitos: José Pontin em São Félix do Araguaia; Antônio Tadeu Martin Escame em Santa Terezinha; e Francisco de Assis (Diá) em Ribeirão Cascalheira, que, apesar de não ser agente de pastoral, comungava profundamente com a equipe. Em 1986, o agente pastoral Rodolfo Alexandre Inácio (Cascão) foi eleito prefeito do recém emancipado município de Porto Alegre do Norte.

A ocupação do espaço administrativo municipal carregou consigo para as prefeituras grande parte dos agentes leigos que se devotaram à tarefa de construir prefeituras populares, em que o povo tivesse vez e voz. O bispo Pedro, em janeiro de 1983, anotou em seu diário que a equipe pastoral havia se reduzido bastante por diversos agentes terem assumido funções nas administrações municipais. Restavam 32, sendo que 11 deles atuavam na pastoral indigenista.

Com a abertura democrática, mais espaços se abriram em outros campos e já não era tão fácil encontrar novos leigos dispostos "a gastar" seus dias nestas paragens distantes.

Várias tentativas foram feitas no sentido de integrar leigos e leigas da região à equipe. Algumas foram bem-sucedidas, outras, nem tanto. Mas a procura continuava.

A presença de agentes leigos foi muito importante nesta igreja. Nos primeiros 25 anos da Prelazia, fizeram parte da equipe pastoral 120 leigos e leigas, do total de 220 agentes. Mas, em 1995, ano da celebração das bodas de prata da instalação da Prelazia, não chegavam a 25% do total de agentes.

Um levantamento efetuado em 2010 dava conta de que, entre 75 agentes de pastoral, somente 9 eram leigos ou leigas.

Em 2018, a página da Prelazia na *internet* registrava a presença de 10 agentes de pastoral leigos – neste número, estavam incluídos os seminaristas –, 18 padres e 14 religiosas.

Religiosas Respondendo aos Apelos

Quando a Prelazia de São Félix foi criada, as irmãzinhas de Jesus já viviam, há 16 anos, com o povo Tapirapé. Sua história está na primeira parte desta publicação (ALVORADA, 1996a).

As precárias condições de saúde do povo fizeram a recém-chegada equipe missionária sonhar com a presença de irmãs. "Que bom seria termos algumas freiras aqui", exclamava padre Pedro, em uma carta do dia 19 de novembro de 1968 às irmãs da Escola de Enfermagem, relatando as necessidades da região na área de saúde.

Em 1969, com a intermediação do padre Faliero Bonci, provincial dos padres claretianos de São Paulo, foram feitos os contatos oficiais para a vinda das irmãs de São José de Chambery à recém-criada Prelazia.

Em 1970, duas irmãs visitaram São Félix e "ficaram entusiasmadas pela missão", diz uma carta da Congregação.

Finalmente, no dia 16 de fevereiro de 1971, um avião da FAB trouxe de São Paulo cinco irmãs do primeiro grupo de irmãs que se integraram à Prelazia. Em junho, outra irmã juntou-se às demais.[21] A recepção foi calorosa, um grupo de jovens e crianças as esperava em Santa Isabel do Morro, na Ilha do Bananal, e, no barranco do Araguaia, em São Félix, foram recebidas com rojões, palmas e vivas. "Cremos que quase toda a população aí estava. Entoaram o canto Meu Araguaia Querido. Foi muito emocionante", escreveram as irmãs numa primeira circular às que ficaram em São Paulo.

---

21 No primeiro grupo de irmãs estavam: Ir. Lúcia da Imaculada Leal da Costa, Ir. Armandina Faria Barbosa, Ir. Aleonora Martini (Bernarda), Ir. Maria Noêmia de Campos, Ir. Maria de Lourdes Faleiros, Ir. Irene Maria Paola Franceschini. Não muito tempo depois juntaram-se a elas Ir. Henriqueta Françosi, Ir. Edna da Silva Reis, Ir. Judite Gonçalves de Albuquerque, Ir. Mercedes Setem, Ir. Irena Pilz e Ir. Paula de São José Gobbi.

Logo, puseram mãos à obra.

No dia 22 de fevereiro, começaram as matrículas da escola. 566 alunos matriculados. Sete turmas de primeira série. Outras elaboraram um *Guia para Organização de um Serviço de Enfermagem de Saúde Pública em São Félix do Araguaia – Estado de Mato Grosso*. No dia primeiro de março, no local que fora a primeira moradia da equipe missionária, começou a funcionar o ambulatório de saúde, efetuando os primeiros atendimentos.

As irmãs criaram ainda o Clube de Mães e, para as jovens, o Clube Rosa.

Abrindo novos caminhos

Até o final de 1973, as irmãs de São José reproduziram, no Araguaia, o esquema de vida das outras casas religiosas onde sempre viveram.

A repressão violenta de 1973, as necessidades cada vez maiores do povo e a abertura da Congregação para novas modalidades de vida comunitária, permitiram, a partir de 1974, o fechamento da "casa das irmãs" e a integração das religiosas às equipes de pastoral da Prelazia, formando assim comunidades mistas de padres, religiosas, leigas e leigos no lugar onde a necessidade do povo fosse mais urgente.

Desta forma, em 1974, em São Félix, residiam, na mesma casa, o bispo, um padre, uma leiga, uma irmã da Divina Providência e duas irmãs de São José, Irene Frnceschini e Judite Gonçalves de Albuquerque. As outras irmãs de São José atuavam na área da saúde. Irmã Mercedes Setem, contratada pela Funai, morava sozinha na Ilha do Bananal, na direção do Hospital do Índio. Irmã Edna da Silva Reis integrava a equipe pastoral de Santa Terezinha.

Sobre este modo de viver, escrevem as irmãs no fim do primeiro ano de experiência:

> Vivemos a mesma vida da comunidade de que fazemos parte [...] é o que nos enriquece e questiona. Naturalmente não fomos nós, irmãs de São José, que criamos este tipo de comunidade, que forjamos esta maneira de viver ou que intelectualizamos um modelo e o aplicamos aqui. De modo algum. O que fizemos foi entrar para esta igreja de olhos e coração abertos para a rea-

lidade, para o povo que vive aqui, para o trabalho que aqui se faz, para a linha de engajamento de toda a Prelazia... Vimos que a fidelidade a Cristo, ao Evangelho e ao povo nos obrigava a nos despojar de nossos esquemas tradicionais de vida de comunidade [...] Não foi fácil este despojamento [...] Há sempre riscos. Mais que isso, havia a novidade, era a primeira experiência dentro da Província.

Este estilo de vida se tornou norma para as irmãs de qualquer Congregação que viessem para a Prelazia.

Tensão e angústia

O início dos anos 1980 marcou uma nova fase na vida das irmãs de São José. A direção da província sentia que as irmãs, em sua caminhada, se identificavam mais com a prelazia do que com a própria congregação. O Vaticano declarava o fim das experiências pós-Concílio Vaticano II e exigia que as religiosas vivessem em comunidades próprias.

Foram momentos difíceis. Como havia dificuldades para recompor as comunidades próprias das irmãs, a congregação, em 1984, comunicou que encerrava sua participação na vida desta igreja.

A irmã Irene, a tia, pediu licença especial para viver fora de uma comunidade de irmãs e permaneceu em São Félix.

Essa persistência fez com que os laços da Prelazia com a congregação não fossem totalmente rompidos.

A partir de 1987, houve troca de correspondências e visitas e, em junho de 1992, a congregação voltou à Prelazia, assumindo o trabalho pastoral no novo município de Alto Boa Vista. A irmã Irene, a tia, passou a fazer parte desta nova equipe, mas continuou morando e atuando em São Félix. A Prelazia também se mostrou mais compreensiva às exigências de vida comunitária própria.

Outras congregações de religiosas

Em 1972, a irmã Beatriz Kruch (Bia), da congregação das Irmãs da Divina Providência de Ribeauvillé, sendo enfermeira, esteve durante alguns meses em Santa Terezinha para ajudar no atendimento à saúde dos posseiros que estavam escondidos na mata, perseguidos pela polícia. Ao voltar para Goiânia, onde residia, comentou o que viu e sentiu com sua companheira, irmã Madalena Hauser (Mada). Elas chegaram à conclusão que sua presença seria mais necessária na região da Prelazia de São Félix, ao invés da capital onde viviam. Em janeiro de 1973, elas se mudaram para Ribeirão Bonito, hoje Ribeirão Cascalheira. Fizeram parte da primeira equipe pastoral permanente lá criada e ali permaneceram até o final de 1980, quando assumiram missão no Bico do Papagaio, em Goiás, hoje Tocantins. Outras irmãs da congregação viveram algum tempo na Prelazia.

De 1978 a 1980, uma irmã da congregação das Irmãs Carmelitas de Vedruna, Dalila dos Santos, fez parte da equipe em São Félix do Araguaia.

Em 1983, outra congregação religiosa decidiu se incorporar à Prelazia de São Félix. Era a congregação das Irmãs de São José de Rochester. Irmãs Jeane Bellini e Suzana Wills foram as duas primeiras que chegaram. Jeane fez parte da equipe de Santa Terezinha e Suzana da primeira equipe que, naquele ano, se constituiu em Vila Rica.[22] Diversas outras irmãs da congregação também atuaram na Prelazia nos anos seguintes.[23]

No ano seguinte, 1984, as irmãs da Congregação do Bom Pastor se integraram à equipe de Santa Terezinha. Irmã Maria Geralda Resende foi a primeira.[24]

Em 1995, quando a Prelazia completou 25 anos de existência, se levantou que, neste período, 15 irmãs haviam integrado a equipe pastoral. O *Alvorada* registrou: "Hoje, em nossa Igreja, há pluralida-

---

22 Irmã Suzana, em 1985, passou a fazer parte da equipe indigenista junto aos Karajá em Luciara convivendo com os leigos e leigas que lá atuavam.

23 Além das irmãs citadas, outras tiveram atuação em diversos lugares da prelazia: Marlena Roeger, Joana Mendes, Maura Finn, Dolores Turner e as postulantes Maria Jose Monteiro e Elizabete Gama.

24 A ela se juntou, em 1985, irmã Célia Dornelas que ficou poucos meses.

de de formas de vida comunitária. Há ainda comunidades mistas de irmãs, padres e leigos; outras são formadas só por irmãs da mesma congregação e outras ainda por irmãs de Congregações diferentes".

Como já não se podia contar com um número significativo de leigos, como nos primeiros anos, e como o número de comunidades cresciam, a Prelazia apelou a congregações de religiosas e religiosos para participarem da caminhada desta Igreja.

As irmãs Dorilda Ribeiro e Erika Czermak, da congregação das Irmãs Escolares de Nossa Senhora, em 1995, começaram seu trabalho em Ribeirão Cascalheira no momento em que não havia padre, nem equipe lá.

Em 1996, as irmãs da congregação das Missionárias de Jesus Crucificado se incorporaram à Prelazia. A primeira comunidade, em Porto Alegre do Norte, foi formada pelas irmãs Marina Célia Vasconcelos e Ernestina Turíbio Sousa. Em 1997, a comunidade se mudou para Confresa.

Em 2003, as Irmãs Missionárias Capuchinhas de São Francisco de Assis do Brasil assumiram acompanhar o Assentamento Coutinho União, em Querência.[25]

A partir de 2006, em Luciara, se constituiu uma comunidade de religiosas, formada por irmãs de congregações diferentes[26], para acompanhar os Karajá da aldeia a São Domingos, os Kanela do Araguaia[27] e os Krenak Maxacali. [28]

---

25 As irmãs que integraram esta comunidade eram: Ir. Núbia Maria da Silva, Ir. Maria José de Sousa Cruz e Ir. Elismar Vieira de Sousa

26 Fizeran parte desta equipe intercongregacional em 2006: Irmã Olímpia Soares, Missionária de Santo Antônio Maria Claret e irmã Osmarina Passaúra, das Irmãs Escolares de Nossa Senhora. No ano seguinte a elas se juntaram as irmãs capuchinhas Maria José de Sousa Cruz e Elismar Vieira de Sousa. Ao mesmo tempo, irmã Osmarina e irmã Guadalupe Dália Diaz Lemos, Oblata do Coração de Jesus, iniciaram, em Santa Terezinha, MT, atividades da Pastoral da Criança junto aos Karajá de Macaúba, na Ilha do Bananal.

27 Kanela do Araguaia é um povo indígena que chegou à região pelos anos 1940/1950, fugindo da perseguição no Maranhão. Eles viveram misturados ao povo da região escondendo sua identidade com receio de novas perseguições. No final do século passado, primeiros anos do novo século foram assumindo sua identidade e se reagrupando e lutando para ter um território onde pudessem reproduzir cultura e costumes kanela.

28 O povo Krenak é um povo indígena de Minas Gerais que sofreu invasão de seu território e múltiplas agressões. Por isso, em 1953, o Serviço de Proteção ao Índio, SPI, trans-

Em 2007, outra congregação passou a atuar na Prelazia: as Irmãs Franciscanas de Sussen.[29]

Um relatório de 2010 informava que, em 2009, atuavam as seguintes congregações femininas na Prelazia: Irmãs de São José de Chambery (3 irmãs, 2 em Alto Boa Vista e uma em São Félix do Araguaia); Irmãs Escolares de Nossa Senhora (4 irmãs, 2 em Ribeirão Cascalheira e 2 em São Félix do Araguaia); Irmãs Franciscanas de Dillingen (2 irmãs em Bom Jesus do Araguaia); Irmãs Franciscanas de Süssen (2 irmãs, em Querência – Assentamento Coutinho União); Irmãs Missionárias de Jesus Crucificado (3 irmãs em Confresa); Irmãs de Jesus na Eucaristia (2 irmãs em Vila Rica); Irmãs Claretianas (4 irmãs, três em São José do Xingu e uma em Luciara); Irmãs Oblatas do Coração de Jesus (uma irmã em Santa Terezinha); Fraternidade das Irmãzinhas de Jesus (3 irmãs na aldeia Urubu Branco); Irmãs Missionárias Capuchinhas (2 irmãs em Luciara); e Irmãs Franciscanas de São José (3 irmãs em Porto Alegre do Norte).

A página da Prelazia de São Félix na *internet*, em 2018, registrava a presença de 14 irmãs, das seguintes congregações: Fraternidade das Irmãzinhas de Jesus; Congregação das Missionárias da Imaculada Rainha da Paz; Irmãs Franciscanas de Süssen; Irmãs Franciscanas de São José; Irmãs Escolares de Nossa Senhora; Imãs de São José de Chambery; Franciscanas Filhas da Divina Providência; Claretianas e Capuchinhas.

---

feriu este povo para junto dos Maxacali, no Norte de Minas. Ali a convivência não foi fácil de tal sorte que o SPI acabou levando grupos de Krenak para outras regiões. Uns 100 deles foram levados para a Ilha do Bananal. A maior parte não se adaptou e voltou para Minas Gerais, mas uma grande família resolveu ficar. Os Krenak moraram um tempo em São Félix sempre buscando uma terra onde viver. Com o apoio do bispo Pedro e do CIMI, eles conseguiram que a Funai lhes destinasse, em 2005, uma área que se chamou Reserva Indígena Krenrehé, parte no município de Canabarava do Norte e outra no de Luciara. Por terem vivido um tempo com os Maxalai ficaram conhecidos como Krenak Maxacali.

29 Faziam parte da comunidade que foi trabalhar no Assentamento Coutinho União, no município de Querência, as irmãs Tereza Rozante, Odete Aparecida dos Santos e Maria Salete Zembrani.

Nos anos mais recentes

Nos últimos anos da década de 2010, outras congregações assumiram trabalhos na Prelazia.

Na Vila Planalto, entroncamento da BR-158 com a MT-433 (antiga 080), constituiu-se uma comunidade intercongregacional de irmãs com a missão prioritária de acompanhar os povos indígenas, de modo particular os Xavante de Marãiwatsédé.[30]

As Irmãs Mensageiras do Amor Divino estabeleceram uma comunidade em Vila Rica, as Irmãs Carmelitas de Vedruna se estabeleceram em São Félix do Araguaia e o Instituto das Irmãs Missionárias da Sagrada Família, em Santo Antônio do Fontoura, no município de São José do Xingu.[31]

Busca de um compromisso real com os pobres

Outras irmãs que se desligaram de suas congregações por quererem uma renovação de suas instituições no espírito do Concílio Vaticano II e um compromisso maior com os pobres também foram acolhidas pela Prelazia e tiveram intensa atuação pastoral.

Jovens irmãs que se desligaram da congregação das Irmãzinhas da Imaculada, a partir de 1987, integraram a equipe pastoral de Vila Rica. Eram elas: Inez Grígolo, Marilde Garbin e Edite Tápparo. Outra companheira, Lourdes Toscan, tempos depois, também passou a atuar na Prelazia.

No mesmo ano, as irmãs Mercedes de Budallés Diez e Salete Barbosa fizeram parte da equipe pastoral da Vila Santo Antônio, no município de São Félix do Araguaia, onde ficaram até 1994. Elas faziam parte da Fraternidade Maria de Nazaré, constituída por irmãs egressas de congregações diferentes.

Outro grupo foi formado pelas irmãs Iara Falcão de Almeida, Creusa Salette de Oliveira e Maria do Socorro Pinheiro da Silva, da

---

30 A comunidade foi formada por Irmã Lucilene de Oliveira, das Irmãs do Sagrado Coração de Maria; Irmã Daiana Daniela Lourenço, das Irmãs Franciscanas da Penitência e Irmã Maria de Fátima Ferreira, das irmãs Filhas da Divina Providência.

31 As primeiras irmãs: Francisca Eliane da Costa Pinheiro e Cosma Caldas de Figueiredo.

congregação das Angélicas de São Paulo. Como ex-claustradas[32], desenvolveram seu trabalho, em 1992, na equipe pastoral de Ribeirão Cascalheira. E, de 1995 a 2003, na equipe de São Félix do Araguaia, quando já estavam desligadas da congregação.

---

32 Ex-claustrada: refere-se à condição de religiosos ou religiosas que, por motivos mais diversos, vivem fora da vida comunitária exigida pela congregação, mas que ainda mantém algum vínculo com a mesma.

Padres Integrados na Vida do Povo

Como vimos anteriormente, ao ser criada a Prelazia, em 1969, em São Félix, viviam os missionários claretianos, que haviam chegado no ano anterior. E, desde 1954, o padre Francisco Jentel atuava entre a aldeia Tapirapé e Santa Terezinha (ALVORADA, 1996c). Com ele, colaborava outro padre francês, Henrique Jacquemart.[33]

No restante da região, os padres salesianos desciam o Araguaia para atender as populações existentes, em sistema de desobrigas.

Padres claretianos

Os dois primeiros missionários claretianos, padre Pedro Casaldáliga e irmão Manoel Luzón, chegaram em São Félix em junho de 1968. Já no final do ano chegaram os padres José Maria Garcia Gil e Leopoldo Belmonte Fernandes (Leo) e, em 1969, o padre Pedro Mari Sola Barbarin (Pedrito).

O irmão Manuel Luzón, para melhor servir o povo da região, fez, no Rio de Janeiro, um curso de teologia e foi ordenado padre no dia 7 de agosto de 1971.

Outros padres claretianos, espanhóis, foram se incorporando à equipe pastoral nos primeiros anos: em 1976, padre Máximo Paredes e o padre Salvador Mendoza; mais, tarde o padre Hermann Mayer, este vindo da Alemanha; e o padre Faliero Bonci, que à época da criação da Prelazia era provincial da província claretiana do Brasil Meridional,

---

33 Antes disso, em Santa Terezinha viveu, entre 1933 e 1935, o padre Alexandre Costa. E de 1955 a 1964, o Padre João Chaffarod.

ao encerrar seu mandato, também se incorporou à equipe da Prelazia na segunda metade da década de 1970 até 1980, quando foi novamente eleito provincial.

Quando a Prelazia completou 25 anos, o padre claretiano Cerezo Barredo, também espanhol, conhecido pintor, estava ligado à Prelazia.

Um grupo de padres claretianos, companheiros do bispo Pedro, que formava a equipe de redação da revista *Missión Abierta*, na linha da renovação da Igreja proposta pelo Concílio Vaticano II, e que moravam numa comunidade em Madri, foi expulso da congregação em um longo e doloroso processo. Pedro os acolheu como padres da Prelazia, permitindo que continuassem morando na Espanha.[34]

Em dezembro de 1984, o padre Fernando Cardenal, ministro da Educação da Nicarágua, pediu sua incardinação à Prelazia de São Félix. Era jesuíta e, no começo do ano, fora desligado da Companhia de Jesus, com o argumento de que seus papéis como padre e ministro do governo eram incompatíveis. O bispo e a equipe pastoral concordaram com seu pedido, mas não veio a se concretizar (CASALDÁLIGA, 2005, p. 134).

Padres diocesanos

Vários padres diocesanos também se incorporaram ao trabalho desta igreja (eram diocesanos, os padres franceses de Santa Terezinha). Em 1971, veio, de Campinas (SP), o padre Antônio Canuto para visitar os jovens ex-seminaristas que lecionavam em São Félix e acabou colaborando com a Prelazia.

---

34 Eram eles os padres Secundino Movilla, Evaristo Villar, Benjamín Forcano, Jesús Azilu, José Luis Sierra, Rufino Velasco. Entre eles o padre Benjamin Forcano era também professor de teologia moral em diversas instituições e em 1981 havia publicado o livro Nova Ética Sexual. A Congregação para a Doutrina da Fé do Vaticano apontou que nele havia erros contrários à Doutrina da Igreja e quiseram calar o autor, proibindo que lecionasse, novas edições do livro e exigindo que ele se retratasse e outras punições. Toda a equipe da Revista se solidarizou com ele e por isso, por pressão do Vaticano, foi destituída, em 1988. Eles, porém, continuaram formando comunidade e não aceitaram as imposições do Vaticano, por descabidas e injustas. Receberam o apoio e solidariedade de muitas pessoas da Igreja e do meio acadêmico. Com isso cresceu a pressão do Vaticano exigindo que Congregação os expulsasse. Eles apelaram a todas as instâncias, mas acabaram sendo expulsos. Foi aí que o bispo Pedro os aceitou como padres da prelazia.

Em 1972, Eugênio Cônsoli, que fora irmão leigo claretiano, após deixar a congregação se incorporou ao grupo de ex-seminaristas claretianos de Campinas e, em 1972, foi para o Araguaia e lá em meados deste mesmo ano foi ordenado padre no pequeno núcleo de Santa Cruz, à beira da estrada em direção ao conhecido "Bate Papo". Ele foi apelidado de padre da estrada.

Com a prisão do padre Francisco Jentel, o padre Clélio Boccato veio da França, em 1974, para visitá-lo na prisão, em nome de sua diocese. Decidiu ocupar o lugar que ele deixava. Desenvolveu importante trabalho na região.

Mais tarde, o padre Jesus Pina Crespo, espanhol, a partir de 1978, dedicou 12 anos de sua atividade à comunidade de Porto Alegre do Norte. Também desenvolveram dedicado trabalho pastoral os padres Geraldo Rosânia e Sérgio Fritzen.

Em janeiro de 1992, Samuel de Souza Lyra foi ordenado padre, em Porto Alegre do Norte. Desde 1989 ele fazia parte desta equipe pastoral, tendo vindo à Prelazia após ter concluído o curso de teologia em São Paulo. No ano de 1995, durante a Assembleia do Povo, comemorativa dos 25 anos da Prelazia, foi ordenado o primeiro filho da terra, Franklin Machado.

Naquela ocasião, o padre Ernesto Freitas Barcelos, mineiro, da diocese de Itabira (MG), completava o quadro de padres diocesanos.

Em 2001, o padre Nicola Silvestri, italiano, já residente no Brasil há alguns anos, passou a integrar a equipe pastoral de Porto Alegre do Norte. No ano anterior, estivera durante alguns meses em São Félix.

Em 2007, a Arquidiocese de Curitiba (PR) assumiu a Prelazia de São Félix do Araguaia como Igreja Irmã. E, desde então, tem enviado padres que assumiram atividades pastorais na Prelazia.[35]

Após a posse de dom Adriano, outros padres diocesanos passaram a atuar na Prelazia.[36]

---

35 Os primeiros padres de Curitiba foram os padres Manuel Messias Vilela, em Ribeirão Cascalheira e Tadeu Camilo, em São José do Xingu. Em 2009, o padre Marcondes Martins Barbosa assumiu Ribeirão Cascalheira e depois a administração da Prelazia.

36 Em 2013, se somaram à equipe pastoral da Prelazia: os padres Damiano Raspo, Carlo Pellegrino e Aldo Busso. italianos da diocese de Cuneo, Itália; os padres Ângelo Altair de Oliveira e José Joles Glufka, da diocese de Guarapuava, Paraná, e o padre Paulo Adolfo

Outros padres religiosos

Desde 1981, a Prelazia passou a contar com a valiosa contribuição dos padres da Ordem de Santo Agostinho, os agostinianos. Era a primeira congregação masculina que se integrava à Prelazia, depois da congregação dos padres claretianos. Os padres Paulo Gabriel Lopes Blanco e Valeriano Martin Casillas foram os primeiros.[37] Os agostinianos deram um suporte valioso ao trabalho pastoral da Prelazia.

Os padres Laudemiro Borges (Mirim) e Divino Alves da Silva, da congregação dos Padres Estigmatinos, em 1988, assumiram o trabalho em Vila Rica.[38]

Padres de outras congregações religiosas dedicaram algum tempo a esta igreja: Francisco Carlos Machado (Chico), redentorista, e José Ailton Figueiredo, do Instituo de Comunhão e Participação.

A partir de 1999, a Prelazia passou a contar com a participação da Congregação do Santíssimo Redentor (Missionários Redentoristas). Naquele ano, os padres Geraldo Magela Ribeiro e José Pereira de Souza iniciaram o acompanhamento às comunidades de Confresa e o padre Antônio Carlos de Oliveira e o irmão Sebastião Antônio de Camargos, as de Vila Rica. Ao longo dos anos, muitos outros missionários redentoristas exerceram funções pastorais na Prelazia.

Em 2006, os frades franciscanos assumiram o atendimento pastoral no município de Querência. Os freis Dario Taffarel, Tarcísio Theis e Dionisio Ricieri Morás foram os primeiros.

Além dos já citados, alguns outros padres contribuíram em alguns momentos para o trabalho sem vínculo maior ou mais prolongado com a Prelazia.

Simões, da diocese de Pouso Alegre (MG). A diocese de Guarapuava continuou presente enviando outros padres, em substituição aos primeiros. Entre 2017 a 2019, padre Sebastião Gonçalves da Silva, da Diocese de Patos (PB), também exerceu, seu ministério na prelazia.

37 Os agostinianos desenvolveram e ainda desenvolvem atividades pastorais na Prelazia de suma relevância. Atuaran na prelazia os padres Paulo dos Santos Gonçalves (Paulinho), Félix Valenzuela Cervera, Francisco Morales, Santo Canale, José de Jesus Saraiva, Dionísio do Carmo Silva e Ivo Cardoso da Silva,

38 Outros padres estigmatinos, Narciso Jordão e Divino Roberto Ferreira, também exerceram seu ministério na prelazia.

Segundo relatório de 2010, atuavam, em 2009, na Prelazia, 18 padres, sendo 13 deles religiosos, 7 redentoristas (3 em Vila Rica, 3 em Confresa e um em São José do Xingu), 3 franciscanos (em Querência) e 3 agostinianos, (2 em São Félix do Araguaia e um em Santa Terezinha).

Já no ano seguinte, em 2010, os padres continuavam sendo 18. Nove eram diocesanos: três eram incardinados à Prelazia e lá residiam; outros três pertenciam à Prelazia, mas ali não residiam por motivos diversos; outros três viviam na Prelazia, mas um pertencia à Diocese de Imola (Itália) e outros dois à Arquidiocese de Curitiba. Outros nove padres eram religiosos; cinco redentoristas, um franciscano e três agostinianos.

A página da Prelazia na *internet* informava que, em 2018, atuavam lá 21 padres, sendo nove diocesanos e 12 religiosos. Entre os padres diocesanos, dois eram da Prelazia de São Félix; dois da Diocese de Guarapuava (PR); dois da Arquidiocese de Curitiba (PR); e três de diferentes dioceses da Itália. Entre os religiosos, dois eram da Ordem dos Frades Menores (franciscanos), três frades eram agostinianos e sete eram redentoristas.

O relatório quinquenal, de 2013 a 2018, enviado ao Vaticano, indicava que, além dos padres residentes na Prelazia, um dos padres diocesanos de lá assumira encargos fora, na CPT nacional, e três outros estavam em licença, por motivos vários.

Em 2019, dois participantes da Escola de Teologia foram ordenados padres: Luiz Claudio Silva e Marco Antônio Gallo. Anteriormente, fora ordenado André Ricardo, que também passara pela Escola de Teologia.

Três diáconos permanentes eram incardinados à Prelazia.

A Casa da Equipe Pastoral em São Félix

A primeira casa onde os missionários claretianos viveram era uma casinha à beira do Araguaia, próxima à igreja que lá existia.

Com a vinda de novos missionários e, sobretudo, com a incorporação à equipe de jovens missionários leigos que assumiram as aulas no Ginásio Estadual do Araguaia, era preciso um espaço maior para acolher a todos. Então, em um terreno, também, à beira do Araguaia foi construída uma casa ampla e espaçosa que acolhia a todos. O padre Pedro Mari Sola, o Pedrito, um excelente mestre de obras, foi quem planejou e construiu esta casa, um pouco a contragosto do bispo.

Com a certeza de que um grupo de irmãs viria a São Félix, foi construída casa para elas, também na rua à beira do rio.

Quando elas chegaram, em 1971, a primeira moradia da equipe missionária passou a funcionar como Ambulatório de Saúde.

Quando, em 1976, São Félix se emancipou, onde se instalaria na nova prefeitura? A casa que poderia acolher a administração municipal era a dos padres. E assim aconteceu.

No ano anterior, 1975, fora inaugurada a nova Catedral, ao pé do morro, pois a igrejinha da beira do rio tivera que ser demolida por correr o risco de ruir.

Com a cessão da casa para sede da prefeitura, era preciso construir outra. Em um terreno ao lado da Catedral, foi então construída uma outra casa para a equipe pastoral, também ampla e espaçosa. De novo, a contragosto do bispo Pedro. Já que a mudança iria ocorrer, na reunião da equipe pastoral de 7 a 12 de dezembro de 1977, ele manifestou seu desejo de ir morar com uma família pobre. Assim, ele registrou no seu diário de 20 de dezembro de 1977: "Eu manifestei meu desejo de ir viver com uma família pobre. Responderam-me com restrições e exigências novas que agradeço. Tive que ceder outra vez, para o bem da caminhada comunitária" (CASALDÁLIGA, 1983, p. 12).

E aconteceu que, em 1982, o município de São Félix do Araguaia foi elevado à categoria de comarca. Outra vez a questão: onde instalar o fórum desta nova comarca? De novo, era casa dos padres a que oferecia as melhores condições para tal. Novamente, a casa foi cedida e, desta vez, o desejo do bispo de viver em uma casa simples se concretizou. A equipe pastoral passou a viver em uma casa pobre, coberta de telhas de amianto e com paredes sem reboco. Era a nova sede da Prelazia.[39]

Dom Leonardo Ulrich Steiner, sucessor do bispo Pedro, com ele dividiu o espaço, mas já se foi pensando um outro lugar para moradia do bispo.

Quando, em 2012, dom Adriano assumiu a Prelazia, sua casa de moradia foi uma casa ao lado da Catedral, onde também funcionava a secretaria paroquial. Posteriormente, ele foi transferindo residência e os serviços da Prelazia para Porto Alegre do Norte, mais ao centro da região, cortado pela BR-158.

---

39 Ainda em 2020, o bispo Pedro lá morava, acompanhado por frades agostinianos.

Mulheres que Marcaram a Caminhada

A Prelazia não seria o que foi e é se não fosse a presença e a atuação das mulheres. De muitas mulheres, essenciais, sobretudo, no trabalho de assistência e organização do povo em torno à educação e à saúde.

Em diversas equipes pastorais, algumas mulheres é que davam o tom.

Duas mulheres, porém, deixaram marcas indeléveis na caminhada da Prelazia que cabe aqui registrar.

Irmãzinha Genoveva de Jesus

Entre as Irmãzinhas de Jesus que chegaram em 1952 para acompanhar o povo Tapirapé em vias de extinção, bem antes de se sonhar com a Prelazia de São Félix, estava Genoveva.

As irmãzinhas desenvolveram um trabalho revolucionário de atenção ao povo Tapirapé, que mereceu o respeito de antropólogos e de outros cientistas sociais. Sua forma de ação foi decisiva para uma guinada na pastoral indigenista da Igreja Católica, que desembocou no Conselho Indigenista Missionário (CIMI).

Genoveva, mulher forte e determinada, enfrentava com disposição os serviços da roça, bem como da construção de suas casas. Ela foi um braço forte no apoio à luta dos indígenas na defesa e conquista de sua terra.

Mais para o final de sua vida, sofreu os dissabores de ter que enfrentar decisões de companheiras da congregação que queriam fechar a Fraternidade Tapirapé, pois as irmãs que lá atuavam estavam avançadas em idade e não havia irmãs para as apoiar e substituir.

Com muita fé e determinação, conseguiu concluir seus dias entre os Tapirapé, que escolhera como seu povo.

Em 24 setembro de 2013, com 90 anos de idade, 61 deles junto ao povo Tapirapé, encerrou sua carreira. Foi sepultada na aldeia, na casa onde morava com a irmãzinha Odila, segundo o costume e o ritual Tapirapé.

Foi uma vida inteira de dedicação a um povo, uma vida de fidelidade ao Evangelho de Jesus, uma coerência a toda prova.

Irmã Irene Franceschini

Outra mulher que deixou rastros profundos na história da Prelazia foi a irmã Irene Maria Paula Franceschini, da congregação das Irmãs de São José de Chambery. Ela era do primeiro grupo de irmãs que chegou a São Félix do Araguaia, em 1971. Foi secretária do Ginásio Estadual do Araguaia (GEA), e se tornou a pessoa mais próxima do bispo Pedro, que dava sustentação, de forma discreta, mas firme, a tudo o que acontecia na equipe de São Félix. Todos a chamavam de tia e, na verdade, ela se tornou tia de todos. Foi praticamente a secretária da Prelazia. Anotava tudo, lembrava-se dos aniversários de cada um do grupo de agentes. Era ela quem acolhia, na casa do bispo, os que por lá passavam e ninguém de lá saía para viagens sem levar o lanche que ela preparava.

Mas o que talvez tenha sido sua herança mais preciosa foi o arquivo da Prelazia que ela organizou com esmero. Nada que chegava às suas mãos era descartado. Tudo era colocado no lugar certo. O arquivo da Prelazia de São Félix se tornou a fonte mais rica para se conhecer a história da região.

Quando a congregação resolveu encerrar sus atividades na Prelazia, ela não teve dúvidas. Pediu licença para desvincular-se temporariamente da instituição e se manteve atuante na equipe pastoral de São Félix. Sua persistência e tenacidade foram essenciais para o retorno de irmãs da congregação de São José de Chambery para a Prelazia.

Com 89 anos de vida, 30 dos quais vividos ao lado do bispo Pedro Casaldáliga em São Félix do Araguaia, no dia 13 de novembro de 2008, irmã Irene completou seus dias.

Conservar a memória

O trabalho e a presença das mulheres nas equipes pastorais da Prelazia merecem uma atenção maior e um registro detalhado de sua passagem pela região. Por isso, aqui fica o desafio para que a memória destas mulheres não se perca. Precisa ser escrita, não só a história das mulheres que fizeram parte das equipes pastorais da Prelazia de São Félix do Araguaia, mas também de mulheres do povo que se destacaram por sua liderança e combatividade nas comunidades.

Nem Tudo São Flores

As equipes pastorais, nos primeiros tempos, tinham uma sintonia e afinidade muito grandes. Tudo era discutido e decidido com a participação de todos. Tudo era partilhado.

Mas, como em qualquer agrupamento humano, divergências e até confrontos não deixavam de existir.

O padre Francisco Jentel, que, desde 1954, estava na região pela Prelazia de Conceição do Araguaia, com a criação da Prelazia de São Félix, passou a fazer parte desta. Ele tinha desenvolvido uma trajetória própria com viés desenvolvimentista. Foi ele quem introduziu na região o primeiro trator de pneus, o primeiro trator de esteiras e a primeira máquina de beneficiar arroz.

Na reunião da equipe pastoral, em dezembro de 1972, em que se definiram os objetivos e as linhas de ação pastoral da Prelazia, ele não concordou com o que se aprovava. Rasgou, em plena reunião, o rascunho dos Objetivos da Prelazia que estavam em debate.

Ele também havia se acostumado a apelar, quase sempre sem sucesso, às autoridades em todos os momentos em que havia algum acirramento do conflito da fazenda Codeara com os posseiros. No início de 1972, quando a empresa destruiu a obra de um ambulatório de saúde que a missão levantava, mais uma vez queria que o bispo Pedro apelasse a elas.

O bispo escreveu:

> eu me neguei redondamente a ulteriores infrutíferos recursos às autoridades. Tínhamos enviado uma reclamação ao Juiz de Direito de Barra do Garças e isto (embora inútil) bastava. O padre Francisco, sempre legalista, sentiu-se violentado. Eu deixei que ele optasse. Finalmente concordou em voltar a Santa Tere-

263

zinha para retomar as obras do ambulatório (CASALDÁLIGA, 1978, p. 53-4).

Enquanto Jentel estava preso em Campo Grande, condenado a 10 anos de prisão, corria no Superior Tribunal Militar a apelação feita em seu favor. Era interesse dos militares que ele saísse "espontaneamente" do país. A embaixada da França e a Nunciatura Apostólica prestaram-se a este jogo e o convenceram a deixar o país imediatamente após o julgamento, no qual foi absolvido por unanimidade. Ele aceitou as regras do jogo. Logo depois de absolvido, voltou para a França. Em nenhum momento, consultou o bispo ou a equipe da Prelazia sobre que posição tomar. Ele tinha certeza que a Prelazia pensava diferente dele.

O mesmo aconteceu quando resolveu retornar ao Brasil sonhando voltar à sua Santa Terezinha. Montou um esquema próprio: desembarcar em Brasília, procurar em seguida o presidente da CNBB, em Fortaleza, para só depois voltar à região. Não procurou saber a opinião do bispo Pedro e da equipe pastoral. Aliás, o bispo e a equipe só tomaram conhecimento do seu retorno quando já estava no Brasil. Logo, foi preso e expulso.

O bispo sofria críticas

O próprio bispo, algumas vezes, foi alvo de críticas públicas por parte da equipe pastoral. Ele era criticado sobretudo pela atenção que dispensava aos jornalistas que pela Prelazia passavam. Como ele era um jornalista nato, reconhecia a importância deles para a opinião pública. Em uma reunião, levantaram-se questionamentos sobre o que era considerado exagerado nesta atenção. Questionava-se também que o foco dos jornalistas era somente o bispo, não o trabalho dos demais agentes que atuavam na Prelazia.

Ele mesmo também sentia isso. Assim, registrou em seu diário, no dia 28 de setembro de 1978: "Chegou ontem um jornalista do New York Times e de algumas revistas para entrevistar-me. Cansa-me um pouco este tipo de encontros, repetidos, mas é preciso ser serviçal. A opinião pública é um direito da humanidade e, por isso mesmo, um dever de todos, também meu. Um dever missionário da Igreja. O Evangelho é um anúncio sobre os telhados" (CASALDÁLIGA, 1983, p. 20).

Uma outra crítica levantada era a de que a equipe de São Félix, pela proximidade com o bispo e por lá chegarem a maior parte das informações, acabava assumindo, na prática, a função de uma equipe central. Com isso, não haveria uma verdadeira igualdade entre as equipes.

O bispo Pedro tinha um raciocínio rápido e seguro quando o que estava em jogo eram conflitos sociais que afrontavam a pessoa e os direitos dos pequenos. Mas, quando o que estava em jogo eram conflitos internos da Prelazia e conflitos pessoais, sua resposta não era a mesma. Por isto, também era criticado. Era uma percepção que ele também tinha. Escreveu eu seu diário no dia 23 de fevereiro de 1979:

> Estou preocupado por algumas tensões e vários problemas na Prelazia. O povo, a equipe, nossa pastoral, minhas atitudes de bispo. E a Igreja do país ou a Igreja, mais em geral. Espero que seja 'solicitudo' eclesial e não uma neurose apostólica [...] Há dias que pesam sobre a gente. Problemas nacionais que a CPT enfrenta. Problemas internos da Prelazia. O cansaço e a desorientação de alguns companheiros. Atitudes relutantes e reacionárias de nossa mãe Igreja (CASALDÁLIGA, 2005, p. 25, 95).

O bispo Pedro, porém, sempre foi muito coerente. Aceitava as críticas mesmo não gostando ou não entendendo bem o que se queria dizer. Diversas vezes sua opinião foi derrotada nas votações. Mesmo a contragosto, assumia e defendida o que fora votado, e afirmava: "nós decidimos". Um espírito democrático muito arraigado.

Outras situações

Também mereciam severas críticas algumas atitudes de agentes de pastoral que não se coadunavam com a pobreza defendida, ou que mantinham relacionamentos com pessoas que eram consideradas sem confiança. Também sofriam críticas, em algumas equipes, algumas posturas autoritárias de alguém do grupo.

Uma fonte de atritos nas equipes residia em diferenças metodológicas. Alguns alicerçavam sua ação no "fazer para", quando a linha comum era a de "fazer com". Sempre procurar que o povo faça e que a equipe faça junto.

Pelo menos em um caso, houve divergência por questões ideológicas. A equipe era formada basicamente por pessoas de formação religiosa, padres, irmãs, ex-seminaristas e ex-religiosos. Mas formavam também parte da equipe outras pessoas que não tinham uma fé explícita, mas que se identificavam totalmente com a Prelazia nas suas ações. Uma das equipes locais deixou de participar das reuniões, alegando que estas eram dominadas por um grupo de "comunistas".

Apesar de se tentar uma igualdade profunda entre todos, muitas críticas surgiram por parte de mulheres da equipe que viviam e sentiam o centralismo em torno da figura masculina, sobretudo dos padres.

A realidade mudou

A radicalidade dos primeiros tempos, já mais para o final do ministério do bispo Pedro, não era a mesma. A realidade sofrera mudanças drásticas e à equipe foram sendo incorporadas pessoas que não viveram aquele período mais crítico. Já não havia pessoas disponíveis para o trabalho na região como nos primeiros anos. Para garantir um mínimo de atendimento pastoral às comunidades, houve a necessidade de apelar para congregações religiosas. Com isso, mudou o perfil do grupo. Nem sempre a congregação tinha uma forma de trabalho igual à da Prelazia. As pessoas se dispunham para o trabalho, num campo tão diferente, por dois ou três anos. Com isso, passou a acontecer uma rotatividade muito grande de agentes que, ao começar a entender este novo campo de trabalho, já se mudavam. A lista das congregações religiosas atuando na Prelazia variava muito de relatório em relatório, como ficou registrado anteriormente. Boa parte dos novos agentes não conheciam a história vivida, e alguns não se preocupavam em conhecê-la.

E foi havendo concessões tanto em relação à vida comunitária quanto ao estilo de vida pobre assumido nos primeiros anos. As casas das equipes que sempre eram totalmente abertas ao povo, passaram a exigir maior privacidade.

O econômico também faz a diferença

A radicalidade dos primeiros tempos era possível porque as equipes pastorais eram mantidas pela Prelazia, com doações de entidades solidárias de cooperação internacional e ajuda de amigos. Não dependiam da contribuição das comunidades.

Mas isto precisava mudar. Era necessário que as comunidades mantivessem seus agentes. E as comunidades eram formadas por pessoas de ideologias diversas. Como conseguir o apoio das comunidades se boa parte, sobretudo os melhor aquinhoados economicamente, não comungava com a pregação da Prelazia?

Ao mesmo tempo, com a chegada de muitas pessoas de muitos lugares diferentes, sobretudo do Sul, foram chegando também movimentos eclesiais diferentes. Não era possível fechar as portas para eles.

Manual da Prelazia de São Félix do Araguaia

As mudanças que ocorriam foram obrigando também a Prelazia a ir revendo seu modo de atuar. Por isso, em 2001, foram elaborados os novos objetivos da Prelazia e definidas as prioridades de ação.

Objetivo
Levar a Boa Nova do Evangelho, com alegria, jeito humilde e Paixão.

- Sendo presença evangélica e testemunho profético à Sociedade, sempre a partir dos pobres e excluídos;
- Lutando pela justiça, nos direitos humanos, na política, no Sindicato, no movimento popular, em busca de uma sociedade mais igualitária e solidária.
- Acolhendo e valorizando as diferentes culturas da região.
- Formando comunidades participativas e organizadas.
- Promovendo a vida de todas as pessoas.
- Para acolher e construir o Reino de Deus, já aqui na terra, na esperança do Reino definitivo.

Definiram-se três prioridades: "1ª – Formação; 2ª – Autonomia em pessoal e em economia; e 3ª – Pastoral sociopolítica".

Com a definição destas prioridades, a Prelazia propunha-se formar agentes de pastoral do próprio povo da região e não ficar dependendo sempre de gente de fora, assim como o trabalho pastoral ser assumido e mantido pelas comunidades. Para isso, se definia como necessária a implantação do dízimo e outras formas de garantir a manutenção das equipes de pastoral e os trabalhos.

Estes objetivos, atividades e normas pastorais foram publicadas em um livreto que se intitulou de Manual.

Este Manual passou por revisão e atualização em 2017.

Prelazia na Diáspora

Associação Araguaia com o bispo Pedro

Em 1989, criou-se, na Catalunha, Espanha, uma associação que se chamou Araguaia amb el Bisbe Pedro (Araguaia com o bispo Pedro).

Esta associação foi criada quando se ventilava o nome do bispo Pedro para receber o prêmio Nobel da Paz, para o ano de 1992. Neste ano, quem recebeu o prêmio foi a indígena Rigoberta Menchú. Os membros da associação, com este prêmio, consideraram que as causas que eles defendiam, ao ser premiada a indígena, tinham sido levadas em consideração.

A associação continuou e tem como objetivo difundir as causas, a figura e as obras do bispo Pedro Casaldáliga.

Para atingir estes objetivos, promove atividades, organiza atos, publica circulares e colabora quando solicitada com outras entidades.

É um grupo de apoio à Prelazia de São Félix do Araguaia. Entre muitas outras atividades, todos os anos realiza um grande encontro de três dias de seus associados, para o qual convidam, quase sempre do Brasil, um assessor para falar sobre o tema escolhido que coincide com o da Agenda Latino-Americana e Mundial.

Os 'preláticos' ou os cabras da Prelazia

Antigos agentes da Prelazia espalhados em diversos cantos do Brasil têm se encontrado, alimentando os laços que os uniram no trabalho realizado no Araguaia.

O primeiro destes encontros se realizou em 2003, o segundo no ano seguinte e, depois de muitos anos, no ano de 2016, o grupo se reuniu novamente, assim como nos anos seguintes.

É um grupo em que, de alguma forma, todos se sentem irmãos, manifestado nos calorosos abraços no reencontro de antigos companheiros. O laço comum que gera esta fraternidade é a Prelazia de São Félix do Araguaia. O grupo pretende manter viva a memória da Prelazia e o legado do bispo Pedro. Manter viva a memória de momentos intensos de perseguição, como também de momentos de encontros, de muitas alegrias e vitórias, bem como dos sonhos que coletivamente se buscavam.

É a Prelazia viva na diáspora.

QUARTA PARTE

AÇÕES DA
EQUIPE PASTORAL

Alvorada – Comunicação a Serviço da Vida

A equipe pastoral da Prelazia de São Félix abrangia um leque bastante diverso de atividades, todas elas consideradas como ações pastorais. Todas tinham como objetivo despertar entre o povo, sobretudo entre os mais excluídos, a consciência de sua dignidade e de seu valor por todos serem filhos do mesmo Pai, com igualdade de direitos.

Desta forma, eram consideradas ações pastorais as ligadas diretamente à educação, à saúde, à cultura e chegando às diretamente ligadas ao campo político institucional.

Para dar suporte a todas estas ações, já em 1970, passou a ser publicada uma folha, um jornalzinho, em que se registravam os principais acontecimentos da região. Era a primeira publicação de todo o Araguaia mato-grossense.

Quando, em 1995, a Prelazia celebrou os 25 anos de sua instalação, a página Retalhos de Nossa História do *Alvorada*, publicou a seguinte matéria:

25 Anos a serviço do povo

> *Alvorada*, o Boletim de nossa Prelazia, completa 25 anos de vida. Nestes 25 anos tem sido a voz, quase isolada, que denunciou a violência e as arbitrariedades das autoridades e do latifúndio em nossa região e que estimulou a união entre os trabalhadores.
>
> *Alvorada*, amado por muitos, odiado por outros, ganhou notoriedade nacional, quando número forjado apareceu na tela da 'Globo', tentando incriminar o trabalho de nossa Igreja.
>
> *Alvorada* tem sido matéria de estudo para alguns que se interes-

sam pela imprensa alternativa a serviço dos marginalizados. 'Retalhos' quer resgatar um pouco da história deste nosso jornalzinho.

Correio de amizade

O primeiro número de *Alvorada* – Folha da Prelazia de São Félix, apareceu em janeiro de 1970. Uma folha única, mimeografada. Procurava-se um nome para esta folha, quando chegou de Santa Terezinha, em voadeira, o Pe. Francisco Jentel. A voadeira tinha o sugestivo nome de *Alvorada*. Este foi o nome dado a este primeiro órgão de comunicação que surgia na região.
A abertura do primeiro número identifica a região a ser abrangida pela publicação e seu objetivo.
Nesta hora de desenvolvimento, a folha *Alvorada* visa ser:

- correio de amizade
- programa de renovação
- mensagem de Evangelho.

Uma 'folha' de sol e sereno, nas alegrias de todos, nas comuns necessidades, para o trabalho de melhoramento a que nós estamos chamados.
O restante do primeiro número apresenta o PROGRAMA PASTORAL com as normas e indicações para receber o Batismo, o Matrimônio e a Primeira Comunhão e anunciando a realização das Campanhas Missionárias.
O segundo número tem data – 29/3/70. 'Páscoa'. Traz um pequeno editorial sobre a Páscoa e notícias, as mais diversas, como a ida do padre Pedro Casaldáliga a Goiânia para tratamento, a visita do Secretário de Educação do Município a São Félix, (São Félix era um distrito de Barra do Garças), inauguração do Cine Samira, o anúncio de que Luciara teria motor de luz, alguns casamentos, o funcionamento do Ginásio Estadual do Araguaia etc.
Traz também um pequeno comentário sobre o Batismo e começou a divulgar as partes principais da Encíclica de Paulo VI 'Desenvolvimento dos Povos *(Populorum Progressio)*' que continuou nos seguintes números.
O nº 4 – julho 70 – é especial. Impresso em gráfica, comemora a instalação da Prelazia no dia 25/07/70.
Em 1971, *Alvorada* não tem a mesma regularidade. Só aparece em

abril e outubro, anunciando a ordenação de Pedro, como Bispo. Em 1972 começa nova série, com cara nova. O título é impresso em cor verde. Mas só circulou três vezes. Em 1973, ano da repressão mais violenta, não foi editado nenhuma vez.

A vida continua

A partir de 1974, *Alvorada* volta prá valer. Mensal com algumas poucas folhas.

Assim abre a edição de janeiro/74.

Alvorada na terra e na vida da gente.

Sol quente e chuva brava sobre o Araguaia

O Araguaia traz tudo em seu banzeiro,

basta saber olhar.

O verão seco da perseguição

machucou, doeu e ensinou.

Mas quem tem coragem e Esperança está de pé.

Alvorada vem dizer que a vida continua.

Alvorada é um momento de palestra para nós que fazemos parte do Povo de Deus que se arranchou neste sertão, entre o Araguaia e o Xingu.

Alvorada abria sempre com um comentário sobre o tempo litúrgico, e as notícias falavam da vida e da realidade do povo.

1981. A apresentação de *Alvorada* sofreu grande melhora. Com a aquisição de uma fotocopiadora eletrônica de *stencils*, Introduziram-se várias novidades, como títulos mais destacados, desenhos melhor acabados e alguma foto. A edição de agosto foi especial celebrando os 10 anos de nossa Prelazia. Em 1982, a Secção 'AQUI QUEM ESCREVE É VOCÊ', abriu espaço para participação do povo que colaborou sobretudo com versos.

Em abril de 1984, surgiu Dona Mundica, página de desenhos (quadrinhos) onde Dona Mundica fazia seus comentários sobre o que acontecia na região.

O número de janeiro/fevereiro – 85 foi o último número mimeografado. A partir de então, *Alvorada* passou a ser impresso fora da região e circulava de dois em dois meses.

O número de setembro/outubro – 86 é especial a duas cores, por ocasião da 1ª Romaria dos Mártires da Caminhada. Outro número especial é o de julho/agosto – 90, comemorando os 20 anos da Prelazia.

Objeto de estudo

Alvorada, por mais de uma vez, foi objeto de estudo.

O Chefe do Departamento de Técnicas Jornalísticas do Instituo Metodista de Ensino Superior de São Bernardo do Campo, SP, Ismar de Oliveira Soares, em 1979, publicou um estudo sobre 'OS BOLETINS DIOCESANOS CATÓLICOS COMO VEÍCULO DE COMUNICAÇÃO A SERVIÇO DOS MARGINALIZADOS'.

Entre os 124 boletins diocesanos, editados àquela época, escolheu cinco que se destacavam pela 'preocupação de servir as classes marginalizadas'. Um dos escolhidos foi *Alvorada*, classificado, junto com o Informativo Arquidiocesano de João Pessoa – PB e Caminhar Juntos, de Juazeiro-BA, 'entre os que fazem dos problemas de natureza social seu conteúdo prioritário, chegando a destinar 100% de seu espaço impresso a tais questões'.

Ele diz: *Alvorada* usa uma linguagem simples, traduzindo ao nível do entendimento do povo uma mensagem forte e definida... *Alvorada* denuncia citando o nome de envolvidos, conclama o povo à união e indica pistas de ação comunitária reivindicatória... É interessante notar que em nenhuma das 14 páginas do exemplar examinado, a administração eclesiástica ocupa o lugar do povo, como centro da notícia ou do comentário.

Também uma publicação da Comissão Evangélica Latino-Americana de Educação Cristã (Celadec), do Perú, dedicou a maior parte de seu estudo sobre publicações populares ao *Alvorada*, destacando seu compromisso com as causas do povo.

Muitos anos depois, em 2009, a professora Marluce de Oliveira Machado Scaloppe, da Universidade Federal de Mato Grosso (UFMT), escolheu como objeto de sua dissertação de Mestrado o jornal *Alvorada*. A autora analisou os 40 anos da publicação, mas se deteve mais no período de 1970 a 1984. A dissertação foi apresentada em 2009. Em 2012, o trabalho foi divulgado em forma de livro com o título *Práticas Midiáticas e Cidadania no Araguaia – O jornal Alvorada* (1995a).

Boato e prisão

O número de setembro/outubro de 1985 publicou matéria: 'LUCIARA, um povo envergonhado", comentando o fato de que o

Prefeito, José Liton Luz, depois de ter assassinado o ex-prefeito Sebastião Gomes e seu filho, foi preso, mas poucos dias depois foi posto em liberdade. Dizia *Alvorada*: 'O boato que corre é de que o juiz tinha um cheque de 180 milhões de cruzeiros do Liton'.

O juiz, Manuel Ornellas[1], exigiu que *Alvorada* publicasse retratação o que aconteceu no número seguinte e, apesar disto, o juiz substituto decretou prisão preventiva contra Inez Ethne Gontijo Neiva e Milton Barros, responsáveis pelo *Alvorada*. O Tribunal de Cuiabá, em 18/12/85 concedeu Habeas Corpus aos dois dizendo que a prisão preventiva 'era destituída de fundamento legal'. Em 21/01/86, quando Inez voltou de férias foi presa. As autoridades não tomaram conhecimento do Habeas Corpus. Moradores de São Félix passaram a noite diante da cadeia, cantando e rezando até que Inez fosse libertada (ALVORADA, 1995a).

Alvorada continuou circulando na região, mas outros veículos foram criados, praticamente todos vinculados à classe dominante – jornais impressos, emissoras de rádio, e até canal de televisão, em Confresa.

Alvorada também passou por mudanças e a maior parte de seu espaço foi dedicado a ações internas da igreja. Nos últimos anos, tem se tornado trimestral.

---

1 O juiz Manuel Ornellas foi um dos que ocupou áreas dentro da terra indígena Marãiwatsédé e, por isso, teve determinada pela justiça federal a indisponibilidade de bens no valor de R$1.744.710,00. A decisão foi tomada no dia 17 de janeiro de 2013. O valor bloqueado seria para garantir a recuperação da floresta degradada dentro da terra indígena.

Educação Transformando a História

Como registrado anteriormente, os missionários, ao chegarem a São Félix, se defrontaram com uma série de desafios, sendo, segundo sua avaliação, o mais importante o da educação.

Em 1970, foi criado o Ginásio Estadual do Araguaia (GEA). Jovens universitários de Campinas, ex-seminaristas claretianos e uma catequista se dispuseram a colaborar nesta tarefa da educação.

Logo depois do início das atividades do GEA, ao lado das aulas, um dos professores, Hélio de Souza Reis, se propôs fazer um levantamento sistemático da cidade de São Félix do Araguaia. O questionário básico identificava a origem das famílias, o trabalho e as condições das moradias. Essa pesquisa também incluiu o vocabulário local. Com este trabalho, foram identificadas as palavras-chave para o início de um processo de alfabetização das pessoas adultas, de acordo com a metodologia de Paulo Freire. Logo que se concluiu a pesquisa, teve início o trabalho de alfabetização em São Félix, que foi replicado a partir do ano seguinte nos locais onde se realizavam as Campanhas Missionárias.

Curiosa visita

As atividades do GEA foram violentamente cerceadas pelas forças da repressão militar em 1973.

Mas, no ano seguinte, enquanto se tratava da malária em Goiânia, o bispo recebeu uma curiosa visita de militares, que o consultavam sobre onde seria melhor um campus avançado da USP na região.

Assim, o bispo Pedro registrou em seu diário, no dia 15 de novembro de 1974:

Estou em Goiânia. Depois de sofrer malária, uma *falcíparum*, asfixiante e debilitadora, precisamente em sua fase aguda, no dia 23 de outubro, terceiro aniversário de minha ordenação episcopal...

Durante a doença visitaram-me oito oficiais da Aeronáutica, sumamente respeitosos, pedindo minha opinião sobre onde seria mais adequado situar um campus avançado da USP, se em Luciara, se em Santa Terezinha. Curiosa visita e curiosa inquirição (CASALDÁLIGA, 1978, p. 108).

Como pensar um campus da USP numa região onde não havia nenhuma escola, nem qualquer projeto de escola, em nível do que hoje se denomina ensino médio? E ainda mais, pouco tempo depois que a repressão havia fechado o Ginásio Estadual do Araguaia (GEA) em São Félix, que era dirigido pelos agentes de pastoral da Prelazia? O que aquela visita pretendia saber?

Estou lendo

Em 1976, São Félix se emancipou de Barra do Garças e se tornou município com o nome de São Félix do Araguaia.

A Secretaria de Educação foi ocupada por José Wilson Lopes Pereira, ligado à Prelazia. Como era de se imaginar, a situação das escolas rurais era mais que precária. Alguma pessoa alfabetizada era o professor ou a professora das crianças nas escolas do sertão. Havia necessidade de se promover a formação destes professores.

Em 1978, a partir de uma articulação regional dos educadores ligados à Prelazia de São Félix, criou-se o Curso de Capacitação de Recursos Humanos de Magistério para o 1º Grau. Foi um curso ministrado nas férias para dar uma formação básica aos que atuavam em salas de aula.

Neste processo, constatou-se que o material didático existente estava muito longe da realidade das crianças. Então, surgiu a proposta de se elaborar uma cartilha adequada à realidade da região. Foi desta forma que nasceu a cartilha *Estou Lendo*. Esta cartilha foi elaborada basicamente pelas professoras ligadas à Prelazia e as apresenta como autoras: Dagmar Aparecida Teodoro Gatti, Judite Gonçalves de Albuquerque, Maria Benvinda de Moraes, Suely Barros Jardim e com a assessoria da professora Luiza Júlia Gobbi, especialista em alfabetização do estado de Santa Catarina. À medida em que o material era elaborado ia sendo mimeografado para ser aplicado nas escolas. A cartilha era composta: por um livro de texto, a cartilha propriamente dita; um caderno de exercícios destinado aos alunos da 1ª Série do 1º grau; e um livro do professor.

Posteriormente, o material foi impresso e usado em todas as escolas da região.

Este trabalho foi objeto de análise da professora Alessandra Pereira Carneiro Rodrigues, em sua dissertação de Mestrado na UFMT, Campus de Rondonópolis, defendida em 2012.

Em sua pesquisa, a autora identificou que o material foi usado em "Canabrava, Porto Alegre, Santa Terezinha, Luciara, Cascalheira, Pontinópolis, Santo Antônio, Serra Nova e São Félix do Araguaia, todos em Mato Grosso, [...] assim como foi na Ilha do Bananal, que fica em Goiás[2], e no sul do Pará, em Xinguara e região de Marabá" (CARNEIRO RODRIGUES, 2019, p. 128).

Projeto Inajá

Nas eleições municipais de 1982, agentes de pastoral da Prelazia foram eleitos prefeitos das cidades de São Félix e Santa Terezinha. Em Canarana, ao qual pertencia Ribeirão Cascalheira, foi eleito um candidato muito ligado à equipe pastoral.

Os administradores destes três municípios tinham como preocupação maior a educação. As Secretarias de Educação ficaram ao encargo de representantes do movimento dos professores. Os três municípios buscaram desenvolver um trabalho conjunto, para possibilitar a formação de professores.

Dizem as professoras Maria de Lourdes Jorge de Sousa e Ilma Ferreira Machado, que "Na busca por resolver problemas acerca da habilitação dos professores leigos, que eram maioria na região, aquelas prefeituras, logo em 1984, implantaram o Projeto Logos II, um curso supletivo de 2º grau, organizado em módulos, na modalida-

---

2 Àquela altura a Ilha ainda fazia parte do estado de Goiás. Com a criação do estado do Tocantins passou a pertencer e este novo estado.

de à distância, com profissionalização em magistério, vinculado ao MEC" (SOUZA; MACHADO, 2017, p. 223).

Neste contexto, Porto Alegre do Norte também se emancipou, elegendo ali também um agente pastoral como prefeito.

Mas a proposta do Logos estava muito distante da realidade regional. Em uma perspectiva diferente, foi criado, em 1987, o que se denominou de Projeto INAJÁ. Era um convênio entre as quatro prefeituras populares da região – Canarana, Porto Alegre do Norte, Santa Terezinha e São Félix do Araguaia –a Secretaria Estadual de Educação e a Universidade Estadual de Campinas (UNICAMP) para a formação dos professores em nível de Ensino Médio, Magistério.

A Prelazia deu total apoio a este projeto através de seus agentes ligados à educação e cedeu os espaços físicos para a realização do curso tanto em Santa Terezinha quanto em São Félix.

As aulas aconteciam em Etapas Intensivas realizadas nas férias letivas. E, durante o ano letivo, os cursistas eram acompanhados pela equipe de supervisores do Projeto, na qual se incluíam vários agentes de pastoral da Prelazia.

A metodologia do curso aliava o estudo de autores e pesquisa. A sabedoria popular foi valorizada como conhecimento compatível com o conhecimento acadêmico. Para se formar, os cursistas precisavam elaborar um Trabalho de Conclusão de Curso (TCC), através de pesquisas sobre os problemas enfrentados em suas comunidades.

Foi uma experiência coroada de êxito e que mereceu uma atenção especial de professores e pesquisadores.

Parceladas

Se o Inajá tinha sido tão bem sucedido, por que não ampliar a experiência para o nível superior? Houve, na região, um movimento dos professores e professoras habilitados pelo Projeto Inajá que reivindicaram a continuidade dos estudos e o ingresso no curso superior.

A Universidade do Estado de Mato Grosso (UNEMAT) encampou esta ideia e, em 1992, a experiência foi implantada, pela primeira vez, no Araguaia, na região da Prelazia, com seu apoio e estímulo. Eram cursos superiores oferecidos em tempos de férias escolares, destinados prioritariamente a professores com atuação em sala de aula.

Em 1992, após muitas articulações e disputas políticas, foi aprovado, para a cidade de São Félix do Araguaia, um campus da Universidade do Estado de Mato Grosso (UNEMAT) que, por questões políticas e ideológicas, acabou sendo implantado em outro município, Luciara, da mesma região, e que, de imediato, passou a oferecer 03 cursos de Licenciaturas Plenas, na modalidade Parceladas. A chegada da UNEMAT na região com os cursos na modalidade parceladas garantiu a oportunidade aos educadores, inclusive aos das escolas rurais, de cursar o ensino superior (SOUZA E MACHADO, 2017, p. 225).

A experiência iniciada no Araguaia se espalhou por todo o estado de Mato Grosso e foi copiada por outros estados. O campus de Luciara tem cursos em Vila Rica e Confresa, além dos realizados na sede. E abrange cursos não só os direcionados à Educação Escolar, como também o de Direito e Zootecnia.

Diversos alunos, formados nas Parceladas, são professores e já ocupam postos de direção, em diversos institutos de ensino superior, como no Instituto Federal Mato Grosso (IFMT), no campus de Confresa, e outros mais no Mato Grosso e em outros estados.

Educação entre os Apyãwa – Tapirapé

Um trabalho que se destacou entre as atividades da Prelazia, consideradas como ação pastoral, foi a educação escolar do povo Apyãwa, mais conhecido como Tapirapé (WANPURÃ, 2018).

Como vimos anteriormente, desde 1952, as Irmãzinhas de Jesus partilhavam sua vida com os indígenas. Em 1959, o padre Renée Voillaume, em visita às religiosas, falou "da nossa responsabilidade diante da evolução dos povos primitivos e a obrigação que temos, depois desses anos de presença, de promover o ensino e a educação e para isso vai ser preciso buscar um professor logo", escreveram elas em seu diário (IRMÃZINHAS DE JESUS, 1959).

Foram feitas diversas tentativas de iniciar a educação escolar, mas todas de curta duração.

Com a criação da Prelazia de São Félix, a demanda continuava. Como encontrar alguém que assumisse esta tarefa? As Irmãzinhas solicitaram ao bispo Pedro que enviasse um casal, para que o trabalho educacional tivesse mais chances de continuidade. Em 1972, o casal Eunice Dias de Paula e Luiz Gouvêa de Paula, que viviam no Paraná, e que já tinham trabalhado no Ginásio Estadual do Araguaia, em São Félix, no ano de 1970, foram desafiados a assumir este trabalho. Eunice estava grávida. Mesmo assim, o casal topou. E, no começo de 1973, com um bebezinho no colo, André Wanpurã de Paula,[3] eles foram para a aldeia para iniciar o trabalho. Assim disse Eunice:

---

3 Em 2018, este bebê defendeu dissertação de mestrado no Instituto de Educação da Universidade Federal de Mato Grosso no Programa de Pós-Graduação em Educação. Sua dissertação versou sobre Escola Apyãwa: da vivência e convivência da educação indígena à educação escolar intercultural. A maior parte deste capítulo teve como fonte essa dissertação.

> Ao chegar percebemos que não era possível uma escola que funcionasse só em português. Não havia como transplantarmos o modelo de escola da cidade para lá. Era outro povo, outra cultura, outra língua. A irmãzinha Mayie, pesquisadora da língua, muito nos ajudou no sentido de iniciar um processo de alfabetização na língua tapirapé. Antônio Carlos Moura e Ilda Pires, agentes de pastoral leigos da prelazia, haviam estado no ano anterior na aldeia, preparando o processo de alfabetização na metodologia Paulo Freire. Assim, já havia um material preparado. Nós nos dedicamos a estudar este material e iniciamos o estudo da língua com a irm. Mayie e, com ela, realizamos algumas adequações de grafia e de significados... Luiz chegou a ir ao Rio de Janeiro para discutir a proposta de ortografia com a Dra. Yonne Leite, que infelizmente, não se encontrava naquele momento. Ele conversou com outra linguista, Charlotte Emerich, que pesquisava no parque do Xingu (Eunice de Paula, entrevista em 24/09/2017) (WANPURÃ, 2018, p. 40).

Em setembro é que as atividades escolares começaram a funcionar. Embora não dominassem a língua Tapirapé, o casal de professores iniciou a alfabetização na língua tapirapé. E foram criando uma escrita dessa língua – que os Apyãwa foram corrigindo com o tempo – com a ajuda da irmãzinha Maiye Batista.

Era um povo, uma cultura e uma língua diferentes. Não havia, portanto, qualquer material didático ou paradidático escrito. Estava tudo para ser feito.

> O primeiro material preparado para o trabalho na escola foi a série de slides utilizados para a alfabetização dos jovens e adultos. Com o emprego de fotografias tiradas na aldeia e de letras adesivas foram produzidos slides que eram projetados na parede da escola através de um projetor que recebia energia de um pequeno gerador portátil. Esse foi o momento que deu impulso ao processo de letramento da sociedade Apyãwa, iniciado com as primeiras palavras na língua Apyãwa, escritas nas paredes da casa dos professores localizada na aldeia Orokotãwa pelos docentes que precederam o casal. Para suprir a necessidade de material impresso, os professores produziram artesanalmente, vários materiais mimeografados, revisados com a ajuda dos alunos e com desenhos deles (WANPURÃ, 2018, p. 48).

O material pedagógico produzido pelos professores tinha a participação dos alunos, que os ilustravam com seus desenhos. Era multiplicado em mimeógrafo e utilizado nas salas de aula. Com o tempo, alguns destes materiais foram impressos em gráfica.

Os materiais produzidos podem ser divididos nas seguintes categorias:

- Língua Tapirapé
- Cartilha Xeparama'eãwa: livro pioneiro para a educação escolar produzido em mimeógrafo a tinta, em 1983, com textos e desenhos dos próprios alunos. Em 1987, foi impresso em edição colorida. A Prelazia foi quem bancou a impressão. A publicação foi coordenada pelo casal de professores.
- Pexexixema'e Kato: livro de exercícios da língua Tapirapé. Foi produzido também em 1983, somente mimeografado.
- Xaneparagetã: livro de textos produzidos por alunos Apyãwa em 1986. Somente mimeografado.
- Xe'egyao: um dicionário Apyãwa-português, de palavras novas em língua Apyãwa, criadas para substituírem palavras do português usadas com frequência em eventos de fala na língua Apyãwa, feito em 2010.

- Livros de História

- *História dos povos indígenas, 500 anos de luta no Brasil*: mimeografado, foi produzido por Eunice Dias de Paula e Luiz Gouvêa de Paula em conjunto com Elizabeth Rondon Amarante, missionária do Cimi entre os Myky (MT). Em 1982, a Editora Vozes o publicou. Dada a aceitação que teve Brasil afora, foram feitas várias edições. Este material "proporcionou levar o debate crítico sobre o processo colonial histórico que era camuflado nos livros da história do Brasil sobre os povos indígenas, contribuindo significativamente para o movimento indígena na década de 1980, por meio da distribuição que o CIMI fez chegar às comunidades indígenas do país" (WANPURÃ, 2018, p. 49).
- *Confederação dos Tamoios, a União que nasceu da luta*: foi uma coedição CIMI e Editora Vozes, em 1984. O texto, como o anterior *História dos Povos Indígenas*, era de Elizabeth Ron-

don Amarante, Eunice Dias de Paula e Luiz Gouvêa de Paula. Os alunos da escola Tapirapé ilustraram os dois livros.

- *Xanetãwa Paragetã*: de 1996, um livro da Comunidade Tapirapé, organizado por André Amaral de Toral, Eunice Dias de Paula, Luiz Gouvêa de Paula e Paula Pinto e Silva. "Este livro traz relatos sobre as aldeias Apyãwa de antes de 1947, localizadas no antigo território deste povo, que ia do rio Tapirapé até o sul do Pará, entre os rios Araguaia e Xingu. Os textos foram produzidos por professores Apyãwa, a partir de relatos dos mais velhos. A publicação foi de MARI/MEC/PNUD, São Paulo" (WANPURÃ, 2018, p. 52).

Outros livros também foram publicados, como: *Pexexiraka'o wyrã*, que recolheu cantos do ritual ka'o, muito importante dentro do ciclo de rituais dos Apyãwa, em 2010; e *Marageta'ieyjete – Historinhas divertidas*, livro de história em quadrinhos, publicado originalmente em tapirapé (2016) e posteriormente em português (2017).

Todo este processo foi fundamental na luta pela reconquista dos territórios invadidos. "A escola possibilitou aos Tapirapé ler os documentos referentes à área que eles reivindicavam, entender os mapas e falar de igual para igual com o povo da região e com as mais diversas autoridades do país" (CANUTO, 2019, p. 53).

A escola Tapirapé, inicialmente, foi assumida integralmente pela Prelazia. Em 1983, passou a ser municipal, como Escola Municipal Tapirapé. Cinco anos depois, foi assumida pelo estado, como Escola Estadual Indígena Tapirapé, e, em 2002, na Terra Indígena Urubu Branco, foi criada a Escola Estadual Indígena Tapi'itãwa. "Os Tapirapé formados nas suas escolas em nível médio passaram a frequentar a Universidade, havendo dezenas de formados em nível de terceiro grau. Hoje os cargos de professores, de secretaria, de coordenação pedagógica e de direção são todos assumidos pelos próprios Tapirapé" (CANUTO, 2019, p. 53).

Uma escola assumida pelos Tapirapé

Sobre tudo o que se fez neste processo, disse Luiz Gouvêa de Paula (*apud* WANPURÃ, 2018, p. 40), em entrevista em 07 de outubro de 2016:

Em relação à educação escolar do povo Apyãwa, há um esforço, desde sua implantação, de se aproximar esta educação dos processos, conteúdos e estruturas educacionais tradicionais do povo. Neste sentido, a escola foi introduzida tendo como base a língua Apyãwa, os temas significativos para o povo Apyãwa e com uma forma de funcionamento que mais se adequasse ao modo de vida do povo naquele momento. A partir dessa base inicial, sempre se teve como elemento norteador o pensamento de que a escola, para ser indígena, tem que ser assumida pelo povo. Mas, para isto, foi necessário haver muita reflexão e formação sobre o que é uma escola e como deve ser uma escola específica daquele povo, visto que o modelo de educação escolar vem de fora e cumpre os objetivos impostos pela sociedade dominante. Esse processo de reflexão, formação e tomada de decisões, bem como a inserção de professores e funcionários Apyãwa em todos os níveis de funcionamento da escola foi acontecendo paulatinamente durante esses 43 anos que se passaram, desde a implantação da educação escolar entre o povo Apyãwa.

Este trabalho teve e tem o reconhecimento da Igreja, da comunidade acadêmica e sobretudo dos próprios indígenas. É apresentado como um modelo de educação indígena que pode ser avaliado pelos resultados apresentados.

Apesar de a escola ter passado para a administração municipal e depois a estadual, a presença e atuação da Prelazia é marcante e, de alguma forma, decisiva. As Irmãzinhas de Jesus, depois de 65 anos de presença e convívio, tiveram que deixar a aldeia. Mas, até hoje, quase cinquenta anos depois, o casal Eunice e Luiz continuam atuantes, dando apoio e assessoria aos professores das escolas e são solicitados frequentemente pelos professores Apyãwa, que cursam mestrado na Universidade Federal de Goiás, a colaborarem em suas dissertações.

Cultura – Instrumento para Despertar a Consciência da Própria Dignidade

Uma outra área a que a equipe pastoral se dedicou foi a da cultura. Era um instrumento utilizado pela equipe pastoral para a formação da consciência política, social e religiosa do povo. Diversas expressões culturais – poesias, cordéis, teatro, teatro de bonecos, teatro de sombras, circo, artesanato, música, entre outras – foram utilizadas para que, através da alegria, os trabalhadores e trabalhadoras pudessem afirmar a sua cidadania e lutar pelos direitos que lhes eram historicamente negados. O que não faltava era o senso de humor e a criatividade, como se pode observar pelos títulos de cordel e de peças de teatro. Em 1975, entre as diversas atividades que acompanharam a inauguração da nova catedral em São Félix, foi apresentada uma peça de teatro que trazia à tona os diversos problemas que o povo vivia na região.

Meu padim...

Nas comemorações dos 10 anos da Prelazia, em 1981, foi apresentada a peça *Meu Padim segura o tacho que a quentura vem por baixo* ou *A corajosa história da igreja que trocou a escada, a galhofa e a fortuna pela enxada, a farofa e a borduna*. A peça traduzia em uma linguagem popular, camponesa e bem particular do Araguaia a história da Igreja, que enfrentou desafios e perseguições por se colocar ao lado dos pobres e pequenos, em consonância com a Teologia da Libertação, que se alastrou em todo o continente latino-americano.

A peça foi escrita por Cascão (Rodolfo Alexandre Cascão Inácio), agente de pastoral em Porto Alegre do Norte.

Para a apresentação da peça, foi montado o que se denominou de "laboratório" com artistas populares da região, que integraram a Companhia de Teatro Arroz com Abroba (FRANÇA; DI RENZO, 2017).

A edição de setembro de 1981 de *Alvorada* registrou:

> Durante quase um mês o grupo de teatro Arroz com abroba, ensaiou de manhã, à tarde e à noite. Os atores vieram de diversos patrimônios: Ribeirão Cascalheira, Santo Antônio, Porto Alegre, Santa Terezinha e São Félix. A maioria, gente de nosso povo.
> Além dos ensaios construíram todo material da cena e ainda sobrou tempo pra fazer um cursinho de teatro.
> Formou-se um verdadeiro grupo humano, rico, criativo.

Desobrigas culturais

Um trabalho deste porte não poderia ficar limitado a uma simples apresentação. Assim, se criou o que foi chamado de Desobrigas Culturais.

O grupo de teatro passou de comunidade em comunidade apresentando a peça. A desobriga não se limitava a encenar a peça, mas abria espaço para que o povo de cada lugar pudesse apresentar o que ele mesmo fazia: música, poesias, causos...

Peleja das piaba do Araguaia...

Também no contexto da celebração dos 10 anos da Prelazia, foi escrito um cordel, com título de *Peleja das piaba do Araguaia contra o tubarão besta fera – ou a história de um povo que se liberta.* Zé Diluca aparece como autor deste cordel. Na realidade, foi uma criação coletiva do Diá (Francisco de Assis), Luiz Tapirapé (Luiz Gouvêa de Paula) e Cascão. DILUCA era a junção dos nomes DIá, LUiz e CAscão, pois era uma forma de evitar exposições em um contexto de ameaças e repressão pelo latifúndio e o Estado a ele mancomunado.

O Centro Ecumênico de Documentação e Informação (CEDI) publicou o cordel em 1981.

Intensa movimentação cultural

Além das desobrigas que eram feitas, se buscou organizar melhor o trabalho que se desenvolvia e, assim, se criaram associações culturais. Um outro dado de toda esta movimentação foi de que ele ultrapassou as fronteiras da Prelazia. Passou-se a uma articulação com os grupos culturais da diocese de Conceição do Araguaia, no sul do Pará.

Alvorada, na edição de março/abril de 1985, apresentou uma síntese do processo cultural que se desenvolvia na região:

> A partir de 1981 começou, de forma organizada, um movimento cultural na região do Araguaia, atingindo mais diretamente o Nordeste de Mato Grosso e o sul do Pará.
>
> Fruto desse trabalho foi a mostra cultural realizada em Goiânia, em 1983[4]. Naquela ocasião apresentou-se a peça 'Meu padim segura o tacho que a quentura vem de baixo', lançou-se o livro 'Poetas do Araguaia', e vários músicos da região puderam apresentar seu trabalho para um público maior.
>
> Daí surgiram duas associações culturais, o Centro de Cultura Popular de Conceição do Araguaia, no Pará (CCPA) e Arte Regional do Araguaia (Arraia), em MT. Ambas associações já promoveram festivais de teatro, música e poesia.

A matéria do *Alvorada* informava ainda que, em 1984, nascera o Teatro do Araguaia (TEAR), formado por pessoas do Pará e do

---

4   A atividade em Goiânia se chamou Semana Cultural do Araguaia e se realizou de 28 de julho a 04 de agosto de 1983. Todos os passos desta semana foram rigorosamente acompanhados pela Agência Goiânia do Serviço Nacional de Informações, SNI, que obedeceu a uma ordem de busca emitida em 01/08/1983, que determinava:
1) Obter uma sinopse das peças teatrais apresentadas e se foram ou não aprovadas pela censura;
2) o nome dos componentes dessa Empresa Teatral;
3) elementos, entidades e/ou organizações subversivas que estão apoiando essa empresa; e
4) a repercussão do movimento e o número de participantes, bem como exemplares de panfletos e/ou de publicações distribuídos quando desses eventos.
A ordem foi cumprida e um relatório detalhado de tudo o que aconteceu foi elaborado e concluído no dia 26 de agosto de 1983. BR DFANBSB V8.MIC, GNC.RRR.83007540 - semana cultural do araguaia. - Dossiê - ARQUIVO.: BR_DFANBSB_V8_MIC_GNC_RRR_83007540_d0001de0001.pdf

Mato Grosso. "O grupo se propõe fazer um verdadeiro trabalho artístico a serviço dos movimentos populares. A arte entendida como lazer, conscientização, recuperação e incentivo à cultura popular".

A misteriosa viagem...

O grupo TEAR se propôs criar uma peça de teatro que se concretizou na peça *A misteriosa viagem de João Cordeiro e Zé do Quengo nas terras do pau brasil!*. A matéria informava que o processo de criação desta peça havia durado dois anos. "É um trabalho coletivo. Tem como tema as lutas de resistência pela terra na História do Brasil". Na produção da peça, foram utilizados elementos cênicos diversos – música, cordel, teatro de sombras, teatro de bonecos, audiovisuais, bumba-meu-boi. Um espetáculo variado de duas horas e meia de duração.

A matéria informava que a peça já havia sido apresentada em Conceição do Araguaia (PA) e em Santa Terezinha (MT) em fevereiro de 1985. Iria rodar toda a região em mais uma desobriga cultural.

Araguaia Pão e Circo

Era uma efervescência cultural que não encontrava limites.

As desobrigas em camionete, caminhão ou barco rodavam aquele "mundão de meu Deus", levando arte e alegria para os grotões. Por que não reunir todo este trabalho em um projeto mais ambicioso? O circo era uma forma de atingir toda a população. E se sonhou então o Araguaia Pão e Circo. Ter um grupo de artistas da região reunidos sob a lona de um circo levando, através da diversão, arte e cultura, elementos críticos da realidade local e nacional a toda a população.

Começou-se assim, em 1987, uma conversa com quem participava desse movimento artístico e, também, a identificar pessoas de diversas comunidades que ainda não haviam participado, mas que tinham dotes artísticos para formarem parte do novo grupo.

De acordo com o projeto, a intenção era ser uma espécie de circo-escola com atividades educativas bem definidas. Esse grupo passou a se encontrar e, de 1988 em diante, fez algumas apresentações pela região.

O projeto, porém, era mais arrojado. Estes artistas deveriam passar por um processo de formação em artes circenses.

E isto se concretizou em 1991, com recursos da Comunidade Econômica Europeia, sob a chancela da ONG Manos Unidas, da Espanha, na cidade de Contagem, sob a coordenação executiva de Cascão e institucional do padre Paulo Gabriel. Um grupo de 13 integrantes, muito diverso, composto por crianças, jovens e um time mais maduro, casais e solteiros, ex-agentes pastorais e trabalhadores, brancos e negros, enfim, um arco-íris humano, que se mudou para Minas Gerais e iniciou o programa de formação, de luta pela sobrevivência e de aquisição de uma Kombi e uma lona de circo.

A convivência diária de um grupo que não tinha experiência de moradia e trabalho coletivo, além das dificuldades financeiras (já que o recurso não permitia gastos com manutenção) fez com que o projeto em Minas durasse apenas cerca de dois anos e a proposta original fosse alterada, designando apenas dois integrantes, Lourdes Jorge e Valdemir de Souza (Maneco), para retornar à região da Prelazia.

A lona foi levada para Santa Terezinha e debaixo dela ainda foram feitas algumas atividades de formação e apresentados alguns espetáculos, durante um tempo, até que se decidiu suspender o projeto.

A semente germinou

Se o Araguaia Pão e Circo não vingou enquanto empreendimento cultural e utopia de transformação pela arte, nove dos 13 participantes criaram alternativas que, de alguma forma, deram sequência ao projeto em Goiás, Minas Gerais e Mato Grosso.

Em Goiânia, Maneco Maracá (Valdemir de Souza), com o aprendizado que teve, criou um circo-escola, o Circo Lahetô, que reúne crianças pobres da periferia e, com elas, realiza as mais diversas atividades circenses, junto com sua companheira Celuta, a coordenadora pedagógica. O circo Lahetô resiste há décadas e é referência nacional em circo social.

O palhaço mágico, Manoel Alves de Jesus (Sapequinha), também em Goiânia, criou o Grupo Asas de Picadeiro, que faz apresentações em diversos rincões do estado. Iraci, a esposa, e os filhos fazem parte do grupo. A temática ambiental é sempre abordada de forma alegre e consequente.

Em Uruaçu, Antônio Eckert e Das Dores, dois integrantes do Araguaia Pão e Circo, criaram o grupo de teatro Limpando o Olho, que realiza atividades culturais na cidade e redondezas.

Em Belo Horizonte, Cascão e Fernanda, que nos deixou recentemente, fundaram o Grupo Parangolé Arte Mobilização, que há 20 anos desenvolve ações artísticas para movimentos sociais, sindicatos, governos progressistas e instituições diversas abordando causas socioambientais, direitos humanos, participação popular e cidadania.

Também em Belo Horizonte, Jonas Abreu, o palhaço Mangulão do Araguaia Pão e Circo, ao se casar com Ângela do Grupo Teatral Novas Raízes, incorporou-se a ele.

Benone Jardim, também palhaço do Araguaia Pão e Circo, junto com sua parceira Suely, manteve a chama da música autoral e regional sempre acesa na região da Prelazia e ultimamente em Barra do Garças (MT), com o grupo musical Aldeia. Criou também a Trupe Gargalhada, uma escola de circo com crianças e adolescentes, em Aragarças (GO).

Todos, sem exceção, reconhecem, no trabalho cultural desenvolvido na região e, em especial, na experiência do Araguaia Pão e Circo, a inspiração para as realizações atuais e fazem questão de afirmar sua identidade e conexão com a Prelazia de São Félix do Araguaia.

Saúde: entre a Solidariedade e a Organização[5]

Como já registramos anteriormente, um dos grandes desafios que os missionários claretianos se depararam ao chegarem a São Félix era o do atendimento à saúde[6]. Antes de irem para a região, o padre Pedro Casaldáliga e o irmão Manoel Luzón fizeram um pequeno estágio na Santa Casa de Misericórdia de São Paulo, para conhecerem as doenças mais comuns no Brasil e seu tratamento.

E logo passaram a procurar quem pudesse atender esta necessidade. Assim, em 1971, no grupo de irmãs de São José de Chambery que vieram para São Félix, estava irmã Maria de Lourdes Faleiros, enfermeira com longa experiência na Santa Casa de Misericórdia de São Paulo. Em 1º de março era aberto o Ambulatório de Saúde de São Félix. Irmã Maria de Lourdes, acompanhada da irmã Armandina e, mais tarde, de irmã Henriqueta Françosi, além dos atendimentos no ambulatório, faziam atendimentos domiciliares e campanhas de higiene e saúde.

Segundo relatório das atividades das irmãs, em 1971, foram atendidas em São Félix 5.686 pessoas e distribuídos 5.543 medicamentos, além de 320 pessoas atendidas em Serra Nova e Pontinópolis.

A estas irmãs, outras se juntaram. Eram também enfermeiras as irmãs Mercedes Setem, Edna da Silva Reis e Irena Pilz, da congregação de São José de Chambery. Era também enfermeira a

---

5　As edições de Alvorada de maio/junho e de setembro/outubro 1995, na secção Retalhos de Nossa História, recuperaram a trajetória do atendimento à saúde na região.

6　O único lugar da região que tinha a presença de enfermeira formada era Santa Terezinha. O padre Jentel convenceu, na França, a enfermeira Suzanne Robin a prestar um serviço de atendimento à saúde ao povo de Santa Terezinha. Mais tarde, a ela se juntou a enfermeira canadense Denise Payeur.

irmã Beatriz Kruch, que desenvolveu seu trabalho, primeiro, por alguns meses, em Santa Terezinha e depois em Ribeirão Cascalheira de 1973 a 1980. Era também enfermeira a leiga canadense Françoise D'Auteil, que atuou em São Félix e Porto Alegre do Norte, e a leiga de Campinas (SP), Maria Aparecida Matiello, que atuou em Santa Terezinha.

Entre os Tapirapé, a leiga Mirthes Versiani dos Anjos deu valiosa contribuição no atendimento aos indígenas.[7]

As enfermeiras foram, durante muito tempo, o único apelo que o povo teve em seus problemas de saúde.

Médicos a serviço do povo

Para um melhor atendimento à saúde, foram feitos contatos com médicos que se dispusessem a enfrentar, motivados pela solidariedade, as agruras do sertão. Pelo menos seis médicos do Brasil trabalharam na região, atraídos pela ação da Prelazia, mesmo que, por motivos táticos, não aparecessem ligados à equipe pastoral. São eles: Luiz Pinto Eira Velha, em Ribeirão Cascalheira, que atendeu, junto com a enfermeira irmã Beatriz (Bia), o padre João Bosco Penido Burnier quando foi baleado; Délcio Fonseca e Eliane Beatriz da Costa, em Santa Terezinha; Vanja Jugurtha Bonna, em Ribeirão Cascalheira; Luiz Carlos Rena e Adriana de Deus Diniz, em São Félix do Araguaia; e José Ramón, médico espanhol, que, com sua esposa Fidela, enfermeira, desenvolveram um grande trabalho de combate à hanseníase.

A Prelazia e, de modo muito particular, o povo Tapirapé, contou com o apoio dos médicos do Hospital São Pio X, de Ceres (GO). Com frequência, iam à aldeia dar atendimento. O que mais marcou presença foi o doutor Antônio Araújo Filho.

---

7 O atendimento à saúde feito pelas irmãzinhas de Jesus desde quando chegaram em 1952, foi essencial para evitar o desaparecimento deste povo e para a retomada de seu crescimento. Fazia parte do primeiro grupo de irmãzinhas a Irmãzinha Claire de Jesus, enfermeira. Também era enfermeira Irmãzinha Odile Eglin, que foi a última a deixar a aldeia em 2018.

Organização

Mas a Prelazia não se limitou a buscar agentes de saúde para atender o povo. Buscou formas de o povo se organizar para ter um atendimento de saúde melhor. Realizou também muitos cursos de medicina popular, em que se mostrava o valor e a eficácia de ervas e plantas para resolver os principais problemas de saúde que o povo enfrentava.

Em 1974, em Santa Terezinha surgiu a União Comunitária para Assistência à Saúde (UNICAS), uma espécie de cooperativa de saúde.

Em Porto Alegre do Norte, no dia 1º de maio de 1977, criou-se a Associação de Saúde de Porto Alegre (ASPA), mais ou menos seguindo o modelo da Unicas.

Em Ribeirão Cascalheira, depois de vários cursos de saúde administrados pela irmã Beatriz Kruch, a Bia, criou-se a Comissão de Saúde, que reivindicava, junto às autoridades, o atendimento à saúde. Em 1990, formou-se a Associação de Ação Comunitária que, entre suas atividades, buscava também o atendimento das necessidades de saúde.

Em São Félix, funcionou, por diversos anos, o Clube das Buchudas, acompanhadas por Françoise D'Auteil, Chiquinha, enfermeira canadense, que congregava as gestantes e fazia seu acompanhamento até o parto.

O Clube de Mães, também em São Félix, encabeçou diversos abaixo-assinados reivindicando das autoridades melhor atendimento à saúde.

Em 1992, criou-se em Vila Rica, o Movimento Popular de Saúde (MOPS), ligado ao MOPS estadual e nacional. O movimento surgiu depois de diversos encontros de saúde alternativa promovidos pela Igreja Católica em conjunto com a Igreja Evangélica de Confissão Luterana. A região passou a ser o Regional VI do MOPS do estado de Mato Grosso.

"Aos amigos, tudo, aos inimigos, a lei"

O trabalho de saúde desenvolvido pela Igreja provocou reações diversas. Enquanto o povo encontrava uma saída para seus problemas, os que dominavam a política viam nesta atividade um perigo para seus projetos de controle e manipulação da sociedade.

Em 23 de setembro de 1972, o Secretário de Saúde do Estado de Mato Grosso considerou ilegal o Ambulatório de Saúde de São Félix do Araguaia mantido pela Prelazia e dirigido com grande competência por irmãs enfermeiras diplomadas. O motivo real para tal atitude foi o de ter chegado à cidade um médico que instalou um hospital particular. O ambulatório roubava-lhe freguesia.

Em Santa Isabel do Morro, na Ilha do Bananal, Irmã Mercedes Setem, enfermeira, que assumira a direção do Hospital do Índio, depois de alguns meses de eficiente serviço, foi demitida pela Funai. O motivo foi a pressão e determinação da Força Aérea Brasileira (FAB), que mantinha destacamento em Santa Isabel. A irmã era ligada à Prelazia de São Félix, que não gozava de nenhuma simpatia junto às Forças Armadas.[8]

A Associação de Saúde de Porto Alegre (ASPA) foi obrigada a fechar suas portas depois de vários anos de serviços à comunidade por não poder arcar com as exigências legais de contratar um bioquímico. Na região, não havia tal profissional, nem recursos para pagar seus serviços. Os motivos reais, porém, eram políticos. "Aos amigos, tudo. Aos inimigos, a lei".

Encontros de saúde

As pessoas diretamente envolvidas com o trabalho de saúde na Prelazia reuniram-se em 25 de abril de 1979, em Porto Alegre do Norte, ocasião em que foi feita avaliação dos trabalhos de saúde em toda a região.

Entre 19 e 21 de outubro do mesmo ano, aconteceu, em São Félix, um encontro maior com a participação dos médicos Vanja, Délcio

---

8   O relatório n.º 22/308-c/75 da DIVISÃO DE SEGURANÇA E INFORMAÇÕES do MINISTÉRIO DO INTERIOR, de 19.03.75, intitulado SUBVERSÃO EM SANTA IZABEL DO MORRO diz que a irmã MERCEDES SETEM, ligada ao Bispo CASALDÁLIGA, ocupa—se em subverter os índios de Santa Izabel do Morro, procurando, claramente, o choque dos índios com militares da FAB ali destacados, apesar de ser funcionária da própria FUNAI [...]. É sugerido que a Funai e a FAB em trabalho conjunto, tomem providências imediatas que interrompam a ação perniciosa do Bispo e da Irma MERCEDES. [...] Entre as providencias a serem tomadas, a mais importante, sem dúvida é o afastamento da Irmã MERCEDES da região, a fim de que volte o antigo clima de tranquilidade existente na Ilha do Bananal. BR_DFANBSB_AA3_0_PSS_0553_d0001de0001.pdf

e Eliane, que depois se integrariam ao trabalho na região, e Vera, enfermeira de São Paulo.

No encontro, fez-se um histórico do atendimento à saúde na região e se estudaram os problemas mais comuns, suas causas mais profundas e se apresentaram algumas pistas de ação.

Encontros em nível popular de saúde voltaram a acontecer, a partir de 1992, quase a cada ano, organizados pelo Movimento Popular de Saúde (MOPS).

Irmã Irena Pilz, que atuou por mais de 20 anos na Prelazia, com muita frequência era convidada pelas comunidades para ministrar cursos que ajudaram o povo a valorizar seus conhecimentos tradicionais na área de saúde e a dar importância às plantas e ervas medicinais que conheciam e a conhecer outras a seu alcance, mas cujos benefícios desconheciam.

A preocupação com a saúde do povo ainda está muito presente na Prelazia quando completa 50 anos de existência, com terapias alternativas ou complementares.

Desde 2016, está sendo feito atendimento através da técnica do biomagnetismo. Essa terapia está se difundindo na região. Foram realizados três cursos assessorados pelo padre e médico mexicano Elias Arroyo Roman, que se especializou com o médico que desenvolveu esta técnica no México. Estes cursos formaram terapeutas populares, que prestam seus serviços às comunidades onde vivem.

Também agentes da Prelazia têm prestado atendimento ao povo com terapias de acupuntura e de florais.

No Campo dos Direitos Político-Sociais

Onde também houve uma atuação intensa da equipe pastoral foi no campo político-social.

Associação de Educação e Assistência Social Nossa Senhora da Assunção

No ano de 1974, foi criada a Associação de Educação e Assistência Social Nossa Senhora da Assunção (ANSA). Era um braço da Prelazia para as ações de promoção humana e assistência social. Teve como sua primeira presidente a irmã Irene Franceschini.

Desenvolveu e ainda desenvolve uma série de ações para aumentar a autoestima das pessoas envolvidas nas atividades, através de projetos de geração de renda, mas sobretudo em atividades educacionais que despertem para a reivindicação dos direitos básicos à educação, saúde, acesso à terra e à moradia garantidos pela Constituição brasileira. A ANSA tem se tornado um espaço para a construção da cidadania.

Sindicatos

A equipe pastoral prestou assessoria e acompanhamento aos sindicatos de trabalhadores rurais desde sua criação, já na década de 1970.

Era uma atividade necessária, já que esta forma de organização dos trabalhadores e trabalhadoras era totalmente desconhecida pela quase totalidade dos primeiros moradores da região. Com a chegada de colonos do Sul, este quadro se alterou.

O primeiro sindicato fundado foi o de Luciara. Sua sede ficava em Santa Terezinha, onde os posseiros tinham uma vasta experiência de luta.

Como a região era imensa, em quase todos os povoados foram criadas Delegacias Sindicais que, de alguma forma, coordenavam as reivindicações dos trabalhadores.

Organizações de Mulheres

A organização das mulheres foi estimulada pela equipe pastoral. Clubes de Mães, e grupos de produção e venda de artesanato, de costureiras e bordadeiras e outros foram criados. As lavadeiras se uniram para evitar a exploração de seu trabalho. Nestes espaços, além do trabalho, discutiam-se os direitos das mulheres, a violência contra elas e se propunha sua participação efetiva nas diversas instâncias da sociedade.

Centro de Direitos Humanos

Anos mais tarde, já fazendo parte da equipe pastoral uma advogada, foi criado um Centro de Direitos Humanos para acompanhar os trabalhadores e trabalhadoras nos conflitos que enfrentavam.

O Centro também dava cursos às comunidades e, sobretudo a convite dos sindicatos, sobre os direitos dos trabalhadores e a forma como agir diante de situações complicadas que viviam.

Em diversas ocasiões, o Centro, através de sua advogada, assumiu a defesa jurídica de trabalhadores contra os quais haviam sido abertos processos judiciais.

Mais recentemente se criou, com sede em Porto Alegre do Norte, o Centro de Direitos Humanos Dom Pedro Casaldáliga (CDH-DP), que, entre outras atividades, tem investido firme na formação em Direitos Humanos.

A luta partidária

Todo o trabalho que a equipe pastoral desenvolvia, na verdade, era um trabalho político, mesmo sem qualquer vinculação partidária.

A luta favorecia a compreensão da realidade e os interesses conflitantes. Isto, de alguma forma, repercutiu nas eleições de 1976, quando São Félix já havia se emancipado. Assim, na região Nordeste do estado, já se podiam contar com três municípios: Barra do Garças, São Félix do Araguaia e Luciara. Eram tempos duros da ditadura e só havia dois partidos (Arena e MDB). Nas eleições daquele ano, os três únicos municípios do estado em que a oposição (MDB), foi vencedora foram os três municípios do Araguaia. Alguns órgãos da imprensa atribuíram esta vitória ao bispo Pedro e à Prelazia de São Félix.

Mas as administrações do MDB não se diferenciavam muito das da Arena. Assim, começou a se discutir no âmbito da equipe pastoral se não seria oportuno e mesmo necessário que agentes de pastoral passassem a disputar o poder municipal para introduzir uma outra forma de atuação, que envolvesse o povo na administração municipal.

Depois de uma série de debates, em reunião da equipe pastoral, se decidiu que agentes leigos poderiam se candidatar nas eleições de 1982.

O número de municípios tinha crescido. Santa Terezinha havia se emancipado em março de 1980 e, uns meses antes, em dezembro de 1979, também Canarana, ao qual pertencia Ribeirão Cascalheira.

Assim, para as eleições de 1982, em Santa Terezinha, foi lançado candidato Antônio Tadeu Martin Escame e, em São Félix, José Pontin, ambos agentes de pastoral. Já em Canarana, um candidato de Ribeirão Cascalheira que, mesmo não sendo agente de pastoral, estava umbilicalmente integrado ao trabalho da Prelazia. Os três foram eleitos pelo MDB.[9] Era o partido que o povo conhecia como oposição. Era preciso, porém, mostrar que o MDB na região do Araguaia era diferente. Assim, se criou o que se denominou de Corrente Popular. Era a Corrente Popular do MDB.

Em 1986, emancipou-se Porto Alegre do Norte e ali também um agente pastoral, Rodolfo Alexandre Inácio, o Cascão, foi eleito prefeito, para os anos 1987/1988.

Com isso, muitos agentes de pastoral, foram incorporados à administração das prefeituras, e o quadro de agentes de pastoral encolheu.

Assim, dom Pedro registrou em seu diário no dia 17 de janeiro de 1983: "Nossa equipe se reduz agora a 32 pessoas: 11 delas na pastoral

---

9   O PT já havia sido criado em 1980, mas era muito complicado pensar em criar o partido nestes sertões com pouco ou quase nenhuma prática de participação político-partidária.

indigenista. Dez companheiros, - alguns de longos anos de caminho conosco – passam a trabalhar na Administração e na Educação, nas novas prefeituras populares" (CASALDÁLIGA,1983, p. 160).

Estas administrações priorizaram a educação como atividade principal. Em qualquer pequeno núcleo de moradores, se criava uma escolinha para as crianças.

Todos os municípios se defrontavam com o grave problema da falta de professores formados. Por isso, foi implantado pelas prefeituras, em 1984, o Logos II, como registramos anteriormente, e, em 1987, o projeto Inajá, em convênio com a Unicamp, para a formação de professores em nível médio.

Outra prioridade destas prefeituras populares foi a da saúde. Houve um processo de formação de agentes populares de saúde e se abriram mini postos de saúde sertão afora.

Os empresários e fazendeiros da região, os comerciantes mais bem situados que sempre apoiaram os candidatos da Arena, não aceitavam que se implantasse um novo modelo de administração em que eles não ditavam as regras.

Além disso, apesar de serem administrações sérias, faltava aos administradores municipais algumas manhas políticas. Assim, nas eleições de 1988, pela Corrente Popular, disputaram as eleições, em Santa Terezinha, o padre Canuto e, em São Félix, Vera Furlan, que fora agente pastoral. Os dois foram derrotados. Em Porto Alegre do Norte, o candidato apresentado pela Corrente Popular, Pedro Fernandes, que fora dirigente sindical, foi vencedor. Mas o candidato derrotado da Arena não aceitou a derrota e investiu contra o prefeito Cascão e o baleou.

Naquelas eleições, Ribeirão Cascalheira já se emancipara e elegeu candidato da Corrente Popular.

QUINTA PARTE

A SUCESSÃO DO BISPO PEDRO

A Renúncia

O bispo Pedro, fazia alguns anos, convivia com o mal de Parkinson, a mesma doença que levou à morte seu pai. Sentindo os efeitos da enfermidade crescerem e de acordo com o determinado no direito canônico, no dia 16 de fevereiro de 2003, ao completar seus 75 anos, apresentou ao papa sua renúncia, nos termos abaixo:

> No dia de hoje, 16 de fevereiro de 2003, completo os 75 anos de idade e em conformidade com o cânon 401 do Código de Direito Canônico, apresento minha renúncia ao serviço episcopal da igreja de São Félix do Araguaia, Mato Grosso, Brasil.
>
> Além da obediência à lei canônica, devo acrescentar, como mais um motivo de renúncia, as condições de saúde que impedem um exercício normal do ministério numa região imensa e com comunicações precárias.
>
> Confio em sua solicitude apostólica para a nomeação de um pastor adequado às condições desta igreja local.
>
> Reitero o testemunho de minha comunhão fraterna e apostólica e a garantia sincera de minha oração diária.
>
> Com um abraço fraterno em Cristo Jesus.[1]

Antes disso, já tendo em vista a renúncia próxima, o bispo Pedro havia encaminhado ao cardeal dom Geraldo Majella Agnelo, arcebispo de Salvador (BA), que intitulou como "meu cardeal protetor", o nome de dois padres que gostaria de ver como seus sucessores na direção da Prelazia. Ele achava que, dadas as funções

---

1 Arquivo A–1–3–82.

desempenhadas pelo cardeal na igreja, poderia de alguma forma influir na indicação do seu sucessor. Em uma carta de 10 de dezembro de 2002, ele lembra a dom Geraldo que, em maio, já lhe enviara o currículo de dois padres que propunha para sua sucessão, e aproximando-se a data da renúncia voltava a lembrar estes nomes: padre Paulo Gabriel Lopes Blanco, agostiniano, com quase 20 anos de dedicação ao trabalho pastoral na Prelazia, e frei José Fernandes Alves, dominicano.

Após o pedido de renúncia, no dia 8 de abril de 2003, o Núncio lhe enviou correspondência solicitando algumas informações sobre a Prelazia e sobre o perfil do novo bispo.

Em resposta, no dia 23 do mesmo mês, o bispo Pedro disse que "definiria a situação da Prelazia de São Félix do Araguaia, como de uma igreja missionária em formação". Dá algumas informações básicas sobre a Prelazia e sobre as prioridades pastorais definidas há alguns anos. Quanto ao perfil do novo bispo, diz que

> deveria ser um homem de espírito e ação missionários, simples, popular, sensível à problemática indígena e à problemática da terra, atento aos desafios da Amazônia, aberto às várias culturas e aos problemas da migração, disposto para as viagens longas e precárias nas visitas pastorais, acessível à solidariedade, com bastante esperança cristã na lentidão e contratempos da caminhada pastoral.[2]

Pelo que se depreende de algumas correspondências, a Nunciatura enviara a algumas pessoas um questionário sobre a Prelazia e sobre o perfil do novo bispo.

Em 26 de maio de 2003, o padre Paulo Gabriel, em resposta a este pedido, descreveu a região, a forma de atuação da equipe pastoral e as diversas fases por que passou a Prelazia: a primeira de 1970 a 1980, fase do conflito; a segunda fase de 1980 a 1990, "passada a fase mais conflitiva se trabalhou mais na organização das comunidades com seus ministérios". Na terceira fase, 1990 a 2003, a igreja traçou objetivos para responder aos desafios do momento. Em

---

2 Arquivo B–1–18–4.

páginas separadas, apresentou o perfil de três padres que poderiam corresponder ao que se espera de um bispo para a região. Os três nomes indicados foram: frei José Fernandes Alves, dominicano; padre Paulo Santos Gonçalves (Paulinho), agostiniano, e padre Laudemiro de Jesus Borges (Mirim), estigmatino.

Também o Padre Félix Valenzuela, agostiniano, recebeu da Nunciatura o pedido de informes. Na sua resposta, ele fez um questionamento dos processos de nomeação de bispos. Ele lembrava ter mais de 15 anos de atuação na Prelazia, mais de 50 anos de vida religiosa, quase 50 de padre, tendo trabalhado em diversos países e assumido funções preponderantes tanto na congregação quanto nas dioceses em que atuou. E então extravasa:

> Neste momento e neste processo não temos nenhum poder de decisão. Na Igreja não somos nada nem ninguém. Informações em segredo não são de nenhum valor, para quem tem o poder. Os segredos, pontifícios ou não, se transformam facilmente em fonte de manipulação do poder, que tem sido e é a grande tentação e pecado da Igreja.
>
> A cultura moderna aceita como valores indiscutíveis a participação e a transparência, valores que certamente são evangélicos e que nós devemos promover para outras organizações.
>
> Esses mesmos valores são negados dentro da nossa Igreja. Depois de dedicar a vida inteira a serviço da Igreja, perceber mais uma vez que nossa instituição eclesiástica se fecha em si mesma, se nega a ler os sinais dos tempos, e nela as pessoas não têm direito algum, nem participação real é muito triste e doloroso.[3]

O que parecia ser um processo simples e tranquilo foi se tornando turbulento. A saúde do bispo se deteriorava e a nomeação do sucessor não era anunciada. A situação de saúde se agravava pela tensão da espera.

Em 24 de agosto de 2004, o padre Paulo Gabriel, que residia com o bispo Pedro, informou à Nunciatura que "a saúde de Pedro é

---

3 Arquivo B–1–18– 6.

cada vez mais frágil. Hipertenso, com Parkinson, a cada dia que passa encontra-se mais limitado nas suas condições físicas para exercer o ministério episcopal que lhe foi confiado".[4]

---

4 Arquivo B-1-18-9.

Angustiante Espera

O que estaria sucedendo?

À Prelazia chegavam, de forma muito truncada, alguns boatos de que diversos bispos consultados para substituírem dom Pedro colocavam como condição para sua aceitação que ele deixasse a região.

Mas não eram só boatos. A Nunciatura solicitou a dom Eugênio Rixen, bispo da Diocese de Goiás, ir sondar de perto as possibilidades de dom Pedro sair da Prelazia, assim que outro bispo assumisse. Esteve em São Félix nos dias 15 e 16 de dezembro de 2004 e no dia 18 comunicou ao Núncio ter tido com o bispo Pedro "um diálogo aberto e franco".

Disse que dom Pedro até sonhava em ir para a África, em alguma comunidade claretiana, assim que deixasse a Prelazia, mas as condições de saúde tornavam inviável esta opção. Dom Eugênio ainda sentiu por parte do bispo Pedro muita estranheza pelo que sua permanência em São Félix poderia representar. A melhor solução, segundo dom Eugênio seria, "para uma transição tranquila, os dois bispos conviverem juntos. [...] Uma saída imediata do prelado pode ser mal interpretada pelo povo e poderá causar transtornos".

Dom Eugênio ainda pontuou que o bispo gostaria que a nomeação do sucessor acontecesse antes da Assembleia da Prelazia, programada para 7 a 9 de janeiro de 2005.[5]

---

5 Arquivo A-1-3-15.

As repercussões

A notícia de que se estaria pedindo que o bispo Pedro saísse de São Félix após a tomada de posse de um novo bispo se alastrou.

No dia 7 de janeiro, quatro bispos (dom Tomás Balduino, OP, bispo emérito de Goiás (GO), dom Demétrio Valentini, bispo de Jales (SP), dom Maurício Grotto de Camargo, bispo de Assis (SP) e dom Francisco Austregésilo de Mesquita Filho, bispo emérito de Afogados de Ingazeira (PE) escreveram ao Núncio, solicitando que se encontrasse logo uma solução para o caso, tendo em vista sobretudo a saúde de Pedro. Afirmavam que, dado o testemunho e o significado do bispo Pedro para Igreja do Brasil, "achamos que a sucessão não deveria significar, de modo algum, uma ruptura com este testemunho, mas a demonstração de sua evangélica continuidade". Ponderam ainda que alguém que chegue, não venha com projetos prontos, "prescindindo da participação madura dos agentes de pastoral, e pior ainda, com exigências claras ou veladas no sentido de esperar que o velho bispo, uma vez emérito, se retire da prelazia".[6]

No dia 09 de janeiro, ao final da Assembleia da Prelazia, os 118 participantes assinaram um manifesto sobre a Sucessão do Bispo Pedro.

Diz o manifesto:

> Esperamos um novo bispo, e o esperamos em espírito de fé e numa atitude de acolhida fraterna. Entretanto, com milhões de irmãos e irmãs de nossa Igreja Católica, nos sentimos na obrigação de consciência de contestar o procedimento atual na nomeação de bispos. O Evangelho pede outro modo de proceder. A Igreja deve dar ao mundo testemunho de respeito aos direitos humanos e de corresponsabilidade fraterna. O autoritarismo e a falta de transparência são um escândalo, mais ainda hoje, quando se busca construir uma civilização nova de diálogo e participação. Ao longo da sua história, a Igreja já procedeu à nomeação de bispos de maneiras bem mais participativas. É hora de mudar e, como Igreja que somos, queremos colaborar nesta mudança, a serviço do Reino.
>
> Denunciamos mais concretamente o processo em curso para a

---

6 Arquivo A-3-25-28.

nomeação do novo bispo da Prelazia. Tudo se vem articulando no segredo do poder e na desconfiança com respeito à nossa Igreja e a seu atual pastor. Será que, mais uma vez, se pretende desmantelar urna caminhada sofrida e esperançosa?

Nós não podemos aceitar que se exija o afastamento do bispo como condição para a vinda do novo bispo, sobretudo considerando a idade e a saúde do bispo Pedro e os seus 36 anos de convivência conosco e de entrega às causas do nosso povo. Somos a sua família e a Prelazia é o seu lar.

A sucessão na Prelazia de São Félix, perdida no sertão de Mato Grosso, ultrapassou o âmbito da Igreja. A Ordem dos Advogados do Brasil, secção de Mato Grosso, emitiu uma Nota Pública em que dizia:

sempre em sintonia com os anseios populares, vem a público protestar e, ao mesmo tempo manifestar sua máxima apreensão e não conformismo com o episódio envolvendo a nomeação do novo bispo de São Félix do Araguaia, no Nordeste deste estado. [...] Ao que tudo indica quer se romper a linha episcopal desenvolvida naquela Prelazia, baseada na opção preferencial pelos pobres e mais necessitados, e impor outra política religiosa não afeta aos interesses maiores e gerais da cristandade contemporânea.[7]

Muitas mensagens de apoio à Prelazia e de repúdio à proposta do bispo ter que deixar a Prelazia chegaram de diversas partes do Brasil e também se tornou notícia no exterior.

Finalmente, no começo de fevereiro, foi anunciado o novo bispo. Nenhum daqueles indicados por Pedro ou por alguém da Prelazia. A nomeação do novo bispo repercutiu na imprensa. O bispo Pedro se sentiu aliviado e assim comunicou aos seus amigos, em um texto que intitulou "Mas o Vento Continua"[8]

O outro motivo de solidariedade com a nossa pequena Igreja de São Félix do Araguaia tem sido, logicamente a sucessão episco-

---

7 Arquivo A– 3–25–56.

8 Arquivo A– 3–25–71.

pal. Não vou entrar em detalhe porque já se tem escrito bastante sobre o incidente eclesial. O problema é de toda a Igreja e para a nomeação de todos os bispos e é uma reivindicação maior de corresponsabilidade e de colegialidade. Para sermos fiéis e para darmos testemunho ao Mundo. Felizmente, o novo bispo de São Félix, Frei Leonardo Ulrich Steiner, é um franciscano verdadeiro, fraterno, dialogante e popular. E a caminhada continua. E eu continuarei também aqui à beira do Araguaia, acompanhando à distância as lutas dos nossos povos, curtindo em esperança pascal a tarde da vida.

Novo Bispo

A primeira coisa que o novo bispo fez ao aceitar a nomeação para suceder o bispo Pedro foi alterar seu nome. Seu nome de batismo e civil era Ulrich Steiner, um nome praticamente impossível de ser pronunciado pelos sertanejos da região. Acrescentou então Leonardo, nome de seu pai e nome do santo na data em que nasceu.

Sua ordenação episcopal se realizou em Blumenau (SC), perto dos seus familiares no dia 16 de abril de 2005. Dom Paulo Evaristo Arns, seu primo, foi um dos bispos consagrantes. Quatro pessoas, um padre, uma irmãzinha de Jesus e dois leigos representaram a Prelazia.

No dia primeiro de maio, o novo bispo, dom Leonardo, tomou posse em São Félix. Não usou nenhuma insígnia episcopal, certamente em respeito ao bispo a quem sucedia, que nunca usara qualquer uma. As comunidades da região se mobilizaram para estar presentes. E de vários lugares do Brasil, sobretudo de Goiânia, foi um grupo expressivo de pessoas que representavam a Prelazia que está espalhada pelo Brasil afora. O CIMI marcou presença com um grupo significativo, a CPT também lá estava. Praticamente todos os bispos do Mato Grosso, o regional da CNBB, ao qual, a partir daquele ano, a Prelazia iria fazer parte, estavam presentes. Também estavam presentes dom Tomás, bispo emérito de Goiás, dom Eugênio Rixen, bispo da Diocese de Goiás, e dom Heriberto Hermes, bispo de Cristalândia (TO), do regional Centro-Oeste, ao qual a Prelazia até aquela data havia pertencido.

Na celebração, o bispo Pedro entregou a dom Leonardo um anel de Tucum marcando o compromisso com as causas do povo. Dom Leonardo, na sua fala, disse que Pedro foi uma pedreira no caminho de muitos, mas, sobretudo, foi a pedra de alicerce para muitos e muitas.

Dom Leonardo atuou na Prelazia de São Félix do Araguaia até 2011, quando foi eleito Secretário Geral da CNBB.

Então, até ser nomeado o novo bispo da Prelazia, dom Eugênio Rixen foi nomeado Administrador Apostólico, dividindo sua atuação entre a diocese de Goiás e a Prelazia. Nesta função, permaneceu de setembro de 2011 a maio de 2012, quando, no dia 13 de maio, tomou posse dom Adriano Ciocca Vasino, como novo bispo da Prelazia (até então fora bispo da diocese de Floresta, Pernambuco).

Na posse de dom Adriano, as comunidades da Prelazia se fizeram presentes com delegações enviadas para a celebração. Todos os bispos do Mato Grosso e Tocantins também lá estiveram. Também participaram outros bispos, como dom Leonardo, dom Tomás Balduino e dom Eugênio Rixen. Ao todo, 18 bispos. Também padres e leigos de diversos cantos do Brasil foram testemunhar este momento.

O bispo Pedro, com a saúde ainda mais debilitada, participou quietinho, sentado no meio do povo.

Foi muito boa a impressão que o novo bispo causou. Muito simples e pareceu muito aberto. Vivera, desde que chegara da Itália, no Nordeste, durante 33 anos. E, desde 1999, era bispo, em Floresta (PE), às margens do rio São Francisco, onde era muito benquisto pelo que se soube. Um dos momentos mais bonitos da celebração da posse foi o da mistura das águas do São Francisco com as do Araguaia.

Com os Sucessores, a Palavra

A área de atuação da Prelazia passou e está passando por rápidos processos de mudança. Quem conheceu a região na década de 1970, não vai mais reconhecê-la hoje. As transformações foram muitas, tanto no campo civil e político quanto no eclesiástico. A realidade é muito mais complexa, os desafios são de outro caráter. Nenhuma das grandes empresas que se estabeleceram na região sobre terras indígenas e áreas ocupadas pelos posseiros lá se encontra. O discurso de progresso e desenvolvimento que bradavam aos quatro ventos, quando a fonte dos incentivos fiscais secou, evaporou-se no ar. Outras figuras, ainda falando em progresso, as substituíram agora com chuvas de venenos.

Continuam presentes os pequenos agricultores, os milhares de assentados da reforma agrária, e uma multidão de sem-terra à espera de um lugar ao sol.

A Igreja aí está com agentes de pastoral, sobretudo padres e irmãs, procurando responder aos desafios da realidade atual.

Ao se completarem 50 anos desta Igreja, carregada de tanta história, o que nela aconteceu, após o bispo Pedro se tornar emérito, nos vai ser relatado pelos bispos que o sucederam.

Com eles, a palavra.

Memórias de um Iniciante – Dom Leonardo Ulrich Steiner

A nomeação como bispo prelado da Prelazia de São Félix, no Mato Grosso, saiu no dia 02 de fevereiro de 2005, Festa de Nossa Senhora das Luzes ou das Candeias. Fui chamado a Brasília e estive na Nunciatura no dia 21 de dezembro de 2004. O Núncio Apostólico abriu um envelope e me entregou a carta de nomeação. Terminada a leitura, lhe disse: "não me vejo como bispo, mas como frade". Falou que a nomeação vinha do Santo Padre, Bento XVI, da necessidade de servir à Igreja, que a Prelazia estava aguardando a quase dois anos um novo bispo. Como resisti e pedi tempo para pensar, disse-me: "então, reze e depois envie uma resposta".

Demorei para responder, pois tinha certeza de que não seria essa a minha vocação e missão. Depois de oração e diálogo, especialmente com meu irmão frade-padre, escrevi dando a minha anuência. Anuência que passou pelo meu desejo de criança, ser missionário, e missionário na África. A Prelazia me oferecia uma oportunidade de realizar uma intuição de criança. Meu irmão me recordou que estaria no meio dos pobres. Aceitei!

Fui escalado para presidir a celebração da vigília de Natal. Na primeira leitura, Isaías proclamava: "um filho nos foi dado". Foi a primeira luz na inquietação que vivia. Mais tarde, ao escolher o lema, lembrei-me de Isaías e Francisco de Assis, apaixonado pela criança de Belém: Verbo Feito Carne.

Como tinha assumido vários compromissos, o Núncio pediu que sugerisse uma data de publicação. Olhando o calendário litúrgico, respondi: Nossa Senhora das Luzes.

Antes do anúncio, encontrei-me com dom Paulo Evaristo Arns, que estava em Curitiba na casa da irmã dele, dra. Zilda Arns. Depois da celebração disse: "o senhor tem dois minutos?". E fomos para um lugar reservado. Perguntei: "o senhor está ocupado no fim de semana que segue a Páscoa?". Ele respondeu que estava livre. "O senhor não poderia ordenar-me bispo?", perguntei. Ele ficou olhando em silêncio e disse: "para onde?". "São Félix do Araguaia", respondi. "São Félix? Tão longe! Mas, você vai suceder o meu grande amigo dom Pedro". E acrescentou, "aceito". Marcamos para o dia 16 de abril, num sábado de manhã em Blumenau, para facilitar a participação dos familiares, a possibilidade da participação de algumas pessoas de São Félix, amigos que viriam da Alemanha, pessoas amigas de Curitiba, Blumenau, Rodeio. E pediu para voltar no dia seguinte.

Chegando, fomos caminhar longe da casa, no meio do pasto. Discorreu sobre a grandeza do ministério episcopal na Igreja, da necessidade de escuta, do despojamento, da capacidade de comunhão, da graça de Deus. Depois, aconselhou a permanecer sempre acolhedor com a imprensa, da pressão que sofreria pelo fato de suceder a dom Pedro, de como as pessoas estariam atentas em relação aos passos que seriam dados na Prelazia. Uma conversa fraterna, mas mais paterno-materna. Como gostava da patrística, parecia-me ouvir um dos santos padres aconselhando um inexperiente frade que nem sequer tinha sido pároco. Foi de grande proveito.

Na noite do dia primeiro de fevereiro, telefonei para dom Pedro. Foi tão afável na conversa que me senti muito bem recebido. Perguntei da possibilidade de uma visita a São Félix antes da ordenação e ele sugeriu para depois da Páscoa, por ocasião da reunião dos agentes de pastoral da Prelazia, em São Félix.

Quando o avião Caravan da SETE sobrevoou São Félix, pensei "mas é aqui?", parecia tão pequena. Fui bem recebido junto do avião por dom Pedro, padres e alguns leigos. No almoço, dom Pedro avisou que sairíamos para ver uma casa onde eu poderia morar. Era a recomendação que ele havia recebido do Núncio. Depois de um descanso, saímos.

Mostrou-me duas casas da Prelazia e mais três que poderiam ser compradas. Na medida em que foi mostrando, fui voltando ao passado. Fui percebendo que vivi sempre com muitas pessoas: sou de uma família de 16 irmãos; nos seminários, sempre muitos irmãos; sempre em grandes conventos com muitos frades; tempo de estudo em Roma, muitos frades. Morar sozinho? Quase fui tomado de aflição. Chegando em casa, dom Pedro perguntou: "então qual você escolheu?". Pedi uma noite para pensar. No quarto onde fiquei hospedado, era agradável-pequeno; o suficiente!

Chegando na capela para a oração da manhã, no dia seguinte, disse a dom Pedro: "você se incomoda de eu morar aqui?". "Mas o espaço é pequeno", respondeu. "O quarto onde estou hospedado é suficiente. Eu trabalho em casa", falei. "Onde você vai atender as pessoas, trabalhar?", perguntou. "No Centro Comunitário deve haver um espaço onde possa trabalhar", respondi. E achou que as coisas estavam no seu devido lugar. Assim, moramos juntos por mais de seis anos. Uma convivência fraterna, familiar, de aprendizado. Quantas conversas à noite só nós dois, em que pudemos partilhar nossos sonhos, nossos desejos, nossos pensamentos. Sempre tive uma casa cheia. Ia e voltava: porto, uma chegada e partida; uma casa. Na capela, dom Pedro me entregou um pequeno livrinho verde com as orientações pastorais da Prelazia.

Na reunião das equipes de pastoral, o Bolão[9], as equipes se apresentaram e deram uma visão do Regional onde serviam, mas também o Conselho Indigenista Missionário (CIMI), a Pastoral da Terra (CPT) e o Centro de Direitos Humanos relataram as atividades e as dificuldades. Foram momentos ricos, quando conheci os leigos, os padres, religiosos e religiosas, os diáconos que estavam a serviço da igreja particular de São Félix. Pelas informações, o grupo já era reduzido e os meios de locomoção à disposição das equipes eram reduzidas.

Conheci o Arquivo da Prelazia. Quem teve a delicadeza de levar e mostrar a preciosa documentação foi irmã Irene Franceschini, servindo na Prelazia fazia anos. Voltei para Curitiba com a impressão de ter uma percepção dos maiores conflitos na região, a realidade indígena e da dinâmica da igreja de São Félix. No entanto, fiquei imaginando as distâncias, a constituição das comunidades, as moradias das equipes, o como locomover-me numa região com quase 150 mil km² e como encontrar-me com as equipes, com três encontros anuais, devido às distâncias e o estado das estradas. Mas também, a preocupação de conservar a memória.

Comecei a arrumar as coisas e me preparar para a ordenação, que foi em Blumenau (SC), no dia 16 de abril. Nos dias de retiro no Mosteiro Trapista, Nossa Senhora do Novo Mundo, em Campo do Tenente, perto de Curitiba, pude retomar o encontro com as equipes, meditei os textos do Concílio Vaticano II que falam do ministério episcopal.

Dom Paulo, o ordenante principal, dom Angélico Sândalo Bernardino, a pedido de dom Pedro, como um dos coordenantes, e dom Heinrich Timmervers, então bispo auxiliar de Munster, Alemanha, o outro coordenante. A Prelazia enviou dois leigos e o vigário geral, padre Félix Valenzuela.

A celebração de início do ministério na Prelazia aconteceu no dia 1º de maio, domingo, à noite. Vieram pessoas dos sete Regionais (assim estava organizada eclesialmente a Prelazia). Uma celebração

---

9 Bolão era como era chamado um encontro de todos os agentes da Prelazia. Realizava-se no primeiro semestre e tinha a duração de pelo menos três dias. Este encontro era dividido entre estudo de algum tema e avaliação e planejamento dos trabalhos. Um encontro mais curto de somente um dia, logo depois de encerrado o retiro espiritual, era chamado de Bolinho.

muito participada com a presença dos bispos do Regional do Mato Grosso, alguns familiares e confrades. O Centro Comunitário ficou lotado apesar da chuva. Ao iniciarmos a celebração, veio uma chuva muito forte. E eu pensando "como as pessoas vão voltar para casa com uma chuva dessas?". Terminada a celebração, muitos abraços..., boas-vindas..., e ouvi que chuva é sinal de muitas bênçãos. Pensei: "que assim seja!". Alguns ônibus tiveram dificuldade para sair e passar na estrada. Mas, pelas notícias, tudo correu muito bem.

Na quarta-feira, sentei-me no ônibus para iniciar as visitas. Dom Pedro aconselhou-me a colocar a "mala" dentro de um saco de lixo e amarrar bem. Às cinco da manhã saímos. Em vários lugares, uma parada rápida para receber mais pessoas. Chapadinha foi a primeira parada mais demorada. Seguimos até Alto Boa Vista, onde houve uma parada maior. As Irmãs de São José de Chambery que moravam na cidade vieram até a rodoviária. Deu tempo para um cafezinho, responder algumas perguntas das pessoas, pois eu destoava pela cor dos demais. E seguimos viagem. Veio Serra Nova Dourada com uma parada maior. As pessoas começaram aproximar-se com certa reserva até uma perguntar: "você é o novo bispo?". "Sim", respondi. Pronto, tudo em casa. Naturalmente, as observações..., a necessidade de padre..., de uma equipe... Em 15 minutos, entre um gole de café e outro, deu para perceber as necessidades e as preocupações. Antes de Bom Jesus, como havia chovido a noite inteira, havia muita água. Mas o motorista entrou na água, passou a ponte, continuou dirigindo no meio da água. Entendi o porquê do saco de lixo. Que alívio quando achamos a estrada. No Bom Jesus, as Irmãs também esperavam no local da parada do ônibus. E chegamos depois a Alô Brasil, que se tornou um lugar familiar pelas paradas para um café e um pão de queijo enorme. Na viagem, fiquei impressionado como as pessoas, depois de pouco tempo no ônibus, dormiam, mesmo com os solavancos, as paradas. Tudo tranquilo... Fui aprendendo nas viagens seguintes a dormir também.

Chegamos a Campinas, cidadezinha a 60 km antes de Ribeirão Cascalheira. Foi um alívio poder andar um pouco. A BR-158 estava em péssimo estado. Era um pequeno restaurante de um gaúcho. Logo, entabulou conversa. Ao saber que era o bispo, não quis cobrar pelo lanche. Foi ali que muitas vezes almocei viajando de ônibus.

Mesmo insistindo, não cobrava. Ao voltar a São Félix, dois anos depois de ser transferido, já não morava mais lá e ninguém soube dar informações sobre ele.

Finalmente chegamos a Ribeirão Cascalheira e já eram quase cinco horas da tarde. Lá estava padre Samuel esperando com a Toyota, que serviu tantos anos para as peregrinações pelas comunidades.

Foi o tempo de tomar um banho, um pequeno descanso, pois tínhamos celebração às 19h30. Igreja cheia, cantos bonitos, comentários condizentes com as leituras. No final da missa, me coloquei à disposição para responder algumas perguntas. A primeira foi: dom Pedro vai ficar em São Félix ou vai ter que ir embora. "Fiquem tranquilos", respondi, "nós estamos morando na mesma casa e ele vai permanecer lá pelo tempo que desejar". Veio uma salva de palmas. Havia uma inquietação, mais que preocupação, de que dom Pedro fosse obrigado a sair. O pior... que eu teria exigido. Tudo isso passou rapidamente. As outras intervenções foram de boas-vindas.

No dia seguinte, saímos para visitar comunidades. Visitamos três. Na segunda, chegamos quase para o almoço. Uma comunidade pequena, mas muito animada e bem organizada. No final da missa, pediram para todos se apresentarem e mostraram as dificuldades que tinham em relação à terra. Havia ali uma boa liderança. Durante o almoço da comunidade, um casal veio falar comigo. Percebi pelo sotaque que eram do Sul e descendentes de alemães. Falamos um pouco em alemão, mas devido à presença dos outros preferíamos falar em português. Eram luteranos e desejavam saber se poderiam continuar a participar da comunidade. Perguntei se eram bem recebidos. A resposta: "muito bem recebidos". Então continuem, é uma alegria podermos contar com vocês na vida da comunidade. Perguntaram se não poderiam fazer parte da comunidade católica, pois eram os únicos luteranos. Refleti com eles que era melhor participarem da comunidade como luteranos. Quem sabe, no futuro, teríamos mais famílias luteranas na proximidade. Voltando dois anos depois, eles vieram com um sorriso largo no rosto e disseram: "nois já passou". Como assim? "Agora semo católico". É que a comunidade os havia elegido coordenadores da comunidade e pensaram que deveriam, então, fazer parte da comunidade católica. Eram uma presença rica na comunidade, especialmente pelo amor à Palavra de Deus e à capacidade de escuta.

Noutra, ao chegamos, à tarde, vendo tanta gente, padre Samuel falou: "hoje é dia de reza. Acho melhor não celebrar". Até entender o que era reza e o valor que davam, demorou um pouco. Participamos da reza. Foi quase uma hora de ladainha em latim, de outras rogações, de beijar a fita, de levar a esmola. Havia uma expressão profunda de fé, silêncios, cantos, participação. Terminada a reza, perguntei se poderia ler um trecho do Evangelho. Estavam de acordo. Li o Evangelho e fiz uma pequena meditação. Havia atenção, silêncio, recolhimento. Por isso, segui com o ofertório da missa. Todos permaneceram e participaram até o final. Na hora da comunhão, poucos comungaram. Terminadas as celebrações, ainda houve tempo para a partilha dos alimentos. Ali não aconteceu como em outra comunidade, mais tarde, onde celebrei a Eucaristia. Terminada, uma senhora falou: "agora que terminou a missa, vamos rezar". E iniciou a reza. Participei.

Com as visitas a outros Regionais, fui percebendo uma relação ecumênica profunda. Em Santa Cruz do Xingu, havia um local de celebração. Um domingo, celebração do culto católico e no outro domingo do culto luterano e todos participavam. O Conselho das duas comunidades era um só, a caixa do dinheiro era uma só. As vezes que fui fazer a visita, participaram todos. A primeira vez pensei que todos eram católicos, depois da missa, no momento da partilha da comida, cada um foi se apresentando. Várias famílias eram luteranas. Uma Igreja com expressão eclesial diversa. Na diferença, uma profunda comunhão e caridade. Uma convivência harmônica. Muitas vezes pensei: uma só fé, uma só caridade.

Nos dias em que estava em Cascalheira, fomos visitar a aldeia indígena Marãiwatsédé a 130 km de distância. Fomos sem saber se poderíamos passar, pois tinham fechado a estrada. Depois de percorrermos 120 km, chegamos à barreira. Padre Samuel era bom de conversa. Acabamos passando e chegamos à aldeia do povo Xavante. Foi meu primeiro encontro com os índios na Prelazia visitando uma aldeia. Havia conhecido os Tapirapé que estavam na celebração em São Félix. Ouvi a história da travessia de um povo pelo deserto. O cacique Damião e os idosos sentados à minha frente e os jovens postados atrás dos idosos, contaram a história da retirada e a luta pela retomada das terras (demorou mais de ano até que pudéssemos nos sentar ao lado deles. Eu era um estranho e desejavam saber se haveria de estar com eles com estivera dom Pedro). Saí sofrido-esperançado do encontro: quanta dor, quanto sofrimento, quanta morte; mas quanta luta, quanta força, quanta esperança-perseverança, quanta raiz. A terra era a casa. Havia aprendido de que lado estar. E não foi fácil, pois havia uma pequena cidade dentro da terra indígena e muitos eram pobres. Em Brasília, pude testemunhar ao presidente do Supremo Tribunal Federal sobre a terra indígena, hoje desintrusada.

Depois de uma semana, cheguei em casa. Ainda bem que éramos cinco morando na mesma casa. Casa simples, aconchegante, onde as pessoas chegavam, entravam e saiam com liberdade. Tanta liberdade que mulheres Karajá apareciam na hora do almoço. E sempre tinha o que comer. A Deolice, nossa mãe na cozinha e na roupa, já sabia dos costumes: preparava uma vasilha maior com arroz, feijão, verdura e carne. Depois de terem lavado as mãos, todas sentavam-se no chão em torno da vasilha e comiam tomando os alimentos com as mãos, em silêncio. Um ritual de partilha! Saiam da casa com a mesma simplicidade com que haviam entrado.

Foi na visita ao povo Tapirapé que aprendi o que é visitar. Visitei o regional de Confresa, onde está a terra indígena Urubu Branco. Fui até a aldeia onde também moravam as Irmãzinhas de Foucauld, Genoveva Hélène Boyé, Elisabeth, Odile Eglin e o casal Luiz Gouvêa de Paula e Eunice Dias de Paula, professores na aldeia. Dormi na rede pela primeira vez e dentro da capela na casa das irmãs. Inicialmente, foi estranho dormir na capela, mas logo familiar, tão perto de Jesus. Dormi logo, mas acordei com dor nas costas. Não sabia dormir numa rede. Foi preciso aprender. Depois da oração e do café, pedi para visitar o cacique Xywaeri, que cuidava do velho cacique Marcos, de quem Pedro havia contado muitas histórias. Um líder, um sábio.

Encontrei todos sentados debaixo das mangueiras frondosas. Busquei conversa que não engatava; perguntei do cacique Marcos... como se não houvesse perguntado. Depois de quase uma hora de tentativas de conversa e receber respostas breves, olhei para a irmã Genoveva que sorria levemente. Me despedi.... Das mangueiras até a casa das irmãs, ela me diz: "Leonardo, visita é para estar, não para conversar". Como vou saber? Mas aprendi. Somente na terceira visita, quando perguntei pelo cacique Marcos, é que o cacique Xywaeri perguntou se desejava vê-lo. Ele foi até a casa e, ao voltar, disse: "pode ir". Cheguei à porta; me esperava a esposa, que me convidou para entrar. Sentou-se na rede e fez muitas perguntas e fez observações; fiquei admirado com a sabedoria e a visão que tinha das coisas. Depois é que me levou até as redes onde estava Marcos e a esposa deitados em suas redes. Naturalmente foi estar, pois não sei tapirapé. A esposa dirigiu-me algumas palavras e depois perguntou por dom Pedro. Cacique Marcos tinha sofrido um derrame tendo dificuldade de falar. Veio falecer mais tarde. Pude estar junto do lugar onde foi enterrado, numa outra visita. Enterram dentro de casa, pois continua a fazer parte da família.

Conheci a escola da aldeia. Pensada e dinamizada segundo a cultura dos Tapirapé. Uma sabedoria!! Os professores quase todos tinham nível universitário e eram indígenas. Eunice e Luís continuavam como professores, mas sabiamente já haviam passado a coordenação aos professores tapirapé.

A aldeia era uma escola, uma academia! Um outro mundo, outra cultura! Voltei muitas vezes à aldeia e, com eles, fui percebendo que existem outras relações e outros cuidados que o nosso ocidental. Um povo que existia pela luta da Prelazia e pela presença das irmãzinhas.

Em Confresa e, depois em Vila Rica, ao visitar as comunidades e ouvir as pessoas depois da celebração, fui percebendo como era um povo abandonado. O único apoio que tinham era da Prelazia. As distâncias, a impossibilidade de vender os produtos, a falta de saúde, a grilagem de terra e o avanço do agronegócio levavam as famílias a migrar. As famílias tinham dificuldade de viver do trabalho da terra. Essa realidade era geral na Prelazia, em contraposição às fazendas de gado e soja. As muitas comunidades fundadas, algumas já não existiam mais. Outras sobreviviam pela teimosia e a esperança. A Prelazia tentava nessa época um projeto de apoio técnico aos assentamentos junto ao governo através da Associação Nossa Senhora da Assunção (ANSA). O projeto aconteceu, mas acabou por falta de repasse de dinheiro e acabou trazendo muita dificuldade à ANSA.

Com o passar do tempo, percebi a fragilidade econômica da Prelazia. Ela vivia das ajudas vindas, especialmente da Catalunha e da Espanha. Além da ajuda da *Misereor* e da *Adveniat*, havia também uma ajuda da *Kirche in Not*. A contribuição das comunidades era pouca. Havia necessidade da implantação do dízimo já decidido em Assembleias passadas.

Em novembro, aconteceu o retiro das equipes em Santa Terezinha. Um local onde os dominicanos pensavam em ter o noviciado. Uma bela construção, um local ótimo de oração. Lá estavam os padres, as irmãs, os diáconos com suas esposas e filhos, os leigos e leigas que faziam parte das equipes de pastoral, dom Pedro e eu. Tudo na simplicidade franciscana. Momentos de reflexão, de oração, eucaristia, silêncio, troca de experiências.

Mais de uma vez, dom Pedro me disse: "errei em não cuidar das vocações. Sempre pensei que comunidades de fé bem cuidadas, teríamos vocações". Mas, tínhamos quatro seminaristas estudando em Goiânia, três vindos da Bahia e um de São Paulo. Quase todas as equipes pastorais eram constituídas de pessoas vindas de outras dioceses. Isso começou a ser minha preocupação, pois as comunidades deveriam ser cuidadas por irmãos e irmãs que eram da Prelazia. Dada a mobilidade da população, também percebi que levaria tempo.

Com o passar do tempo, houve um aumento das equipes e as equipes receberam um veículo para poder visitar as comunidades. Com isso, as famílias foram visitadas e, em alguns povoados, foi retomada a vida das nossas comunidades, que tinham se dispersado pela falta de presença da equipe ou por falta de uma liderança local que pudesse animá-las. Assim, por exemplo, uma comunidade que fica em Vila da Paz permaneceu viva, apesar de permanecer quase isolada por oito anos. Quando fiz a visita, encontrei uma comunidade viva. Ela se reunia todos os domingos para a oração do terço e a leitura e meditação da palavra de Deus. Uma professora da escolinha que havia participado dos encontros de formação da Prelazia reunia e animava a comunidade. Ela literalmente era a animadora e catequista da comunidade. Ela me ligou um dia dizendo: "bispo, a gente está há oito anos sem uma visita. Não tem um padre para visitar a gente, na Vila da Paz?". "Onde fica a Vila da Paz?", perguntei. "Na região de Santa Cruz do Xingu", ela me disse. "No próximo mês, irei a Santa Cruz para a visita e vou também visitar a vocês", respondi. Fizemos os 80km em quase três horas. Uma emoção encontrar uma comunidade reunida no aguardo da Eucaristia. Uma verdadeira Comunidade Eclesial de Base. A presença dos leigos, bem preparados, garantem a vida das nossas comunidades.

O grande esforço da Prelazia na formação era justamente a formação dos leigos e leigas para lideranças na comunidade, mas também para formar jovens e catequistas.

A primeira Assembleia da Prelazia da qual participei aconteceu em janeiro de 2006. Nem todos os Regionais puderam fazer-se presentes devido as chuvas. Cada um foi chegando buscando o seu lugar, entregando na cozinha o que tinham trazido para as refeições. Depois... armavam a sua rede. Após as refeições, cada um lavava a sua louça. Tudo feito harmoniosamente a muitas mãos. A programação foi intensa. Exposição da realidade de cada Regional, a apresentação da CPT, do CIMI e a exposição da dra. Maria José de Souza Moraes, que coordenava os Direitos Humanos na Prelazia. No final do dia, o mosaico estava montado e rezado. No segundo dia, as reflexões e discussões nas quais todos participaram. Houve trabalho em grupo, houve plenário. Entre uma e outra atividade havia a transmissão da "Rádio Vaticana" local, apresentada pelo padre Paulo Gabriel Blanco. Momento de descontração e "cutucação". À noite, apresentações das qualidades artísticas. Terceiro dia, votação das propostas e discussão da carta às comunidades. Entre as decisões finais, houve a aprovação da Escola de Formação, tendo como objetivos: formar as lideranças da prelazia para exercerem os ministérios específicos; capacitar lideranças para serem multiplicadoras; capacitar lideranças para atuarem com mais segurança; fortalecer o ministério leigo; despertar a paixão pela comunidade; garantir uma unidade de formação na Prelazia. A Escola desejava dar continuidade à dinâmica da Prelazia, que dedicava e dedica muito tempo à formação.

A Assembleia da Prelazia era a expressão de uma Igreja de comunhão e participação. Sempre partindo das Assembleias, era possível caminhar com liberdade e segurança.

Teria tanto para escrever. Fica aqui a minha contribuição.

Dom Leonardo Ulrich Steiner
Arcebispo Metropolitano de Manaus

Diocese de Goiás e Prelazia de São Félix do Araguaia, Igrejas Irmãs – Dom Eugênio Rixen

Fui administrador apostólico da Prelazia de São Félix do Araguaia de 21 de outubro de 2011 até o dia 12 de maio de 2012. Foram quase oito meses de graças para mim. Pude conviver de mais perto com os agentes de pastoral e o povo em geral. Como ficava na casa do bispo Pedro, em São Félix do Araguaia, tive a oportunidade de conhecê-lo melhor.

Dom Leonardo Ulrich Steiner foi bispo desta Prelazia de 2005 até 2011, quando foi nomeado bispo auxiliar de Brasília. Alguns meses antes, ele tinha sido escolhido pelos bispos como secretário geral da CNBB.

Antes de ser nomeado administrador apostólico, já tivera vários contatos com a Prelazia. Participei desde 2001 de todas as Romarias dos Mártires da Caminhada em Ribeirão Cascalheira (MT). Como fui presidente da Comissão Episcopal Pastoral da Animação Bíblico-Catequética da CNBB e participava da Comissão Episcopal Pastoral (CONSEP), fui entregar, em nome dela, uma carta de apoio ao Pedro sobre sua luta em favor dos xavante de Marãiwatsédé e outra sobre o apoio ao Movimento Sem-Terra (MST), que estava fazendo uma marcha em direção a Brasília em favor da reforma agrária.

Em dezembro de 2004, o Núncio Apostólico dom Lorenzo Baldisseri me pediu para visitar dom Pedro para saber se ele iria ou não ficar na Prelazia. Conversei com dom Pedro e alguns padres da Prelazia e percebi que ele não tinha nenhuma condição de deixar São Félix por causa da sua saúde precária, que coloquei na carta que mandei para o Núncio. Logo depois desta visita, dom Leonardo foi nomeado bispo da Prelazia.

Participei junto com dom Tomás Balduino da acolhida de dom Leonardo como bispo da Prelazia em 2005 e também de dom Adriano no dia 13 de maio de 2012.

A Diocese de Goiás sempre procurou manter os laços de amizade com a Prelazia. Fizemos várias viagens organizadas com padres, religiosas e seminaristas para conhecer o Santuário dos Mártires da Caminhada, em Ribeirão Cascalheira, para encontrar os indígenas xavante do Marãiwatsédé e o seu cacique Damião, para entender a luta do padre Francisco Jentel em Santa Terezinha, para aprofundar a atuação das Irmãzinhas de Jesus no meio dos indígenas Tapirapé, principalmente a irmã Genoveva, e tantas outras coisas.

Nos meses que fiquei como Administrador Apostólico, pude me aproximar da realidade da Prelazia, conhecer melhor a sua história, suas lutas, suas derrotas e seus sonhos. É uma das Igrejas Particulares que mais conseguiu encarnar as grandes opções do Concílio Vaticano II, manter viva a profecia, sonhar que um "outro mundo é possível".

O bispo Pedro, junto com seus agentes, se colocava ao lado dos pobres na defesa de suas terras, dos povos indígenas na conquista ou na preservação de seus territórios ancestrais.

A Prelazia promove uma Igreja-Povo de Deus, onde os leigos e leigas são protagonistas e não meros consumidores da fé. Os rumos da Igreja Particular são discutidos em assembleia por padres, religiosas e leigos. Cada um tem vez e voz! A Palavra de Deus está no centro das Comunidades Eclesiais de Base. Palavra que ilumina, guia e fortalece a luta pela vida.

A Diocese de Goiás e a Prelazia de São Félix, mesmo vivendo realidades diferentes, têm uma caminhada parecida. Dom Tomás e dom Pedro comungavam dos mesmos ideais, dos mesmos sonhos: defesa dos Direitos Humanos, luta pela dignidade dos pobres, Igreja participativa.

Dom Pedro passou alguns dias, em dezembro de 2012, no Mosteiro da Anunciação em Goiás. A Polícia Federal o aconselhou a deixar São Félix porque queriam matá-lo por causa da ação da Polícia Federal na desocupação das terras que pertencem aos xavante de Marãiwatsédé e que foram invadidas.

Nos meses que fiquei na Prelazia, pude reanimar meus sonhos, festejando os 90 anos de dom Pedro e de uma Igreja verdadeiramente fiel a Jesus Cristo e ao seu Evangelho.

São as bem-aventuranças (Mt 5,1-11) que orientam a prática desta Prelazia.

Lógico, o mundo vai evoluindo! A Prelazia do tempo do bispo Pedro (1971 – 2005) mudou. Sem perder o essencial da mensagem que ele deixou, devemos encarná-la na nova realidade.

Agradeço a Pedro por tudo o que pude aprender dele através dos seus escritos e principalmente através das longas conversas que tivemos à noite na sua casa.

"Os índios devem encontrar seu próprio caminho de desenvolvimento!", dizia Pedro Casaldáliga.

Goiás (GO), 23 de outubro de 2019.
Memória de Nativo da Natividade[10]
Dom Eugênio Rixen
Bispo de Goiás

---

10 Nativo da Natividade era presidente do Sindicato dos Trabalhadores Rurais de Carmo do Rio Verde (GO), cidade da Diocese de Goiás, quando foi assassinado no dia 23 de outubro de 1985 por defender os trabalhadores rurais nos conflitos em que estavam envolvidos. Ele também atuava nas Comunidades Eclesiais de Base da diocese.

É Impossível Desanimar – Dom Adriano Ciocca Vasino

A Prelazia de São Félix do Araguaia, criada 50 anos atrás, em 1969, está situada no nordeste do estado de Mato Grosso na divisa com os estados do Tocantins ao leste e com o Pará ao norte; tem uma superfície de 128.658 km^2 e aproximadamente 160 mil habitantes. Está situada entre os rios Xingu e Araguaia na faixa sul da bacia amazônica, na área de transição entre o bioma cerrado e o bioma amazônico. É um território considerado uma nova fronteira agrícola, de imigração e colonização recentes. Do ponto de vista econômico, toda a região está passando rapidamente da criação extensiva de gado à lavoura de soja e milho. Está se dotando só agora de uma infraestrutura funcional para esse fim. No território, vivem vários povos indígenas que conservam língua e tradições próprias e são ameaçados de várias formas na sua sobrevivência pelo avanço especialmente do agronegócio.

A partir de 2014, a Prelazia mudou a base de atuação de São Félix do Araguaia para a cidade de Porto Alegre do Norte, situada quase no centro do território, na rodovia federal BR-158, a 220 km de São Félix, facilitando muito o contato com o povo da Prelazia toda. Devido à distância, aos poucos recursos e à precariedade das estradas, só no início deste ano de 2020, conseguimos concluir a mudança e inaugurar a nova cúria começando a reorganizar os arquivos.

A Prelazia, desde as suas origens, sempre ficou do lado dos pequenos e dos mais fracos denunciando toda exploração e violência contra eles e foi pioneira no território nos cuidados com saúde, educação e na agricultura mecanizada para os pequenos produtores. Por isso, sempre foi hostilizada pelo latifúndio e seus aliados. Neste contexto, a população não indígena tomou conta do território primeiro pelo rio Araguaia e em seguida pela BR-158, que passa no centro do território da Prelazia na direção norte-sul. A Prelazia, desde o início, teve que contar exclusivamente com missionários e missionárias vindos de outros estados do Brasil ou do exterior e ainda hoje são muito poucos os agentes de pastoral autóctones. A mobilidade tanto da população como dos agentes constitui um grande entrave para um trabalho pastoral de médio e longo prazo. As pessoas e famílias que vêm para a região vêm em busca de terras e o sonho de muitos é de se tornar fazendeiros por qualquer meio. A Prelazia sempre foi carente de agentes de pastoral. Depois da conclusão do pastoreio de dom Pedro Casaldáliga, o número se reduziu tanto, a ponto de não conseguir acompanhar muitas comunidades, que, abandonadas a si mesmas, debandaram, deixando o campo livre para o proselitismo das igrejas protestantes. Diante desta realidade, foi necessário buscar mais agentes de pastoral, retomar o trabalho de formação, reorganizar as pastorais mais básicas e retomar as visitas às comunidades dedicando tempo para a convivência no meio do povo. Nestes anos, foram dados passos importantes em todas estas direções, mas tem muito caminho a se fazer para que a prelazia volte a ser uma Igreja de Comunidades Eclesiais de Base, profética, diante de um contexto econômico que mata, e alimentada pela espiritualidade martirial, tendo como modelo e guia o primeiro mártir, Jesus.

Desde que cheguei na Prelazia, em 2012, olhando a realidade atual, destacaria os seguintes pontos positivos:

- O número dos agentes de pastoral duplicou e o de leigos engajados aumentou consideravelmente.
- Temos em andamento um percurso de formação diferenciado e permanente para os leigos com resultados animadores.
- Algumas pastorais estão renovando a vida de muitas comunidades, especialmente a pastoral Litúrgica, a pastoral da Juventude e o Encontro de Casais com Cristo (ECC).
- As equipes do CIMI, da CPT, da Pastoral da Criança foram reforçadas e estão atuando bem. O Centro de Defesa dos Direitos Humanos é uma realidade atuante.
- Surgiram ou ressurgiram várias comunidades eclesiais que agora estão vivas e atuantes.
- Através da presença nas escolas públicas e com o trabalho de saúde, alargamos muito o leque de contatos e diálogo com pessoas de outras igrejas e religiões.
- Através das pastorais sociais tecemos uma rede de parcerias com ONGs, Universidades, Institutos Federais e alguns órgãos públicos mais sensíveis.
- Apesar de ainda não ter alcançado a plena autossustentação, houve um crescimento significativo na colaboração econômica do povo, especialmente dos pequenos.

Os problemas mais destacados são:

- A escassez de agentes de pastoral.
- A rotatividade dos mesmos.
- A mudança contínua de uma parcela significativa da população que inviabiliza ou complica os trabalhos de médio e longo prazo.
- A dificuldade em desenvolver melhor algumas pastorais como a catequese e a pastoral vocacional.
- O diálogo com as igrejas pentecostais e neopentecostais.
- O diálogo com o agronegócio.
- A escassez de recursos econômicos.

O grande desafio é como garantir um futuro para este povo diante do avanço desenfreado do agronegócio e fazer frente à narrativa de progresso por ele apresentada. Na realidade, em lugar de um progresso real, assistimos ao saque dos recursos naturais da região reduzindo progressivamente as condições de vida do povo em benefício do lucro de poucos que nem moram na região. Se o abandono das terras por parte dos pequenos proprietários continuar, e se não parar a expansão do agronegócio assim como é praticado atualmente, esta região não tem futuro: vai virar um deserto verde. Como discípulos de um Deus que se encarnou na história humana e veio para que todos tenham vida e vida plena, este me parece o maior desafio que a Prelazia deve enfrentar. Dom Pedro Casaldáliga, o primeiro bispo desta Igreja, poeta e profeta, diante deste desafio e plenamente consciente da realidade, nos anima com seu testemunho de fé e com a sua palavra: "Somos soldados derrotados de uma causa invencível". Por isso, é impossível desanimar.

Nestes anos, procuramos renovar e reforçar as Comunidades Eclesiais de Base como modelo de referência eclesial para todas as atividades pastorais.

A formação permanente tanto dos agentes de pastoral como dos leigos e leigas foi e continua sendo prioridade para a Prelazia. Todos os recursos não vinculados por projetos específicos são gastos para este fim.

O reforço das pastorais básicas para a vida das comunidades e as pastorais sociais tiveram atenção prioritária. Os meios adotados deram resultados positivos; a eficácia teria sido maior se tivéssemos um corpus de agentes de pastoral mais estável e mais entrosado na história e na vida da Prelazia.

Com as Assembleias anuais, as reuniões do Conselho Geral da Prelazia e os encontros com todos os agentes de pastoral ao longo do ano dá para manter uma linha de trabalho coerente com o plano pastoral traçado.

Para o futuro, estamos nos preparando para realizar as Santas Missões na Prelazia toda a partir de 2021. O objetivo geral é reanimar ou fundar novas CEBs que saibam viver de forma madura a fé e sejam capazes de resistir ao monopólio do agronegócio implantando e difundindo modos de produção ecologicamente corretos e que beneficiem as famílias e as pequenas propriedades. A previsão é que as Santas Missões continuem até 2023, mobilizando o maior número possível de fiéis para que se tornem missionários e missionárias e para que a figura do missionário como novo ministério eclesial se difunda e anime para a missão todas as nossas comunidades visando fazer que a missão, de evento extraordinário, passe a ser o hábito permanente da vida da nossa igreja.

Dom Adriano Ciocca Vasino

POSFÁCIO

Um "historiador grego" no Araguaia: o testemunho de uma testemunha ocular
Contei até aqui o resultado *do que vi*, do meu próprio julgamento
e de *minha investigação*; de agora em diante discorrerei
sobre a história do Egito, de acordo com *o que ouvi*,
somando a isso *o que eu mesmo vi*. (Heródoto, séc. V a.C.)
Só falo como *testemunha ocular* ou após uma crítica mais atenta
e completa possível de minhas informações. (Tucídides, séc. V a.C.)
Visto que muitos já tentaram compor uma narração dos fatos
que se cumpriram entre nós – conforme no-los transmitiram
os que, desde o princípio, foram testemunhas oculares
e ministros da Palavra –, a mim também pareceu conveniente,
após *acurada investigação* de tudo desde o princípio,
escrever-te de modo ordenado, ilustre Teófilo,
para que verifiques a solidez dos
ensinamentos que recebeste. (Lc 1, 1-4)

História (do jônico *historie*), uma derivação de termos associados à prática jurídica das cidades gregas antigas, é uma variação do
verbo *ver*, estando seu significado implicado na íntima conexão entre
este sentido e o *conhecimento*.

O sentido de *historie* ficou circunscrito pela prática do *hístôr*:
o julgamento, a avaliação, a investigação, tendo como critério, tanto
em sentido estrito quanto figurado, o *olhar*.

As obras dos historiadores gregos (e incluímos os textos de São
Lucas – o seu Evangelho e o livro de Atos – como sendo do mesmo
gênero) e, com elas, o estatuto do *hístôr*, podem, em medida signifi-

cativa, ser relacionadas à crescente prática judiciária, na Grécia do século V a.C., de audição de testemunhas, como se o "historiador" fosse um juiz em uma tribula da "pólis", empregando ele toda uma técnica de demonstração, de reconstrução do plausível ou do provável, buscando elaborar a noção de verdade objetiva.

Os antigos historiadores – tais como Heródoto, Tucídides, Políbio, Flávio Josefo, Tácito e também São Lucas – estavam convencidos de que a verdadeira história poderia ser escrita somente enquanto os acontecimentos ainda se encontravam dentro de uma memória viva, e consideravam como suas fontes os relatos orais de experiência direta dos acontecimentos por parte dos participantes envolvidos neles.

Idealisticamente, o próprio historiador deveria ter sido um participante dos eventos que ele narra, mas, visto que ele não poderia estar em todos os acontecimentos que ele narra ou em todos os lugares que ele descreve, o historiador tinha de confiar, portanto, em testemunhas oculares, cujas vozes vivas ele podia ouvir e a quem ele próprio podia questionar.

Para aqueles historiadores, a testemunha ocular ideal não era o observador impassível, mas alguém que, como participante, estivera o mais perto possível dos eventos e cuja experiência direta capacitava-o a compreender e interpretar o significado do que ele vira. A coincidência de fato e significado, de relato empírico e interpretação engajada não era um problema para esses historiadores. Testemunhas oculares eram tanto intérpretes quanto observadores. Os relatos delas tornaram-se partes essenciais dos escritos destes historiadores.

Ao término da leitura desta obra historiográfica, do amigo Antônio Canuto, me veio imediatamente as imagens daqueles "historiadores gregos". Mesmo que não seja um "historiador profissional" – formado no universo acadêmico com suas peculiaridades e exigências epistemológicas e metódicas –, Canuto deixa claro sua participação direta nos eventos destes 50 anos de história da Prelazia de São Félix do Araguaia (MT). Além disso, faz uma "interpretação engajada" não panfletária, mas crítica e autocrítica.

No final de tudo, penso que Canuto se parece mesmo, com este livro, com o nosso primeiro historiador cristão: São Lucas. Pois, após acurada investigação de tudo desde o princípio, também a ele pareceu conveniente escrever de modo ordenado, às ilustres e aos ilustres "amigas e amigos de Deus" que estão na Amazônia, para que pudessem verificar a solidez dos ensinamentos que receberam do profeta Dom Pedro Casaldáliga e dos(as) muitos(as) "confessores da fé" (mártires) na região.

Assim, como bem disse Peter Burke, a "função do historiador é lembrar a sociedade daquilo que ela quer esquecer". A obra de Antônio Canuto cumpre muito bem esta função.

Sérgio Ricardo Coutinho
Doutor em História pela UFG, docente do Departamento de História das Faculdades Integradas UPIS (DF) e de História da Igreja no Instituto São Boaventura (DF)

REFERÊNCIAS

ADISTA DOCUMENTI, n. 32, 19 abr. 2008.

ALVORADA, ano 22, nº 167, mar./abr. 1992a.

ALVORADA, nov. 1977.

ALVORADA, set. 1981.

ALVORADA, set. 1982.

ALVORADA, mar./abr. 1985a.

ALVORADA, set./out. 1985b.

ALVORADA, jan./fev. 1986.

ALVORADA, maio/jun. 1987.

ALVORADA, mar./abr. 1988.

ALVORADA, jul./ago. 1990.

ALVORADA, jul./ago. 1991a.

ALVORADA, set./out. 1991b.

ALVORADA, maio/jun. 1992b.

ALVORADA, nov./dez. 1992c.

ALVORADA, jan./fev. 1993a.

ALVORADA, jul./ago. 1993b.

ALVORADA, nov./dez. 1993c.

ALVORADA, maio/jun. 1994a.

ALVORADA, set./out. 1994b.

ALVORADA, nov./dez. 1994c.

ALVORADA, jan./fev. 1995a.

ALVORADA, maio/jun. 1995b.

ALVORADA, set./out. 1995c.

ALVORADA, jan./fev. 1996a.

ALVORADA, mar./abr. 1996b.

ALVORADA, maio/jun. 1996c.

ALVORADA, set./out. 1996d.

ALVORADA, nov./dez. 1996e.

ALVORADA, set./out. 1998.

AUDRIN, José M. *Entre sertanejos e índios do norte*: o bispo-missionário Dom Domingos Carrérot. Rio de Janeiro: Púgil: Agir, 1946.

BALDUINO, Dom Tomás, Pedro, Vescovo. *Adista Documenti*, n.º 32, 19 abril 2008.

BALDUS, Herbet, *Tapirapé-Tribu Tupi do Brasil Central*. São Paulo: Nacional: Edusp, 1970.

BATISTA, Adauta Luz. *Sertão de fogo*. Goiânia: Edição da Autora, 2003.

CANUTO, Antônio. *Resistência e luta conquistam território no Araguaia mato-grossense*. São Paulo: Outras Expressões, 2019.

CARNEIRO RODRIGUES, Alessandra Pereira. *Uma história da Cartilha do Araguaia ... Estou Lendo (1978-1989)*. Curitiba: Appris, 2019.

CASALDÁLIGA, Pedro. *En rebelde fidelidad*: Diario 1977-1983. Bilbao: Desclée de Brower, 1983.

CASALDÁLIGA, Pedro. *A Prelazia de São Félix, MT, entre o processo e a solidariedade*, 3 de outubro de 1973.

CASALDÁLIGA, Pedro. *Creio na justiça e na esperança*. Rio de Janeiro: Civilização Brasileira, 1978.

CASALDÁLIGA, Pedro. Cuando los dias dán que pensar: memoria, ideário, compromisso. Madrid: PCC, 2005.

CASALDÁLIGA, Pedro. *La muerte que da Sentido a mi Credo*: Diario 1975-1977. Bilbao: Desclée de Brower, 1977.

CASALDÁLIGA, Pedro. *Uma Igreja da Amazônia em conflito com o latifúndio e a marginalização socia*l. 1971.

DIÁRIO DAS IRMÃZINHAS, 14 jul. 1959. Inédito.

DIÁRIO DAS IRMÃZINHAS, 31 maio 1964. Inédito.

ESCRIBANO, Francesc. *Descalço sobre a terra vermelha*. 2.ed. Campinas Ed. da Unicamp, 2014.

FOLHA DE GOYAZ, 5 mar. 1972.

FOLHA DE SÃO PAULO, 11 nov. 1971.

FOLHA DO NORTE, 11 nov. 1971.

FONSECA, José Pinto da. Carta. *Revista Trimestral de História e Geografia*, v. VIII, p. 370-388, 1846.

FRANÇA, Edineth; DI RENZO, Ana Maria. Araguaia: a terra brava onde em meio aos conflitos a arte encontra o político e sustenta a luta. *In*: SOARES, Luiz Antonio Barbosa; ARAÚJO, Maria do Socorro de Sousa; ZATTAR, Neuza B. (orgs.). *Territórios do Araguaia*: entre a palavra poética e o gesto político . Cáceres: Ed. da Unemat, 2017.

IRMÃZINHAS DE JESUS. O renascer do povo tapirapé. *Diário das Irmãzinhas de Jesus*, São Paulo, 2002.

JORNAL DA TARDE, 12 nov. 1971.

JORNAL DE BRASÍLIA, 16 out. 1977.

JORNAL DO BRASIL, 11 nov. 1971a.

JORNAL DO BRASIL, 12 nov. 1971b.

JORNAL DO BRASIL, 6 mar. 1972.

LEITE, Pe. Serafim. *História da Companhia de Jesus no Brasil.* Rio de Janeiro: Instituto Nacional do Livro; Lisboa: Portugália, 1945a.Tomo VI, Livro III, 1945, capítulo II, p. 204-12.

LEITE, Pe. Serafim. *História da Companhia de Jesus no Brasil*. Rio de Janeiro: Instituto Nacional do Livro; Lisboa: Portugália, 1945b. Tomo III, Livro III, 1943b, capítulo VII, p. 313-44.

O ESTADO DE SÃO PAULO, 15 set. 1971.

O ESTADO DE SÃO PAULO, 5 mar. 1972.

O ESTADO DE SÃO PAULO, 16 out. 1977.

O GLOBO, 16 nov. 1971.

OLIVEIRA, Ariovaldo Umbelino de. *A fronteira amazônica mato-grossense* – grilagem, corrupção e violência. São Paulo: Iande, 2016.

OLIVEIRA, Pedro Ribeiro de; RODRIGUES, Solange dos Santos. *Reforçando a Rede de uma Igreja Missionária* – Avaliação Pastoral da Prelazia de São Félix do Arguaia. São Paulo: Paulinas, 1997.

PORTO, José Justino. Missão Adventista entre os Karajá de Santa Izabel do Morro: 1980 a 2000. Dissertação (Mestrado em Ciências da Religião) – Pontifícia Universida Católica de Goiás, Goiânia, 2009.

PRESTES FILHO, Ubirajara de Farias. O indígena e a mensagem do segundo advento- missionários adventistas e povos indígenas na primeira metade do século XX. Tese (Doutorado em História Social) –USP, São Paulo, 2006.

RIBEIRO DA SILVA, Hermano. *Nos sertões do Araguaia, narrativa da expedição a glebas bárbaras do Brasil Central*. São Paulo: Saraiva, 1935.

SCALOPE, Marluce de Oliveira Machado. Práticas midiáticas e cidadania no Araguaia. *Jornal Alvorada*, Cuiabá, 2009.

SOCIETÀ DI SAN FRANCESCO DI SALES: salesiani defunti dal 1864 al 2002. Roma: Editrice S. D. B, 2003. n. 344.
SOUZA, Maria Aparecida Martins. A Prelazia de São Félix do Araguaia: uma igreja em defesa da vida e a opção pelos pobres. *In*: SOARES, Luiz Antonio Barbosa; ARAÚJO, Maria do Socorro de Sousa; ZATTAR, Neuza B. (orgs.).*Territórios do Araguaia*: entre a palavra poética e o gesto político . Cáceres: Ed. da Unemat, 2017.

SOUZA, Maria de Lourdes Jorge de; MACHADO, Ilma Ferreira. Pegadas da educação do campo na região do araguaia *In*: SOARES, Luiz Antonio Barbosa; ARAÚJO, Maria do Socorro de Sousa;

ZATTAR, Neuza B. (orgs.).*Territórios do Araguaia*: entre a palavra poética e o gesto político. Cáceres: Ed. da Unemat, 2017.

WANPURÃ, André de Paula. Escola Apyãwa: da vivência e convivência da educação indígena à educação escolar intercultural. Dissertação (Mestrado do Programa de Pós-Graduação em Educação) – Universidade Federal do Mato Grosso, Cuiabá, 2018.

WILDING, Rettie. *Sowing in tears* – The Evangelical Union ou South America. London: [s.n.], s/d.

ANEXO

Carta pastoral do Bispo Pedro Casaldáliga por ocasião de sua ordenação episcopal em outubro de 1971

UMA IGREJA DA AMAZÔNIA EM CONFLITO COM O LATIFÚNDIO E A MARGINALIZAÇÃO SOCIAL[1]

Depois de três anos de "missão" neste norte do Mato Grosso, tentando descobrir os sinais do tempo e do lugar, juntamente com outros sacerdotes, religiosos e leigos, na palavra, no silêncio, na dor e na vida do povo, agora, com motivo da minha sagração episcopal, sinto-me na necessidade e no dever de compartilhar publicamente, como que a nível de Igreja nacional e em termos de consciência pública, a descoberta angustiosa, premente.

Para dar a conhecer esta Igreja às outras Igrejas irmãs, à Igreja.

Para pedir e possibilitar, também desde esta Igreja, uma maior comunhão, uma colegialidade mais real, uma mais decidida corresponsabilidade. Talvez também para despertar e chamar respostas e vocações concretas...

Nenhuma igreja pode viver isolada. Toda igreja é universal, na comunhão de uma mesma Esperança e no comum serviço do amor de Cristo que liberta e salva. "...Cada parte cresce por comunicação

---

1 O original desta carta tem 123 páginas. Até a página 45 é a Carta Pastoral que reproduzimos aqui. As páginas restantes são reservadas à Documentação. São documentos transcritos que comprovam as afirmações feitas no corpo da carta. São documentos de diversas espécies: Cartas enviadas às autoridades denunciando situações de injustiça e pedindo providências; relatórios sobre conflitos existentes; depoimentos de pessoas submetidas a condições de exploração do trabalho; recortes de jornais etc. Para acessar a carta original com a documentação, consultar: independent.academia.edu/PedroCASALDALIGA.

mútua e pelo esforço comum em ordem a alcançar a plenitude na unidade" (Lumem Gentium, 13).

O "momento publicitário" de projetos e realizações que a Amazônia está vivendo, e a opção de prioridade que a própria Igreja do Brasil fez por ela, através da CNBB, justificam também com nova razão esta minha declaração pública.

Se "a primeira missão do bispo é a de ser profeta" e "o profeta é a voz daqueles que não têm voz" (card. Marty), eu não poderia, honestamente, ficar de boca calada ao receber a plenitude do serviço sacerdotal.

SITUAÇÃO GEOGRÁFICA

Esta Prelazia de São Félix, bem no coração do Brasil, abrange uns 150.000 km² de extensão, dentro da Amazônia legal, no nordeste do Mato Grosso, e com a Ilha do Bananal em Goiás. Está encravada entre os rios Araguaia e Xingu e lhe faz como de espinha dorsal, de Sul a Norte, a Serra do Roncador.

O decreto de ereção da Prelazia, *Quo commodius*, assinado por Paulo VI, aos 13 de março de 1970[2], define assim os limites estritos da Prelazia de São Félix:

> Ao norte, os confins da Prelazia de Conceição do Araguaia, que atualmente delimitam os Estados do Pará e Mato Grosso; ao leste os confins da Prelazia de Cristalândia, e ao oeste os da Prelazia de Diamantino, ou seja os rios Araguaia e Xingu; ao sul a linha traçada em direção noroeste desde a confluência dos rios Curuá e da Mortes; e daí em linha reta até a confluência dos rios Couto de Magalhães e Xingu.
>
> Compõem o solo da Prelazia terras de mata fértil, florestas, grandes pastagens, margens de areia e argila, campos e cerrados, sertão e varjões. Duas estações, bem marcadas, de clima subequatorial, se repartem o ano todo: 'as chuvas', de novembro até abril, e 'a seca', de maio a outubro.
>
> Cruzam o território duas estradas 'de terra', de empreendimento da

---

2 O decreto de criação da Prelazia foi emitido no dia 13 de maio de 1969 e foi instalada no 25 de julho de 1970. Como se pode ler acima, a carta foi escrita num prazo muito limitado, sem tempo para revisão (Nota do autor).

Sudeco, a BR-158, Barra do Garças- Xavantina- São Félix, e a BR-80, em construção, Araguaia-Xingu - Cachimbo- Cuiabá/Santarém.

A Prelazia compreende todo o município de Luciara, ao norte, e, ao sul mais da metade do município de Barra do Garças. Além da Ilha do Bananal, formada pelos dois braços do rio Araguaia. São Félix, a sede da Prelazia, é só distrito e pertence à Prefeitura de Barra do Garças, a uma distância de quase 700km². [3]

Dentro da área do município de Barra do Garças, além da sede da Prelazia, com uns 1.800 habitantes, situam-se os povoados de Pontinópolis, Campos Limpos/ Cascalheira, Santo Antônio, Serra Nova, Garapu, Barreira Amarela... O município de Luciara inclui a sede da Prefeitura[4] e os lugarejos de Santa Terezinha (com o antigo núcleo fundacional de Furo das Pedras), Cedrolândia/Porto Alegre, Lago Grande, '2 de Junho', 'São Sebastião', ... Dentro da Ilha do Bananal está Santa Isabel do Morro – 'a capital', com aeroporto oficial da FAB -, São João do Javaé e Barreira de Pedra. Existem na área da Prelazia as aldeias indígenas da metade leste do Parque Nacional do Xingu, à margem direita do rio, e as aldeias de São Domingos, Santa Isabel, Fontoura, Macaúba, Tapirapé, Canuanã, Cachoeirinha, Areões, Barra do Tapirapé e Luciara.

Localizam-se na região a maior parte dos empreendimentos agropecuários - Fazendas ou companhias - aprovados pela Sudam, entre eles, a Suiá-Missu, Codeara, Reunidas, Frenova, Bordon, Guanabara, Elagro, Tamakavy etc. (cf. Documentação, nº I).

PANORÂMICA SOCIO-PASTORAL

Torna-se praticamente impossível, por enquanto, dar uma estatística do contingente humano que habita o território da Prelazia.

---

3 São Félix - na margem mato-grossense do Araguaia - foi fundada em 1941 pelo piauiense Severiano Neves, que se amparou sob o patrocínio de São Félix de Valois, como acreditado protetor "contra" os índios... Pelo Decreto Pontifício de ereção da Prelazia foi constituída titular Nossa Senhora no mistério da sua Assunção, e é agora Nossa Senhora da Assunção a padroeira também da cidade de São Félix.

4 Luciara foi fundada em 1934 pelo lendário Lúcio da Luz, vindo do Pará. Chamada inicialmente de Mato Verde passou a tomar definitivamente os nomes do fundador Lúcio e do Rio Araguaia em cuja margem está assentada.

Os dados do IBGE para todo o município de Barra do Garças, no recenseamento de 1970, apontam uma cifra de 28.403. Entretanto a estimativa da população total, segundo os "Dados estatísticos do município de Barra do Garças, MT" (Secretaria municipal de Educação e Saúde, 23 de março de 1971), é de 52.000. Para o município de Luciara, o Censo de 1970, do mesmo IBGE, assinala o número de 5.332 habitantes...

A estimativa aproximada de toda a população da Prelazia poderia ser de 50.000 a 60.000 habitantes. Com uma ampla faixa de população flutuante ao lado da população relativamente fixa. (Pode-se considerar tônica de todo o setor humano da região, excluído o indígena, a instabilidade habitacional.)

A maior parte do elemento humano é sertanejo: camponeses nordestinos, vindos diretamente do Maranhão, do Pará, do Ceará, do Piauí..., ou passando por Goiás. Desbravadores da região, "posseiros". Povo simples e duro, retirante como por destino numa forçada e desorientada migração anterior, com a rede de dormir nas costas, os muitos filhos, algum cavalo magro, e os quatro "trens" de cozinha carregados numa sacola.

Adauta Luz Batista, filha da região e protagonista da história local, se refere a eles com este significativo depoimento: "Acostumados com a aspereza da vida agreste, desprezados pela esfera dos altos poderes, ludibriados na sua boa fé de gente simples, eles vêem os seus dias, à semelhança das nuvens negras, sempre anunciando um mau tempo. Ele (o sertanejo) é a vítima da ganância alheia, da inconsciência dos patrões, da exploração dos trêfegos políticos que na região aparecem de eleição em eleição para pedir voto e mais que tudo isto, da sua própria ignorância. É o homem que comete muitas das vezes um crime, porque embargando-se-lhes o direito, só lhe resta a violência. Esse infeliz, sobejo das pragas e da verminose, vive na penumbra de um futuro incerto.

"Indiferentes a tudo, eles vão ganhando o pão de cada dia, pois para eles só existem dois direitos: o de nascer e o de morrer. O produto de seus esforços somado ao de seus sacrifícios, vai aparecendo lentamente nos grandes armazéns das vilas, ou numa cabeça de gado a mais nas fazendas circunvizinhas. Uma doença, uma boda, uma viagem, podem acabar com toda uma vida de dolorosas poupanças.

O sertanejo nunca conheceu a lei do protesto, das greves, do direito ou do uso da razão. Todo o seu cabedal histórico está dentro das quatro paredes de um mísero rancho e na prole que aparece descontroladamente. Desfaz as suas profundas mágoas entre um e outro copo de cachaça, ou num cigarro de palha, cujas baforadas se encarregam de levar bem longe a infelicidade que ele tem bem perto". (Da "pesquisa Sociológica" realizada pelo professor Hélio de Souza Reis, em São Félix, durante o ano de 1970).

Os indígenas constituem uma pequena parte dos moradores. Os Xavante: caçadores, fortes, bravos ainda faz poucos anos quando semeavam o terror por estas paragens. Receosos. Bastante nobres Os Carajá: pescadores, comunicativos, fáceis à amizade, festeiros, artesãos do barro, das penas dos pássaros e da palha das palmas; moles e adoentados, particularmente agredidos pelos contatos prematuros desonestos com a chamada Civilização, por meio do funcionalismo, do turismo e do comércio: com a bebida, o fumo, a prostituição e as doenças importadas. Os Tapirapé: lavradores, mansos e sensíveis; mui comunitários e de uma delicada hospitalidade.

A várias tribos agrupadas dentro do Parque Nacional do Xingu seriam oficialmente virgens se atendermos à publicidade do Parque, controlada e dirigida. De fato se beneficiaram de um certo isolamento, depois de sofrer maior ou menor deportação. Foram, porém, afetadas por presenças e atuações discutíveis.

O restante da população está formado por fazendeiros, gerentes e pessoal administrativo das fazendas latifundiárias, QUASE SEMPRE SULISTAS DISTANTES, como estrangeiros de espírito, um pouco super-homens, exploradores da terra, do homem, e da política. Por funcionários da FUNAI e de outros organismos oficiais, com as características próprias do funcionário "no interior". Por comerciantes e marreteiros, motoristas, boiadeiros, pilotos, policiais, vagabundos, foragidos e prostitutas. E principalmente por peões: os trabalhadores braçais contratados pelas fazendas agropecuárias, em regime de empreitada. Trazidos diretamente de Goiás ou do Nordeste, ou vindos de todo canto do país; mais raramente moradores da região, que neste caso são comumente rapazes. (Muitos dos peões passam a ser moradores da região após se "libertar" do serviço das fazendas.)

Para uma apreciação pastoral do elemento humano da Prelazia seria preciso distinguir as diferentes faixas de população que acabo de anotar.

É interessante reconhecer aqui um trecho da apreciação que faz sobre o racismo na região a citada «Pesquisa sociológica»: «Há uma série de degraus na consideração racista das pessoas: Sulista-Sertanejo(nordestino); Branco-Preto; «Cristão"-Índio. O sulista fala em "essa gente", "esse povo", "aqui nunca viram, não sabem nem...", "são índios mesmo", etc... O índio não é considerado gente pelo sertanejo. Ninguém confia em índio. Expressões sintomáticas: "O governo nos trata como carajá". Quando um índio atua, reage, se comporta "normalmente", o comentário é: "... que nem gente", "feito gente"... "Fulano tem cabelo bom", "sicrano tem cabelo ruim":... o branco é considerado superior e tem cabelo liso, logo o cabelo liso é bom, superior; e o cabelo pixaim é ruim, inferior, por ser de negro, considerado raça inferior...".

Há umas constantes de conduta, mais ou menos comuns em todos os moradores desta região, derivadas da situação ambiente (clima, distâncias, mobilidade). Outras constantes talvez poderiam se considerar patrimônio comum da alma brasileira.

O povo da Prelazia, mais estritamente tal - o sertanejo - é o povo nordestino, depois de alguns anos - e até muitos - de vida retirante, e havendo incorporado à sua vida os condicionamentos da região.

É um povo de admiráveis virtudes básicas: a hospitalidade universal, espontânea, sem preço: levando mesmo à filiação adotiva. Uma hospitalidade que se sente e se pratica como dever natural. A abnegação. «O sertanejo é antes de tudo um forte», disse Euclides da Cunha. É um forte de espírito. A *resignação*, quando não for fatalismo e passividade. Uma resignação de última instância que a gente adivinha como sendo um substrato de Esperança teologal. O sentido religioso da vida, do universo. A *maleabilidade*, a capacidade de admirar, de escutar, de aprender. Uma profunda vida interior: de experiência, de silêncios, de reflexão - mesmo elementar -, de saudável astúcia. A *simplicidade*: uma pureza de espírito que se revela até nos "pecados" e "crimes". A *coragem* frente a natureza brava, contra o "destino" e a injustiça permanente, no total abandono social. (Um posseiro - moço novo - ameaçado de morte pelos poderes do latifúndio e com a perspectiva de deixar órfãos 7 filhos, crianças, expressava-se assim: "Confio em mim; e confio em Deus. A vida que eu tenho, eles têm. Eles têm o medo que eu tenho... Deus quando dá filhos confia nele mais do que no pai... Eu não vi pai na minha casa!"

É um povo *religioso*. Acredita em Deus, sem discussão. Com uma fé primitiva, entre o "terror de Deus" e a gratidão mais sentida. Aquele "graças a Deus", tirando o chapéu e com os olhos levantados, é todo um símbolo. As promessas são cumpridas fielmente de geração em geração. Tudo vem de Deus. Diretamente. As "causas segundas" ou a secularização seriam para esta gente uma presunção temerária, uma monstruosa heresia. Toda desgraça é um castigo de Deus. Deus é um instrumento mágico. Pode-se até prescindir dos meios naturais: "Com fé em Deus..."

Transcrevo o julgamento, para ser meditado, da "Pesquisa Sociológica" do professor Hélio: "Os homens dos sertões brasileiros, ainda que batizados, foram e ainda são abandonados pela Igreja. São cristãos esparramados por estes sertões infindos, que passaram anos sem ver cara de padre, a não ser no tempo das desobrigas. A Igreja parece ter adotado a atitude da classe dominante, que considera o sertanejo um sub-homem, sem direitos. E por analogia, um cristão de 2ª classe. E hoje deparamos com o catolicismo das promessas, dos santos e dos espíritos: um verdadeiro sincretismo religioso, onde a ignorância e as superstições florescem viçosamente".

O povo pratica, com zelo quase fanático na materialidade do ato, (com visível distância espiritual, em muitos casos, por parte dos homens e da gente nova), as características "rezas", "bênçãos", "novenas", guarda de inumeráveis dias santos e ritos vários (nas doenças, nos encontros, no trabalho, nos enterros, nos mil momentos da vida; até no jeito próprio de colocar as balas no revólver...).

A *superstição* (assombração, benzeção, mitos, feitiço, messianismo, fatalismo) domina profundamente a alma deste povo, mesmo quando encoberta por uma capa externa de conscientização, de machismo ou de modernidade.

A desobriga sacramentalizou sem evangelizar, sem edificar Igreja. Os sacramentos são mais uma "benção". Procura-se o batismo dos filhos como uma saída automática do paganismo, como um salvo-conduto e até como um remédio. Pede-se até batizar os filhos já mortos. O crisma é apenas uma nova oportunidade de arranjar padrinhos: duvido que uma dúzia de pessoas de toda a região pudesse dar sua ideia certa do que é realmente a Confirmação. Confunde-se frequentemente "confessar" com "comungar". A eucaristia é ignorada. A Missa é uma reza. Quando o padre passava, nas desobrigas, eram "batizados" sobre o altar os santinhos e as imagens. E escutava-se com fé, mas sem poder entender. E aquela era a oportunidade do encontro, dos noivados fulminantes, dos batizados, de casamento "no queima"[5] das festas e das bebedeiras, das brigas e tiros também. O casamento "no padre", "pela Igreja", "religioso", é reconhecido como o verdadeiro matrimônio, porém aceita-se com a maior naturalidade o simples casamento civil, durante anos, ou o amigamento, e se "largam" marido e mulher com uma frequência preocupante.

O sacerdote, o padre batiza e casa, traz remédios, dá carona, sabe muito. É diferente. Está de passagem. É respeitado, até o medo. (O povo conheceu muitos padres "bravos"). E quase sempre é um estrangeiro. Certamente esta imagem do padre, na Prelazia, está-se modificando, e essa mudança questiona e compromete a fé do povo.

A Moral sofre particularmente pelas leis primárias de vingança - hereditária muitas vezes, verdadeiro ônus familiar -, da justiça tomada por própria mão; pela *valentia* e pela *embriaguez* frequentíssima. (Ao longo da estrada e em todo canto de rua surgem os botecos de pinga. O maior comércio da região é a cachaça). A infidelidade conjugal. A fragilidade da família, uma sexualidade entre primitiva e mórbida, tropical e de compensação, abalam também constantemente a Moral. A prostituição é praga. De São Félix têm-se feito cálculos e juízos alarmantes. O "Pingo" - cabaré local - funciona em plena cidade para escândalo das famílias e dos menores e para ameaça da saúde e da segurança pública. O mesmo acontece em outros povoados da região. A maioria das "raparigas" já foram casadas; são "largadas" do marido. A idade prematura com que as moças se casam - as que não se casaram antes dos 18 anos se consideram ou são consideradas "coroas", feita exceção das estudantes - pode ser uma explicação fundamental do caso.

O fatalismo e a irresponsabilidade se conjugam com uma habitual preguiça tropical que não é possível qualificar de "defeito

---

5 Expressão popular para indicar um casamento improvisado, resolvido na hora.

moral", já que está condicionada pela desnutrição, pelo clima, pelas doenças endêmicas, pela falta de perspectiva social.

O mesmo fatalismo, sócio-religioso, explica o medo em falar a verdade e em reclamar os direitos mais elementares. (A alienação política e social é extrema. Segundo a referida Pesquisa local de São Félix, 42% ignora o nome do Prefeito; 80%, o do Governador; 79%, o do Presidente da República. À pergunta "o que acham dos políticos?", 33% respondeu que, "não conhece esta gente, não se preocupa com isto, não tem opinião formada, não tem paixão por isto".) Não se fala, por que nunca se pôde falar; porque as represálias - da política local, dos manda-chuvas das fazendas, dos poderosos na política ou no comércio - são automáticas. "Pobre não tem vez". "Peão não é gente". "É fuá desse povo"... O Juiz de Direito vive a centenas de quilômetros e viajar a Brasília ou a Cuiabá supõe uma fortuna e boa influência.

A injustiça dominante, consubstancial à única estrutura conhecida, solo e suor da própria vida durante gerações, impossibilitam até mesmo a concepção da Moral como Moral cristã, a Nova Lei de Cristo, o Mandamento Novo.

A partir dos casamentos "no queimo", ou pela imposição do noivo por parte dos pais, ou por causa da notável diferença de idade entre o homem e a mulher, ou pelo absoluto despreparo fisiológico, psicológico, sociológico, pedagógico e pastoral dos cônjuges, a *família* está em fácil quebra.

A situação da *mulher*, em geral, é humilhante. Ela nem decide, nem se apresenta, nem pode reclamar. O homem não é gentil com ela.

Falta ternura.

Certamente não há planificação familiar nenhuma, nem "paternidade responsável". Tem-se um filho por ano. A mulher deixa de ter filhos porque envelheceu ou porque - foi "operada", já numa extrema precisão.

A *educação dos filhos* é ainda na base do "cipó", do grito, do respeito e obediência inapeláveis, sem diálogo. Os filhos são entregues com facilidade a padrinhos, compadres ou vizinhos. O filho de criação é uma figura habitual neste interior, e cujos traumas psicológicos, profundos, não são reconhecidos e no futuro da vida dificilmente serão superados.

As famílias se desagregam facilmente: por separação conjugal, por motivos de serviço, por viagens, por uma inconsciente força de destino ou de aventura - que em última instância revelam sempre a inexistência da verdadeira família e uma pré-estrutura social desmantelada. O pai não tem onde ganhar, talvez; ou não possui terra. Os filhos mais crescidos, por falta de fontes de trabalho "têm que se virar" longe de casa. Quem sai "para se tratar", em Goiânia, ou em Brasília, ou em Mineiros, ou quem foi espoliado no lugar por curandeiros ou "práticos" desonestos, desequilibrou fatalmente a fraca instabilidade familiar.

O *retirantismo do povo sertanejo*, e a instabilidade habitacional, familiar, total, dos peões flutuantes, colocam à Igreja local um interrogante angustioso na hora de concretizar a Pastoral em termos de comunidade de Fé e de Caridade, estável, acompanhada, promovida. Como se faz "comunidade de base" com um povo em constante dispersão?

Com respeito aos fazendeiros - que normalmente não moram na região - e aos gerentes e pessoal administrativo das companhias latifundiárias - que moram aqui com intermitência - a ação pastoral é praticamente impossível, sempre que não se aceite o poder de opressão social que eles encarnam; sempre que não se queira amancebar a Missa, esporádica, com a injustiça permanente, e a presença do padre - da Igreja - na sede da Fazenda (nos seus teco-tecos, nos seus refeitórios, nos seus escritórios paulistas ou gaúchos) com a ausência do Evangelho e da Justiça no conflito dela com os posseiros e nos barracões, nas derrubadas e na vida toda dos peões escravos.

Isso é o que a gente pensa depois de três anos de vida e de luta. Ajudar a libertação dos oprimidos é o meio mais direto e eficaz de contribuir para a libertação dos opressores. Nem todos "poderão" entender esta atitude. É uma opção dolorosa, de pobreza, de risco e de "escândalo" evangélico...

Outro setor da visão pastoral da Prelazia diz a respeito à vida e ao trabalho ecumênico. O Ecumenismo do sertão (do interior, de modo mais geral) mereceria um planejamento à parte.

A Prelazia tem apenas algum grupo da Igreja Adventista do Sétimo Dia, alguns membros das Novas tribos, principalmente, vários núcleos pentecostais - reduzidos - da Assembleia de Deus. Estes últimos, carismáticos, integristas e bem unidos com "os irmãos" conseguiram uma certa gozação por parte dos católicos "festivos" e uma natural consideração do povo. Entre o pastor pentecostal - e outros ministros, em menor grau - e nós, as relações são de respeito pleno e até de amizade. Porém não há, por enquanto, condições de trabalho ecumênico entre as comunidades, na fé, no culto; nem sempre na promoção humana, quando esta atinge os limites de uma luta pela justiça. O crente pentecostal é mais passivo ainda que o católico, na sua total confiança no Deus que salva, e é mais desencarnado e espiritualista.

A falta de nível cultural e de conscientização sócio-política afetam gravemente as relações ecumênicas.

LATIFÚNDIO

Todo o território da prelazia está situado dentro da área da Amazônia legal, a cargo da SUPERINTENDÊNCIA DO DESENVOLVIMENTO DA AMAZÔNIA (SUDAM). E nesta porção de território estão localizados a maior parte dos empreendimentos agropecuários criados com os incentivos deste órgão.

As terras todas compradas - ou requeridas - ao Governo do Mato Grosso por pessoas interessadas, não os moradores, a preço irrisório, foram depois vendidas a grandes comerciantes de terras, que posteriormente as vendem a outros. Abelardo Vilela e Ariosto da Riva, dois destes comerciantes, tidos como pioneiros e desbravadores da Amazônia, segundo afirmações suas, já venderam mais de um milhão de alqueires (Jornal da Tarde, 21/7/71).

Até fins de 1970, tinham sido aprovados para os municípios de Barra do Garças e Luciara, 66 (sessenta e seis) projetos. De lá para cá muitos outros novos já foram criados, como a BORDON S/A, dos Frigoríficos Bordon, NACIONAL S/A, do Banco Nacional de Minas Gerais, cujo presidente é o ex-ministro das Relações Exteriores, Magalhães Pinto, UIRAPURU S/A, do jornalista-latifundiário, David Nasser, etc...

As áreas de alguns destes empreendimentos, em território da Prelazia, são absurdas. Destacando-se entre todas a AGROPECUÁRIA SUIÁ-MISSU S/A com 695.843 ha. e 351 m², que corresponde aproximadamente a 300.000 alqueires, área 5 vezes maior que o Estado da Canabrava e maior também que o Distrito Federal, de propriedade de uma única família paulista: a família Ometto. Destacam-se também a CIA. DE DESENVOLVIMENTO DO ARAGUAIA - "CODEARA", com área de 196.497,19 ha., AGROPASA, com 48.165 ha., URUPIANGA, com 50.468 ha., PORTO VELHO, com 49.994,32 ha. e assim por diante[6].

Além se serem extensões praticamente inconcebíveis, muitos destes empreendimentos formam grupos somando assim suas já enormes áreas, como é o caso das conhecidas Fazendas Reunidas, "de propriedade do Sr. José Ramos Rodrigues, o "Zezinho das Reunidas", dono da Empresa de ônibus "Reunidas" de "Araçatuba" (O Estados de São Paulo - 9/5/71). Tapiraguaia, Sapeva e Brasil Central também formam um grupo. O Sr. Orlando Ometto é também sócio da Tamakavy S/A, etc.

Esses empreendimentos latifundiários surgiram graças aos incentivos dados pelo Governo, através da SUDAM. É a aprovação oficial e financiada do grande latifúndio, com todas as consequências que dele advém. Somas fabulosas são investidas na região pelas pessoas jurídicas legalmente estabelecidas no Brasil, subtraídas ao Imposto de Renda devido.

"Eis os principais benefícios fiscais concedidos às pessoas Jurídicas sediadas no País:

- Dedução de 50% do Imposto de Renda das pessoas jurídicas sediadas no país, para financiamento de projetos aprovados pela SUDAM;
- Isenção total ou redução de 50% do Imposto de Renda devido, por 10 (dez) anos, para os empreendimentos instalados ou que venham a se instalar até 31 de dezembro de 1974;
- Isenção de quaisquer Impostos e taxas, incidentes sobre a importação de máquinas e equipamentos necessários à execução de projetos de empreendimentos que se localizem na área de atuação da SUDAM;
- Benefícios Estaduais e Municipais. ("A SUDAM revela a Amazônia", publicação da SUDAM, pág. 15).

---

6 Na Documentação damos uma relação completa de todos os projetos aprovados pela Sudam até 1970, situados nesta região.

Isto significa estímulo ao capital particular, inclusive estrangeiro, com dinheiro do povo, que deixa de ser recolhido aos cofres públicos, e consequentemente deixa de ser investido a benefício do povo, para enriquecimento ainda maior do investidor. Do valor total do projeto aprovado, a SUDAM financia 75%. Encontramos empresas que se dedicam aos mais diferentes tipos de atividades, que agora se lançam à agropecuária, como é o caso de Bancos (Bradesco, Nacional de Minas Gerais, Crédito Nacional, Brasil), de casas comerciais (Eletro-Radiodobraz), Indústrias, etc. É a absorção dos bens todos por alguns pequenos grupos poderosos.

O total de incentivos empregados nos municípios de Barra do Garças e Luciara até fins de 1970 era da ordem de Cr$ 299.110.010,53. Só a CODEARA, empreendimento ligado ao Banco de Crédito Nacional recebeu a importância de Cr$ 16.066.900,96 (cf. Documentação, nº I).

Enquanto isto, a população, primeira desbravadora da região, se acha no esquecimento mais completo, ocupando áreas das quais frequentemente é expulsa, pois na hora menos pensada aparece o assim chamado "tubarão", dono das terras, que quer fazer valer o seu título de propriedade, como veremos detalhadamente mais adiante, Todas as terras deste imenso Nordeste Mato-grossense já estão vendidas. Mesmo as que pertencem ao Parque Nacional do Xingu. Por isto a esperança do povo por um pedaço de terra é quase nula, tendo em vista que o mesmo decreto presidencial declarando "indispensáveis à segurança e desenvolvimento nacionais" faixas de 100 quilômetros de cada lado das vias Amazônicas (entre as quais estão citadas a BR-80 -Trecho Araguaia-Cachimbo, e a BR-158 - Trecho Barra do Garças- S. Félix) (cf. O Estado de São Paulo 30/3/71) se refere unicamente a terras devolutas, o que na região não existe.

POSSEIROS

Os primeiros desbravadores da região são os hoje chamados "Posseiros"[7] Localizados aqui há 5, 10, 15, 20 e alguns até 40 anos. Cul-

---

7 A publicidade faz dos fazendeiros os bandeirantes da região. O Sr. Ministro da Agricultura, Cirne Lima, porém, falando aos técnicos reunidos pela "Semana do Veterinário", em Brasília, diz que "o boi deverá ser o grande bandeirante da década..." (cf. O Estado de São Paulo - 15/9/71).

tivando o solo pelos métodos mais primitivos, plantando arroz, milho, mandioca. Lavoura de pura subsistência. Criando gado. Sem a menor assistência sanitária e higiênica, sem nenhum amparo legal, sem meios técnicos à disposição. Aglomerados em pequenos vilarejos, chamados Patrimônios (que foram vendidos pelo Estado como terras virgens - Santa Terezinha, Porto Alegre/Cedrolândia, Pontinópolis) ou dispersos pelo sertão afora a uma distância de 12 a 20 km uns dos outros.

Após o início das atividades agropecuárias ligadas à SUDAM, uma série de dificuldades surgiram para estes abnegados e sofridos camponeses-desbravadores.

Vamos mostrar umas situações-tipo das gritantes injustiças praticadas contra eles.

Santa Terezinha

O povoado de Santa Terezinha acha-se situado às margens do Araguaia, em frente à Ilha do Bananal, a 140 km ao Norte de São Félix, não muito distante da divisa com o Estado do Pará. Santa Terezinha foi um dos lugares mais prejudicados da região devido à presença da CIA. DE DESENVOLVIMENTO DO ARAGUAIA - "CODEARA", de propriedade dos Srs. Armando Conde, Carlos Alves Seixas e Luiz Gonzaga Murat, que lá se estabeleceu em 1966, (cf. Documentação, nº II, 1. e VIII) com o título de propriedade de toda aquela área, inclusive a urbana, numa extensão de 196.497,19 ha. A presença da Companhia veio trazer para os pacíficos moradores em número superior a 80 famílias, a intranquilidade e a insegurança, por causa das atitudes tomadas pela companhia que os vinha prejudicar diretamente.

Os primeiros habitantes chegaram ao local em questão em 1910 e se estabeleceram no chamado Furo das Pedras. Em 1931, já haviam sido construídas igreja, escola e casa para os missionários.

Quando a companhia veio a se instalar, estavam em pleno funcionamento também a " Cooperativa Agrícola Mista do Araguaia", que congregava os trabalhadores e posseiros da área, e o ambulatório médico. Apesar de tudo isto, aquela terra foi vendida como desocupada, como mata virgem. E a companhia se sentiu no direito de despojar os pobres moradores do pouco, da insignificância que possuíam. E começou contra eles uma guerra de ameaças, de invasões de terra, invasões de domicílio, prisões, etc. (cf. Documentação, nº II, 1. F. L. G 5). A polícia estadual também esteve a serviço dos interesses da CODEARA. Era transportada, alojada e alimentada pela mesma companhia. (Documentação, nº II, 1. A, I, J.). E, cinicamente, a CODEARA publicava em "EX-PANSÃO", órgão informativo do Sistema BCN-FINACIONAL, de abril de 1970, ano I nº 6: *"Os elementos humanos típicos eram o índio e o caiçara (sic). Sua forma de vida era das mais primitivas. Caçavam, pescavam e cultivavam milho e mandioca. Habitavam em casas de sapé, sem nenhuma noção de higiene; resumindo, eram selvagens" (sic)... "Existe hoje o que se pode dizer conforto. A cidade de Santa Terezinha, também fundada (sic) por Codeara..."*

Mas, diante da espoliação prometida e pretendida, o povo se uniu e juntamente com o Padre Vigário da Paróquia, Pe. Francisco Jentel, decidiram lutar para salvaguardar o que era seu. Foi feito relatório em 12/4/67 ao senhor Presidente da República, Mal. Arthur da Costa e Silva, sobre a situação e dando sugestões concretas de solução (cf. Documentação II, 1. A). Muitas viagens foram feitas. Muito dinheiro foi gasto. Muitas cartas foram escritas. (Documentação, nº II, 1). Muito teve que se esperar para poder se vislumbrar alguma pista de solução, apesar de o Sr. Presidente ter despachado em 29/11/67, para o Sr. Ministro da Agricultura, para que providenciasse a solução. Todos os empecilhos foram colocados para se evitar o cumprimento do despacho presidencial. Autoridades policiais, do exército e do SNI foram movimentadas diante das acusações forjadas pelos donos da companhia contra o Padre e o líder dos posseiros, como sendo elementos subversivos[8]. (Documentação, nº II, 1. H).

Três anos de espera foram necessários até que a companhia, forçada e a contragosto, "doou" a migalha de 5.582 ha., em 05 de maio de 1970, que ainda serão repartidos entre mais de 100 famílias de posseiros.

Antes, porém, em mancomunação direta com o Secretário de Segurança Pública do Estado do Mato Grosso, Cel. Diniz (após reunião havida no dia 1 de maio de 1970 na Fazenda Suiá-Missu entre os empresários, o Governador do Estado, o Ministro do Interior, Costa

---

8 Por esta mesma causa deixamos de publicar boa parte da documentação pois, isto, com certeza, iria afetar gravemente as testemunhas.

Calvacanti, e outras autoridades), no dia da inauguração do Hospital da fazenda pelo Sr. Ministro do Interior e o Superintendente da SUDAM, Gal. Bandeira Coelho, os diretores da companhia, a 2 de maio, quiseram manifestar sua força contra os posseiros, fazendo prender seu líder, o Sr. Edvald Pereira dos Reis. E quem o prendeu foi o próprio Cel. Diniz (Documentação, nº II, 1. I, J). O Sr. Reis esteve preso durante 72 dias em Cuiabá, sem acusação formada e foi libertado sem sequer ter sido julgado.

O caso de Santa Terezinha ainda não está solucionado. A área urbana pertence à companhia. Quem quiser construir ou fazer qualquer benfeitoria tem que pedir autorização à companhia plenipotenciária. Qualquer novo terreno tem que ser comprado dela; isto também devido à inoperância do Sr. Prefeito de Luciara, já que a Câmara Municipal em 17/9/70 aprovara a desapropriação da área urbana de Santa Terezinha e crédito especial para efetivar a referida desapropriação. (Documentação, nº II, 2. B).

Atualmente a companhia está construindo prédio no meio da rua. Faz o que quer. Tudo lhe pertence.

Porto Alegre

Porto Alegre (com Cedrolândia) é um povoado situado entre os rios Xavantino e Tapirapé, no município de Luciara, distando mais de 200 km. da sede.

Em 12 de junho de 1970, os proprietários da AGROPECUÁRIA NOVA AMAZÔNIA S/A - FRENOVA, fixaram residência no povoado dizendo pertencer toda a área sede do patrimônio, bem como sua zona rural, à companhia. Porto Alegre possuía em sua sede 35 famílias e 180 na zona rural. Funcionava Escola com frequência de 120 alunos.

Logo começou a pressão dos proprietários, contra os posseiros, muitos dos quais estabelecidos há mais de 20 anos (Documentação, nº II, 2. A). Queria-se a retirada dos mesmos. Que vendessem suas benfeitorias e abandonassem suas pobres posses.

O pe. Henrique Jacquemart, de Santa Terezinha, passando por lá na oportunidade, esclareceu o povo quanto a seus direitos. O gerente-proprietário, Plínio Ferraz, ciente do acontecido, aconselhado pelo advogado Olímpio Jaime (o mesmo advogado que agira contra os posseiros de Santa Terezinha, ex-deputado cassado), prometeu pagar a dois "capangas", Sebastião e João, para "dar uma surra até o fim" (sic) no Padre que estava missionando pela região. Os dois supostos capangas voltaram depois de algum tempo à sede da fazenda, dizendo ter executado a ordem e querendo receber o dinheiro prometido, que, aliás, era dívida que a fazenda tinha com eles. Receberam o dinheiro e montaria para fugir, com carta de recomendação para uma fazenda próxima a Conceição do Araguaia. Os dois ao chegarem a Santa Terezinha procuraram o Pe. Francisco e lhe contaram o sucedido e se dispuseram a prestar depoimento diante das autoridades. Pe. Francisco foi com eles até Santa Isabel onde fizeram suas declarações perante elementos da FAB.

O Sr. Prefeito Municipal, José Liton da Luz, acompanhado do mesmo advogado Olímpio Jaime, reuniu o povo de Porto Alegre em 30/7/70 e se dispôs a "defendê-lo", dizendo ser necessário que cada um colaborasse, dentro de suas possibilidades, para pagar o advogado que iria advogar sua causa. Os posseiros presentes à reunião entregaram mais de 170 animais, entre reses e cavalos, e grande soma em dinheiro ao prefeito (Documentação nº II, 2. A). Prefeito e advogado apoderaram-se das doações dos posseiros e nenhuma providência tomaram na defesa dos mesmos. A 17/9/70, em sessão extraordinária da Câmara Municipal, foi aprovada a desapropriação de uma gleba de 4.500 ha., onde se encontra o povoado. (Documentação II, 2. B). Apesar disso, os posseiros estão recebendo ordens do próprio Sr. Prefeito de abandonarem suas posses, entregando-as à FRENOVA. E mais. O Prefeito autorizou a fazenda a se apropriar do material escolar de Porto Alegre, transferindo-o para a companhia. O que realmente aconteceu. Os funcionários da FRENOVA, após terem apanhado o material escolar, derrubaram a escola do povoado.

Os que, cedendo à pressão da companhia, vendem suas posses, são transportados em avião ou caminhão da empresa e abandonados à beira das estradas sem o menor recurso e amparo. (Documentação, nº II 2. C).

É a tão decantada agropecuária da Amazônia, «fator do progresso da região» espoliando o pobre e indefeso camponês, posseiro de uns poucos metros de terra, sem ter ninguém que se preocupe eficazmente com ele. A Polícia Federal esteve no local. Mas o povo não teve condições de se manifestar, temendo posteriores represálias por parte da prefeitura e da companhia.

A preocupação da região é o gado. O homem...

Serra Nova

Localiza-se o Patrimônio de Serra Nova, na Serra do Roncador, entre o rio das Mortes e a rodovia BR-158, no distrito de S. Félix, município de Barra do Garças.

Mas de 120 famílias lá residem, com número de habitantes superior a 800. Estão matriculados 113 alunos no curso primário.

Serra Nova nasce em plena floresta amazônica, à base do mutirão, do machado e da força de vontade. Sem assistência. Sem apoio. Surgiu da necessidade do povo de se reunir, visto viverem isolados uns dos outros, há 6, 8, 10 e 12 anos, sem possibilidade de se encontrarem, de terem escola e outros benefícios que a união traz. Alguns deles já foram "tocados" de outras posses até 6 vezes.

Este patrimônio, assim constituído, defronta-se no presente com um grave problema com a "BORDON S/A AGROPECUÁRIA DA AMAZÔNIA". Suas terras de lavoura foram cortadas pela "picada" demarcatória dos limites da fazenda, ficando várias das roças, indispensáveis a sua sobrevivência, dentro destes limites. O clima de tensão começou a reinar entre o povo. As terras, seu meio de vida, estavam sendo ocupadas. Isto acontecia no dia 20 de abril de 1971. Tentou-se o diálogo com os proprietários, não se obtendo resposta (Documentação, n° II, 3. A). Apelou-se para as autoridades: Presidente da República, Ministro do Interior, SUDAM, Ministério da Agricultura, SNI, Governo do Estado, Prefeitura Municipal, e nenhuma atitude concreta foi tomada (Documentação, n° II, B).

Na hora de se fazer a queima das roças, a fazenda ameaçou seriamente a segurança de todos, prometendo que seria derramado muito sangue caso algum posseiro ousasse colocar fogo nas derrubadas. A 25 de setembro, data marcada pela própria fazenda para a queimada (já a houvera impedido no dia 27 de agosto), o empreiteiro Benedito Teodoro Soares recebeu do gerente, Antônio Ferreira da Silva, armas, várias delas automáticas, de 15 tiros e munição, conforme pedido feito pelo Sr. Benedito ao próprio Sr. Geraldo Bordon, dias antes.[9]

A cerca de arame está sendo colocada, isolando assim as roças abertas, cortando a área vital para o patrimônio. A ultrapassagem

---

9 Segundo testemunhas oculares do fato, cujos nomes preferimos manter em segredo.

desta cerca por parte dos posseiros, para o cultivo de suas roças se apresenta com perspectivas bastante funestas. E ainda mais. A fazenda está prometendo semear capim nas terras que circundam as roças dos posseiros, fato este que empestaria inexoravelmente as terras cultivadas, visto ser o capim praga fatal para a lavoura e sabendo-se também que, nas grandes fazendas, o capim é semeado por aviões.

É a vida de um povo que se está tentando impedir.

Pontinópolis

Situado a uns 120 Km. de São Félix, há 10 anos está em conflito, aguardando solução muitas vezes prometida. Atualmente vivem na área deste patrimônio de posseiros umas 300 famílias.

A questão de Pontinópolis data dos idos 1961/62, época da criação da Agropecuária Suiá-Missu, então de propriedade do Sr. Ariosto da Riva. Foi feita a demarcação da atual Suiá-Missu e alguns dos moradores da redondeza foram empregados como mão-de-obra para este empreendimento. Dentro da área demarcada, morava há uns três anos o Sr. Anastácio que foi convidado a retirar-se, tendo sido indenizado. "Grosso", "Chicão", Vicente e Pedro abriram naquele ano suas roças, construíram suas casas e, no momento de iniciarem o plantio, foram mandados embora, sem direito algum. Por um ato de "grande bondade", Ariosto permitiu a "Grosso" que naquele ano plantasse sua roça, mas só naquele ano, já que o senhor"Grosso" tinha oito filhos pequenos. Pouco tempo depois, a Suiá-Missu foi vendida, continuando a pertencer a maior parte das terras circundantes ao Sr. Ariosto.

Em 1961/62 o sr. Ariosto, comunicando-se com os posseiros da área, afirmava que não ia tirar ninguém do lugar, que precisava mesmo dos serviços do povo. Mas em 1965, "Pedrão" e "Joaquim Paulista" - este último carregando ostensivamente um revólver - apresentaram-se como enviados do Sr. Ariosto, intimando-os a deixar suas terras: "Ou sair ou morrer" era a ordem.

Muitas famílias, realmente intimidadas, abandonaram as posses, por haver ameaças de que a Polícia interviria e poria fogo nas casas. Alguns até abandonaram criações, pois não havia quem as quisesse comprar.

Diante de tais ameaças, o povo reunido realizou uma coleta de dinheiro e incumbiu os posseiros José Antônio dos Santos e Antônio

Batista Gomes de apelar para as autoridades. Em setembro de 1966, em Cuiabá, o Sr, Bento Machado Lôbo, funcionário da INDA prometeu-lhes15.000 hectares de mata, acrescentando que se a área não fosse suficiente, seria aumentada. Foram feitas, por conta própria, mais de 8 viagens, a Brasília e Cuiabá para solucionar o caso do patrimônio.

Mas no momento de a demarcação ser feita, a área de mata (terra boa para a lavoura) abrangeu apenas 20% do total, por ordem do sr. Ariosto da Riva, contrariando a determinação explícita do INDA. Em 29 de julho de 1967, o sr. Ariosto falando com alguns posseiros dizia-lhes que não se preocupassem com a medição, pois ela serviria só como levantamento e atenderia às necessidades de todos. Em outra oportunidade, porém, afirmava que ele entregaria a área de terra demarcada e... "Vocês - acrescentou - fiquem brigando aí dentro".

A maior parte do povo acha-se localizado com suas roças e benfeitorias fora dos 15.000 hectares demarcados, havendo ainda umas 30 famílias fora da área onde está a maioria.

Faz quase 5 anos que este povo aguarda a vinda do sr. Ariosto para um encontro no qual sejam resolvidas as questões pendentes. Encontro que várias vezes foi prometido, mais não concretizado.

Após quase dez anos de luta este povo ainda se encontra em grande insegurança em área de milhares de hectares de terras incultas e que pertencem a latifundiários do sul.

Estradas e Outros

Além dos casos citados há muitos outros ainda. São posseiros localizados à margem da estrada ou pelo sertão afora, que constantemente são importunados pelos novos proprietários, ou seus prepostos, para que abandonem as posses, oferecendo-se-lhes ridículas indenizações, conforme pode-se ver pela carta enviada ao sr. Domingos Marques, um dos proprietários (Documentação, nº II, 4).

Em situação idêntica encontram-se, há vários anos, os moradores - camponeses ou pequenos criadores de gado - da Ilha do Bananal, por causa da indefinição do destino da mesma Ilha e das ordens e contra-ordens que se vem dando a estes sertanejos.

Ao redigir estas linhas, tomamos conhecimento do recente Decreto Federal, com data de 22 de setembro de 1971, criando o Parque

Indígena do Araguaia, que inclui a Ilha do Bananal. Não sabemos qual a sorte dos posseiros. Mais um interrogante e uma incerteza.

ÍNDIOS

Se a problemática causada pelo latifúndio com relação ao posseiro é grave, não menos grave foi a situação criada com o índio e suas terras. Alguns fatos são bastante significativos.

Xavante / Suiá

A Suiá-Missu ao se estabelecer onde se encontra localizada defrontou-se com o problema da presença dos índios Xavante. Foram empregados diversos meios de aproximação com eles, procurando-se evitar um confronto direto. Quando o acampamento dos mateiros ficou pronto, os índios se aproximaram e se estabeleceram próximos ao mesmo (Jornal da Tarde, 21/7/71 - cf. Documentação, nº III, 1. A).

Mas esta presença ia-se tornando pesada. Cada dia era um boi que era matado para os índios (O Estado de S. Paulo 25/4/69 - cf. Documentação nº III, 1. B). Era necessário encontrar uma solução. Os índios não poderiam permanecer em terras do latifúndio (!). E a solução encontrada foi fácil: *a deportação.*

Os proprietários da fazenda procuraram a missão de S. Marcos, de Xavante, e persuadiram aos superiores da mesma a aceitarem nela os Xavante da Suiá. Isto acontecia em 1966. Os Xavante foram transportados em avião da FAB, em número de 263, tendo morrido boa parte deles aos poucos dias depois de chegados a S. Marcos, vitimados por uma epidemia de sarampo.

Essa porém não é a versão publicada na imprensa, conforme se pode ver na Documentação (III, 1. B - Reportagem publicada por "O ESTADO DE S. PAULO" - Em 25/4/69). Essa deportação foi presenciada por outros Xavante da região conforme consta da notícia publicada por "Última Hora" do Rio de Janeiro (cf. Documentação nº III,1. C). E quando o sr. Ministro do Interior, Cel. Costa Calvacanti, em abril de 1969, visitou algumas das aldeias dos Xavante, estes lhe pediram providenciasse a devolução da terra que lhes pertencia (cf. Documentação nº III, 1. D).

Anualmente os Xavante voltam para sua a terra, roubada pela cobiça latifundiária, para apanhar o Pati, árvore por eles usada na confecção dos seus arcos e flechas.

Mas os proprietários da Suiá, família Ometto, gostam dos índios... (Jornal da Tarde - 21/7/71). Após a deportação doaram à missão um trator e a importância de Cr$ 500,00 mensais, durante um ano, para auxiliar na manutenção dos mesmos...!!!

Tapirapé / Tapiraguaia

Os índios Tapirapé se acham localizados às margens do lago formado pelo Rio Tapirapé, quase na foz com o Araguaia. São agricultores. Estão acompanhados há mais de 15 anos pelas Irmãzinhas de Jesus, que com eles condividem o tipo de vida, o trabalho, os esforços, as tristezas e as alegrias da aldeia, num total respeito pela cultura dos índios. Uma das experiências de atendimento indígena mais significativas em todo o país, internacionalmente aplaudida por antropólogos e etnólogos.

Com em todo o Mato Grosso, essa área ocupada pelos Tapirapé também foi vendida: para a companhia Tapiraguaia S/A.

Os proprietários Dr. José Carlos Pires Carneiro, José Augusto Leite de Medeiros e José Lúcio Neves Medeiros espontaneamente doaram ao SPI (Serviço de Proteção ao Índio), na pessoa do Sr. Ismael Leitão, chefe da Inspetoria de Goiânia, uma gleba de pouco mais de 9.000 hectares. Acontece , porém, que as referidas terras doadas, próximas à aldeia, ficam alagadas praticamente de dezembro a junho em quase sua totalidade, sendo o restante das terras composto de cerrado ou mata arenosa de pouca fertilidade. As terras boas, onde os índios já tinham suas roças ficaram propriedade da Tapiraguaia S/A. Os Tapirapé mantêm lá suas roças, não tendo sido até o momento molestados.

O Decreto de Criação do Parque Indígena do Araguaia, de 22/9/71, delimitou a área das terras dos Tapirapé. Ainda não tivemos oportunidade de verificar in loco estes limites.

Parque Nacional do Xingu / BR-80

Exatamente metade do Parque Nacional do Xingu acha-se situado em território da Prelazia. Área até há pouco intocável. Muitas vezes controvertida. Mas uma experiência digna de nota, apesar de certas falhas e deficiências. A calma, a tranquilidade e o isolamento do Parque foram quebrados por uma estrada: a BR-80, empreendimento da responsabilidade da Superintendência do Desenvolvimento do Centro-Oeste (SUDECO). A Estrada veio cortar bem ao centro o Parque Nacional, apesar da oposição feita pelos irmãos Villas-Boas, responsáveis pelo Parque, e por certas áreas bem esclarecidas do cenário nacional (cf. O Estado de São Paulo - 13/5/71). A Estrada veio beneficiar diretamente só ao latifúndio.

Em 22 de abril de 1969, realizou-se, na sede da Fazenda Suiá-Missu, uma reunião da Associação dos Empresários Agropecuários da Amazônia (AEAA) com o Sr. Ministro do Interior, Costa Calvacanti, estando presente também o então Presidente da Fundação Nacional do Índio (FUNAI), Sr. José Queiroz de Campos. Nesta oportunidade, os empresários reclamaram do Sr. Ministro contra o que eles chamavam de "ameaça" que era "uma grande reserva indígena - de aproximadamente 9 milhões de hectares de área", pois, alegavam, há "grande desproporção entre o número de índios e o tamanho da reserva" que, além disso, fica sobre algumas fazendas, impossibilitando que seus proprietários as explorem. Um dos empresários classificava a zona como o "filet-mignon" da Amazônia. (cf. O Estado de São Paulo - 25/4/69 - Documentação n° III, 2. B).

Conclusão: a estrada cortou o Parque, e toda a parte norte à mesma deixa de pertencer aos índios, devolvendo-se o "filet-mignon" ao latifúndio. A área do Parque foi estendida ao sul em terras bem inferiores...

Aculturação Agressiva

Mas a problemática indígena ultrapassa uma simples questão de terras.

Os Xavante da aldeia dos Areões encontram-se em notável abandono. Sem assistência concreta e regular, sem terras bem definidas para si, tendo várias vezes, chegado até a estrada e lá parado caminhões e ônibus pedindo até mesmo comida.

Após os desmandos administrativos e humanos do antigo Serviço de Proteção ao Índio (SPI), a Funai nem sempre conseguiu melhorar positivamente o atendimento real ao índio. Ás vezes, por causa do pouco preparo dos elementos do órgão e, sobretudo pela própria ideologia do FUNAI, não se levam em conta os avanços da verdadeira Etnologia e Antropologia e sacrifica-se impunemente a cultura do índio. Um exemplo flagrante disto é a criação da Guarda Indígena, preparada e formada por Oficial da Polícia de Belo Horizonte, em 1969, o que vem a transformar dentro das tribos todos os conceitos de autoridade.

A aldeia de Santa Isabel, a mais próxima de S. Félix, de índios Carajá, é um exemplo da aculturação violenta a que foram submetidos. Facilmente encontram-se índios bêbados. Frequentam as casas de prostituição. Há entre eles 29 tuberculosos.

A aculturação rápida, sem se levar em conta os reais interesses dos índios, é proposta pelo próprio Presidente da FUNAI, Gal. Bandeira de Mello, que em suas declarações chegou mesmo a sugerir a extinção do Parque Nacional do Xingu (O ESTADO DE SÃO PAULO, 1971; Documentação, nº III, 2. D). A preocupação principal do Presidente da Funai, que é o órgão específico dedicado ao índio, é o desenvolvimento "nacional", ficando em segundo plano o índio e sua cultura. São palavras suas: "O Parque Nacional do Xingu não pode impedir o progresso do país" (cf. Visão - 1971, p. 22). "No estágio tecnológico em que se encontra a sociedade nacional, há necessidade de desenvolvimento premente das comunidades indígenas como conjugamento ao esforço integral da política governamental"(cf. Visão - 1971, p. 22.). "A assistência ao índio deve ser a mais completa possível, mas não pode obstruir o desenvolvimento nacional e os trabalhos para a integração da Amazônia" (O ESTADO DE SÃO PAULO, 2/5/71). E o Ministro do Interior, sr. Costa Calvacanti: "Tomaremos todos os cuidados com os índios, mas não permitiremos que entravem o avanço do progresso" (cf. Visão - 25/4/71). "O índio tem que ficar no mínimo necessário" (O Estado de São Paulo - 25/4/69). (Documentação, nº III, 2).

E projeta-se introduzir na FUNAI a mentalidade empresarial, conforme palavras do mesmo Presidente: "As minorias étnicas, como os indígenas brasileiros, se orientadas para um planejamento bem definido, tornar-se-ão fatores do progresso e da integração nacional, como produtores de bens" (cf. Visão - 25/4/71). E por isto muitos "fazendeiros da região acreditam que poderão conviver pacificamente com os índios. Pensam mesmo em empregá-los como seus trabalhadores "por um salário justo" (O Estado de São Paulo - 6/5/71 - grifo nosso. cf. Documentação, nº III, 2. D).

Segundo esta política, os índios seriam integrados sim, mas integrados na desintegração da personalidade, na mais marginalizada das classes sociais do país: os peões.

PEÕES

Um sério problema com que se defrontam as empresas Agropecuárias da região é o da mão-de-obra. Não conseguem entre os elementos locais esta mão-de-obra desejada que, além de ser escassa, já conhece os métodos de tratamento das companhias.

Vêem-se obrigadas então a procurá-la fora. E os lugares preferidos são o sul de Goiás, inclusive Goiânia, e o Nordeste. O método de recrutamento é através de promessas de bons salários, excelentes condições de trabalho, assistência médica gratuita, transporte gratuito, etc. Quem faz este trabalho, são, geralmente, empreiteiros, muitos deles pistoleiros, jagunços e aventureiros que recebem determinada importância para executar tal tarefa.

Os peões, aliciados fora, são transportados em avião, barco ou pau-de-arara para o local da derrubada. Ao chegar, a maioria recebe a comunicação de que terão que pagar os gastos de viagem, inclusive transporte. E já de início têm que fazer suprimento de alimentos e ferramentas nos armazéns da fazenda, a preços muito elevados. (Na Tamakavy S/A, por exemplo, em junho de 1971, um quilo de cebola custava Cr$- 8,00; um saco de arroz de 3.ª qualidade, Cr$- 75,00 a 78,00; um machado, Cr$- 16,00; foice, Cr$- 15,00). (Documentação, nº IV, 4. C).

Para os peões não há moradia. Logo que chegam, são levados para a mata, para a zona da derrubada onde têm que construir, como puderem, um barracão para se agasalhar, tendo que providenciar sua própria alimentação. As condições de trabalho são as mais precárias possíveis. Na Codeara, por exemplo, muitos tiveram que trabalhar com água pela cintura. A incidência de malária é espantosa, sobretudo em algumas companhias, de onde poucos saem sem tê-la contraído. Codeara, Brasil Novo, Tamakavy são bem conhecidas quanto a isso. Os medicamentos quase sempre são insuficientes e em muitas, pagos, inclusive amostras grátis.

Por tudo isto, os peões trabalham meses, e ao contrair malária ou outra qualquer doença, todo seu saldo é devorado, ficando mesmo endividados com a fazenda. (Documentação, nº IV, 1; IV, 4. D; IV, 4. A). O atendimento é deficiente, sendo tomadas providências quando o caso já é extremo, não havendo possibilidade de cura. São levados então para as vilas onde também não há recursos, agravando assim a situação das próprias vilas. Aí morrerão anônimos. (Documentação, nº IV, 1; IV, 6).

Esse trabalho pesado, e nestas condições, é executado por gente de toda idade, inclusive menores (13, 14, 15, 17 anos). Quando a Polícia Federal no ano passado interveio na Codeara, constatou este fato. (Documentação, nº IV, 1).

Não há com os peões nenhum contrato de trabalho. Tudo fica em simples combinação oral com o empreiteiro. Acontece mesmo que o empreiteiro foge, deixando na mão todos os seus subordinados. (Documentação, nº IV, 3). Os pagamentos são efetuados ao bel-prazer das empresas. Muitas vezes usa-se o esquema de não pagar, ou pagar só com vales, ou só no fim de todo o trabalho realizado, para poder reter os peões, já que a mão-de-obra é escassa. É o que acontece atualmente na BORDON S/A - AGROPECUÁRIA DA AMAZÔNIA. Até o presente, ao que consta, bem poucos dos peões receberam qualquer dinheiro, mesmo após terem concluído as tarefas a eles designadas. Recebem unicamente vales. Alguns, necessitando de dinheiro com premência para atenderem às necessidades da família que está fora, chegam até a trocar seus vales de Cr$-1.000,00 por Cr$- 500,00, em moeda, com seus colegas. (Documentação, nº V, 1; IV, 4. A. C. D. F. G.).

Outros muitos, doentes, sentindo-se sem forças e temendo morrer naquelas condições, não conseguindo receber o que de direito, fogem para sobreviver. (Documentação nº IV, 4. B).

Outros ainda fogem por se verem cada vez mais endividados. E nestas fugas são barrados por pistoleiros pagos para tanto (Documentação, nº VI, 1). Na Bordon tem um "tal de Abraão" que " não faz nada", segundo dizem os peões, mas que anda armado o dia todo com uma CBC 22, automática. Foi visto, com esta arma, no Patrimônio de Serra Nova, para intimidar também os posseiros. Gaba-se de ter dois processos por homicídio e vários por tentativa.

Além disso a própria polícia local é utilizada com frequência para manter ainda mais escravizados os peões (Documentação, nº IV, 1; IV, 5). Na Tamakavy, por exemplo, alguns peões chefes de "time" (turma), ao irem reclamar com o Capitão de Polícia de Barra do Garças, por mau atendimento, receberam dele uma carta para o Gerente, Geraldo, em que denunciava os peões. O Gerente, ao tomar conhecimento do que os peões reclamaram, solicitou a presença da polícia de S. Félix que, armada de metralhadoras, foi à fazenda e prendeu a Pedro Pereira dos Anjos, líder dos peões. (Documentação nº IV, 5) Muitas vezes quando os peões procuram a delegacia para dar parte de crime, de espancamento, de morte, de salário não pago, etc., encontram o delegado sem querer ouvir a questão para não se meter em complicações com as companhias, os fazendeiros (Documentação, nº IV, 4. F).

O peão, fechado na mata por muitos meses, nessas condições de tensão desumana,[10] quando vai ou é levado à cidade, gasta, muitas vezes, tudo o que recebeu, em bebedeiras, prostituição e é facilmente roubado. (Essa é a oportunidade dos comerciantes inescrupulosos!) Vários chegam a S. Félix depois de 4 ou 5 meses de trabalho na mata, com mais de Cr$- 1.000,00 e, ao saírem, dois ou três dias depois, necessitam vender até alguns pertences para poder comer.

Esta é, em linhas gerais, a situação do peão. Quando alguma denúncia chega a mobilizar a opinião pública, os proprietários lavam-se as mãos dizendo desconhecer o que se passa, colocando toda a responsabilidade sobre gerentes e empreiteiros. Codeara é exemplo disto. (cf. O Globo, 16/2/71 - Documentação nº IV, 3). E depois de a Polícia Federal ter desvendado uma série de crimes e barbaridades cometidas contra os trabalhadores, os donos não sofrem a mínima punição. Chegam mesmo a publicar: "Foi o primeiro projeto da SUDAM a contar com atividade regularizadora do Ministério do Trabalho" e que "foi investigada exaustivamente a possibilidade de trabalho escravo, ou de qualquer manifestação de

---

10 Após o término de uma derrubada, as companhias lotam caminhões de peões que são "despejados" nas vilas.

abuso do poder econômico, nada tendo sido encontrado de irregular ou lamentável" (O Popular, 8/7/71). Não disseram, porém, que esta intervenção do Ministério do Trabalho deveu-se a fatos verdadeiramente comprovados, do que agora é negado após a intervenção da Polícia Federal.

Aliás a intervenção federal só se faz presente quando a opinião pública é mobilizada. Não há nenhuma fiscalização com relação ao trabalho nas fazendas. Significativa é a carta escrita por um peão da fazenda Suiá-Missu ao Ministro do Trabalho, carta que seria levada em mãos, mas que nunca o foi já que o portador (peão) não tinha condições para deslocar-se até Brasília. (Documentação, n° IV, 8).

Outro problema que se prevê para um futuro próximo é o desemprego. (Problema para o qual "Visão" já chamava a atenção em sua edição de 18/7/70). Há necessidade de mão-de-obra abundante para as derrubadas e formação das pastagens. Quando estas estiverem prontas, o gado tomará conta de tudo. Os peões só terão uma recordação, talvez não muito grata, do passado...

O peão, depois de suportar este tipo de tratamento, perde sua personalidade. Vive, sem sentir que está em condição infra-humana. Peão já ganhou conotação depreciativa por parte do povo das vilas, como sendo pessoa sem direito e sem responsabilidade. Os fazendeiros mesmo consideram o peão como raça inferior, com o único dever de servir a eles, os "desbravadores". Nada fazem pela promoção humana dessa gente. O peão não tem direito à terra, à cultura, à assistência, à família, a nada. É incrível a resignação, a apatia e paciência destes homens, que só se explica pelo fatalismo sedimentado através de gerações de brasileiros sem pátria, dessas massas deserdadas de semiescravos que se sucederam desde as Capitanias Hereditárias.

POLÍTICA LOCAL

Causa principal, também, e sobretudo cobertura da injustiça reinante na região é a política local, decididamente má. Política do interior, característica em muitas regiões do Brasil: coronelismo, poder hereditário, oligarquias locais (fazendeiros, políticos, comércio, polícia) perfeitamente entrosados no interesse e no domínio absoluto.

O voto é comprado da ingenuidade do povo, nas campanhas eleitorais exuberantes de promessas. Os votantes são trazidos em massa, em conduções coletivas. Nunca tiveram a possibilidade de escolher livremente um representante verdadeiro.

Há necessidade de adular os poderosos (para comprar fiado; para não ver filhos sem escola elementar; para conseguir um documento, uma influência, um cargo). Os manda-chuvas "servem" ao povo com um paternalismo triunfante e orquestram os seus dons - mínimos, atrasados, com frequência fraudulentos. Há clima de terror, e o fatalismo passivo do povo que sabe que "sempre foi assim" ("polícia é assim mesmo"), ou aquela falta de liberdade para se expressar, para prescindir, para reclamar. Tudo isto faz da política local destas regiões uma opressão estabelecida e legal.

Barra do Garças está nas mãos de um clã de famílias, desde a fundação do município, que controlam amplamente a Administração, o Cartório, o Ensino e a Polícia locais. O sr. Ladislau Cristino Cortes é prefeito de Barra do Garças pela terceira vez. Fazendeiro, proprietário de 8 fazendas, a sua política é declaradamente de apoio e cobertura ao latifúndio da região.

Mesmo com uma extensão de 121.936 km², e densidade demográfica só de 0,22, (IBGE, 1970) a arrecadação é extraordinária. Os distritos, porém, com seus diferentes povoados, vêm reclamando inutilmente uma atenção mínima. (Para um simples aterro do trecho alagadiço da entrada de S. Félix foi preciso escutar promessas durante anos).

A prefeitura de Luciara foi criada em 1963. A fraude e o terror mais notório vêm dominando a Administração Municipal. O primeiro prefeito foi o "velho Lúcio da Luz", fundador da cidade, e o segundo, Leonardo Barros, está ainda foragido, depois de subtrair a importância de Cr$ 80.000,00. Com respeito ao atual prefeito, sr. José Liton da Luz, para citar um caso mais diretamente vinculado com o problema latifúndio, veja-se o que escrevemos sobre Porto Alegre (Documentação, II, 2).

Nas duas prefeituras, a escolha de professores, a remoção e pagamentos, estiveram normalmente ao capricho dos políticos locais. E nos dois municípios, a Prelazia entrou em conflito, neste ramo, por tentar defender uma política de ensino, livre e desinteressada...

FALTA DE ASSISTÊNCIA BÁSICA

Os moradores da região, em condições de pura sobrevivência, submetidos às provas do clima tropical e desatendidos por parte das autoridades e dos organismos responsáveis, vivem numa falta habitual de assistência básica.

Dei já uma referência, em matéria de ensino, no que diz respeito à política local condicionante. Devo acrescentar que as irregularidades na nomeação e pagamento dos professores; na construção, manutenção e higiene das escolas; no fornecimento do material escolar mais rudimentar são muitas e constantes.

Grande porcentagem de crianças e rapazes da região não têm acesso às aulas. Há escolas com uma só professora ou duas, estando, os alunos de diferentes idades e graus, misturados. A prefeitura de Barra do Garças tem nomeado várias professoras conhecidas publicamente como prostitutas. O nível de preparação do professorado - fora os professores que a Missão conseguiu engajar é de 1º, 2º, 4º ano primários. Não há em toda região um só professor ou professora normalista. Geralmente é o povo ou a Prelazia que deve enfrentar a construção do prédio escolar. Faltam carteiras, cadernos, livros, quadro negro, giz. Os professores do Curso Primário recebem um ordenado de Cr$ 100,00 e 125,00, com atrasos de seis meses e até de ano inteiro. Os professores do Ginásio Estadual de São Félix - construído pela Prelazia - recebem Cr$120,00 por mês e com atraso superior a 4 meses.

A Irmã diretora do Grupo Escolar de São Félix teve que desafiar, este ano, a política caprichosa do Secretário Municipal de ensino de Barra do Garças para a própria sobrevivência do Grupo.

A saúde é um problema trágico em toda a região. Um problema sem solução para 80% dos moradores. Dentro dos 150.000 km² do território da Prelazia - e numa imensa área circundante imediata - só existe o Hospital do Índio, em Santa Isabel, em condições precaríssimas de atendimento, e com um só médico, intermitente. O Hospital é propriamente só para o índio. Por concessão, atende-se, dentro dessa precariedade, o pessoal não indígena, à base de Cr$ 30,00, a consulta e de Cr$ 45,00, a diária. Os dois únicos postos de saúde existentes foram criados e são mantidos pela Prelazia. Os abusos de alguns farmacêuticos "práticos" ou de curandeiros descarados que vendem medicamentos a preços exorbitantes ou amostras grátis, provocando endividamento estrangulador, são habituais e notórios.

Os chamados "farmacêuticos" de algumas fazendas, na maioria dos casos não passam de aventureiros e irresponsáveis. O divulgado Hospital da Codeara nem médico tem.

"A higiene é precária; há poucos conhecimentos relativos à saúde. Um grande prejuízo são as crendices e as superstições... O povo não tem noção do alto valor da saúde, e desconhece os meios de evitar a contaminação, não tem consciência da existência de germes e vermes e não teme os insetos que tem abrigo comum com a família.

"As crianças andam nuas e descalças até os 6 anos; depois adotam uma tanguinha. Arrastam-se pelo solo de terra batida, contaminada pelas excreções dos animais e das pessoas, expostas assim às variadas infecções e infestações.

"São comuns as conjuntivites que atingem todos os membros da família, assim como as gripes.

"A carne em geral, mesmo nos açougues fica exposta à poeira, às moscas e mosquitos, fora da geladeira. Quando chega à casa já vem meio deteriorada e contaminada. A carne seca fica dias e dias ao sol, suspensa nos quintais, sem qualquer proteção. Quando surgem os problemas intestinais, ninguém pensa nessas carnes ingeridas, já em início de putrefação e infeccionadas por muitos tipos de germes.

"A água retirada do poço ou do rio é colocada nos potes, sem torneirinha, sem qualquer tratamento. Aí ela fica fresquinha, mas é retirada com vasilhas já usadas, levadas pelas mãos, muitas vezes sujas, que mergulham com o copo e enriquecem a cultura dos germes dentro dos potes..."

"... Enfrentam a doença própria e alheia com grande sangue frio e a suportam como um mal contra o qual não vale a pena lutar. O mesmo se diga em relação à morte que eles "acolhem" como a chuva depois da seca. Nem mesmo o choro é comum. É um povo sofrido de verdade. Só mesmo quem testemunha pode falar e o faz com grande angústia, percebendo a vida infra-humana desta gente, que não tem consciência dos seus próprios direitos de pessoa humana. As crianças se apresentam com verminose e anemias; são pouco vivas, olhar parado e sem brilho, esclerótica amarela e mucosa descoradas; abdômen distendido, com intenso meteorismo..."

"... Os dentes ao nascer já se estragam e a segunda dentição tem o mesmo destino.

"Os adultos pouco esclarecidos vêem-se logo atacados pela malária, hepatite e pelas doenças venéreas..."

"... Falta assistência ao recém-nascido e à criança em geral. Há grande mortalidade (infantil) por tétano umbilical e infecções gastrointestinais, nos 4 primeiros anos. Falta assistência à gestante, à parturiente e à puérpera. A paciente dá à luz no seu próprio barraco em condições higiênicas as mais precárias, não dispondo de condições elementares e humanas para um atendimento condigno. Dá à luz rodeada dos demais filhos, de vizinhas e as vezes é assistida por uma "curiosa" que talvez complique mais a situação pelas crendices e superstições.

"Nos casos de fratura de membros, o paciente repousa até conseguir andar ou movimentar-se, sem ter a noção de uma redução e contenção provisoriamente até a imobilização definitiva. E daí a consequência de pessoas coxas e com membros defeituosos, defeitos aceitos passivamente e superados com uma coragem impressionante..."

"... São comuns entre o povo as seguintes doenças: Malária; hepatite infecciosa; úlcera de Bauru; desidratação aguda (adultos e crianças); verminoses de todos os tipos, principalmente ascaridíase, teníase, ancilostomíase, acarretando profundas anemias; afecções venéreas: blenorragia, cancro mole ("cavalo"), cancro duro, linfogranulomatose inguinal ("mula"), granuloma venéreo ("cavalo de cristal"); alguns casos de picadas de cobra, escorpião e aranha; tétano umbilical, geralmente letal; afecções dentárias, desnutrição". (Relatório sobre a Prelazia, da Ir. Maria de Fátima Gonçalves).

Devem-se acrescentar a essa lista do relatório, o reumatismo, as afecções respiratórias, a leishmaniose. A perda da vista é muito frequente.

A *habitação* "em geral é feita de barro cru, algumas de barro cozido, outras de pau-a-pique. A cobertura é de folhas secas de coqueiro. Agora há algumas olarias (rudimentares) onde se fazem tijolos e começam a surgir casas de tijolo e cimento, com cobertura de telhas... Essas casas não têm forro". As instalações sanitárias "são bastante precárias; em geral localizadas no fundo do quintal: fossa rente ao chão, base de madeira, sem qualquer cobertura, em local incômodo, sem porta; protegida por uma "cortina" de saco de estopa que se agita ao sopro do vento... e onde à noite se abrigam galinhas e muitos insetos roedores..."

"... Não há coleta de lixo. Quintais e ruas recebem o lixo que as pessoas menos cuidadosas não queimam. Não há mesmo o cuidado de coletar o lixo em latas. Em algumas pensões joga-se pela janela todo o tipo de lixo; os restos alimentares são rapidamente procurados e devorados pelos cães..." "... Galinhas, cães e porcos frequentam os mesmos aposentos e muitas vezes usam as mesmas vasilhas (que as pessoas)". "Os ambientes são infestados de moscas, mosquitos, baratas, e ratos. As fossas sobretudo, são verdadeiros viveiros de enormes baratas, afugentadas à noite pela chama de uma vela, ou lampião, dando um espetáculo, às vezes até dramático, quando a pessoa não está acostumada e é surpreendida por esta fuga das baratas que buscam aflitas o interior da fossa..." (Relatório sobre a Prelazia, Irmã Mª de Fátima Gonçalves.

"A alimentação básica é o feijão, arroz, carne, farinha (de mandioca), peixe, banha. Nota-se grande ausência de frutas, verduras, leite. O leite de vaca existe no início do inverno (chuvas), quando há pastos em abundância. Na seca desaparece o pasto; e no inverno fica tudo alagado e as estradas são intransitáveis. Não (se) comem verduras em abundância, devido às dificuldades de cultivo (pragas, época da seca, falta de adubo...) e também preguiça e ao preconceito: "Verdura é comida de lagarta", "Capim é para boi".

"No tempo da seca as frutas desaparecem quase por completo.

"Expressões, como esta denunciam a carência alimentar: "Comemos macarrão uma vez por ano". As refeições normais do sertanejo são três: café, almoço e janta. Os de mais recurso tomam café com pão. A maioria é café com "isca" (alguma mistura) ou "Bolo de sopapo" (bolo de farinha). Muitos só café "magro", sem "isca". E isto foi constatado entre os alunos do ginásio. Muitos vêm à aula sem tomar nada de manhã..." "...A merenda não é adotada pelos mais pobres como denota esta frase: "Merenda só na época das vacas gordas". Esta fome crônica, como dizia Josué de Castro, mata mais que as guerras. Um povo sub-alimentado é presa fácil das doenças, pois não há resistência para elas num organismo debilitado. Eu garanto que se houvesse higiene e boa alimentação, 80% das doenças desapareceriam nestes sertões..." ("Pesquisa Sociológica" citada).

Não há serviço normal de correio em toda a região da Prelazia. E as estradas de terra alagam perigosamente na época das chuvas, ou são materialmente intransitáveis. Nenhuma cidade possui luz elétrica (exceto Luciara, umas três horas por noite), nem esgotos, nem água encanada, nem ruas sequer encascalhadas...

Há dois ônibus por semana - a partir de outubro, 3 - de Barra do Garças a São Félix: dia e meio de viagem, e um ônibus semanal de Barra a Luciara. A VASP - com aparelhos primitivos - serve a região em dois vôos semanais, ida e volta. O Araguaia e o Rio das Mortes são transitados por barcos, lanchas ("voadeira") e canoas. Existe o serviço extraordinário dos teco-tecos (a Cr$ 1.200,00 de São Félix a Goiânia). A FAB presta vários serviços de emergência.

O COMÉRCIO facilmente é trust, também nesta região. E coincide com o poder dominante da política e das fazendas, em interesses combinados. As distâncias e os fretes "justificam" os mais exorbitantes abusos. Não há nenhum controle fiscal. O preço é geralmente 50% superior ao normal.

MÁ DISTRIBUIÇÃO ADMINISTRATIVA

A própria extensão dos municípios já é uma estrutura de desequilíbrio social. A distância da sede do Município traz consigo o máximo desinteresse e esquecimento por parte das autoridades, a impossibilidade de recurso e protesto por parte do povo. (Barra está a quase 700 km de São Félix).

Há um só Juiz de Direito em toda a região e passamos até um ano sem Juiz. São Félix ainda não é município e certos meios interesseiros querem impedir sua emancipação.

A polícia local-frequentemente mandada para cá por castigo, vende-se com extrema facilidade aos poderosos do comércio ou das fazendas, usa e abusa do seu poder onipotente nos povoados, espanca e xinga e patrocina as imoralidades dos prostíbulos, as "deflorações "e outras irregularidades públicas11(Documentação, n.º V).

---

11 Um último fato, ocorrido em 27 de setembro de 1971, veio provocar a indignação do povo de São Félix. Estupidamente, a polícia baleou um pai de família, matando-o. O povo decidiu reunir-se para estudar o caso, no que teve o apoio do Padre José Maria Garcia. Os policiais, ao saberem da realização da reunião, na qual se decidiu apelar

Outro gravíssimo pecado administrativo - que atinge mesmo os órgãos federais da Administração agrária - é a descontrolada queima de terras, o emprego das melhores áreas de lavoura para pasto do gado do latifúndio e a total falta de assistência técnico-agrícola aos camponeses da região, que continuam plantando com os recursos e os sistemas mais primitivos.

As autoridades estaduais e federais só visam os grandes empreendimentos latifundiários da região, que já foram visitados em festas, encontros e inaugurações. Nunca nenhuma delas pisou o solo destas vilas e patrimônios, excetuada a Polícia Federal, em casos de emergência. Algum candidato a deputado apareceu na hora de pedir votos ...

Falei da passividade do povo, do seu fatalismo. Ele sabe, por uma longa e dolorosa experiência, que não tem voz para se fazer ouvir. Excepcionalmente - depois de anos de escravidão - um peão arriscado poderá provocar uma intervenção da Polícia Federal, na Codeara, por exemplo, ou a intervenção, ambígua demais, da oficialidade de Barra do Garças.

Os padres, por um triste clericalismo, sempre mais ou menos beneficente, faltando outras saídas mais legítimas, resolvem agora ou tentam resolver muitos casos de gritante injustiça, prestando voz e letra aos que não têm. Sempre sabendo que uma decisão legal significará meses, anos de espera exasperante, de conflitos, de espoliações inqualificáveis, e talvez de sangue, como vem acontecendo no regime de escravidão das Fazendas, na bagunçada atuação da Polícia local, e em vários atritos fazendeiros/posseiros (como os da Frenova /Porto Alegre, Bordon/Serra Nova, Ariosto/Pontinópolis ...)

NOSSA ATUAÇÃO

A Prelazia conta com 7 sacerdotes. O Bispo e quatro padres são espanhóis e Claretianos. Um deles ordenado na própria sede da Prelazia, no dia 7 de agosto deste ano. O novo ordenado e um companheiro, por motivos de estudo e de assistência à própria Prelazia,

---

para a Polícia Federal, ameaçaram matar o Padre e alguns outros elementos que se sobressaíram nesta reunião. O Padre e estes elementos tiveram que se refugiar junto ao destacamento da FAB, em Santa Isabel. Aguarda-se para breve a intervenção da Polícia Federal, segundo promessas feitas em Brasília diretamente ao Pe. José Maria, escolhido pelo povo para representá-lo diante das autoridades.

dirigem provisoriamente uma paróquia em Goiânia. O Bispo e os outros dois padres residem em São Félix.

Dois padres, franceses, do clero diocesano, pertencentes à antiga Prelazia de Conceição do Araguaia, vincularam-se à Prelazia de São Félix, com motivo da ereção da mesma, e residem em Santa Terezinha, faz dezesseis e cinco anos, respectivamente.

Um dado para não esquecer: o Bispo e os padres somos todos estrangeiros.

Na aldeia dos índios Tapirapé vivem - faz dezessete anos - três Irmãzinhas de Jesus, plenamente encarnadas na pobreza e na simplicidade agrícola dos Tapirapé; sendo testemunho e fermento de Evangelho. Além da total convivência, as Irmãzinhas prestam aos índios um discreto serviço de assistência sanitária e de enfermagem e de promoção pelo exemplo e diálogo.

No dia 16 de fevereiro de 1971, chegaram a São Félix, para trabalhar na Prelazia, cinco religiosas de São José; e em 18 de junho último incorporou-se à comunidade outra irmã. Elas se dedicaram à catequese, enfermagem, ensino e promoção humana em geral. Todas elas são brasileiras.

Uma Irmãzinha de Jesus, brasileira também, "em experiência de apostolado direto", colabora nas campanhas missionárias.

Tanto em São Félix, como em Santa Terezinha trabalham, vinculados à Prelazia, leigos brasileiros: No ensino "ginásio, primário e alfabetização", nas Campanhas Missionárias, na catequese e na promoção humana. Em São Félix, este ano, leigos "universitários" são cinco. Em Santa Terezinha são cinco também: um casal, três rapazes.

No primeiro período de nossa chegada à missão, percorremos quase todo o território, em repetidas viagens e visitas, por água com muita frequência. Sertão, beiras dos rios e povoados. Com as extraordinárias despesas que essas viagens significam. Era continuar, talvez com uma evangelização mais esclarecedora, as tradicionais desobrigas...

Assistíamos alguns povoados e algumas fazendas, com certa regularidade, todo mês.

Em 1970, interrompemos quase todas essas viagens. Por exigências do ginásio e pelo próprio descontentamento de um serviço que era rotineiro, ineficaz e até alienante. Independente das possibilidades que nos deu de conhecermos a região.

Nesse ano, estourou o conflito aberto entre a Prelazia - Igreja, devemos dizer - e as fazendas latifundiárias, que se materializou, no mês de setembro, com o relatório "Feudalismo e Escravidão no Norte do Mato Grosso" (cf. Documentação, nº IV, 1). Não era possível ir às fazendas sem coonestar exteriormente a conduta dos donos, gerentes e capatazes. Nem era possível agir com liberdade. Os peões por outra parte, nunca poderiam ser atingidos pelo padre.

Além disso, era preciso refletir, reformular a pastoral toda. Sentíamos o impasse da situação religioso-pastoral do nosso povo. Faltava tudo: em saúde, em ensino, em comunicações, em administração e em justiça. Faltava no povo a consciência dos próprios direitos humanos e coragem e a possibilidade de os reclamar. E o que não faltava era gritante, acusador.

Contra os nossos primeiros propósitos - fruto da velha experiência educacional da Igreja, fruto da própria experiência pessoal - decidimos enfrentar o problema do ensino: e construímos o "Ginásio Estadual Araguaia", de São Félix. Pago, em oitenta por cento (80%) da importância, com donativos dos nossos amigos da Espanha, e sem nenhuma contribuição oficial da Prefeitura, do Estado ou do Governo Federal. Foi uma aventura quixotesca, necessária porém. (As poucas famílias que antes pretendiam pôr os filhos no ensino médio, deviam mandá-los a Barra do Garças ou a Goiás. E as forças novas da juventude se distanciavam da família e do lugar, provavelmente para não voltar jamais. E toda a renovação humano-social precisaria tanto dessa juventude, mais maleável, mais aberta e crítica!). O Ginásio é Estadual: não queríamos que fosse nem da Prelazia nem de uma Congregação. Com muitas demoras e irregularidades, o Estado paga os professores bem pobremente. Funcionavam no ginásio as três primeiras séries. Por motivos de suplência inicial, um padre teve que aceitar a diretoria e uma irmã é secretária.

Depois de cooperarmos, com pressões e suplências, ao ensino primário de toda a região, este ano uma irmã é diretora do Grupo Escolar de São Félix; e a equipe de Santa Terezinha leva totalmente - "economia, material e professorado" - um Grupo Primário particular, e um Curso de Madureza Ginasial Noturno, vencendo as manobras da Prefeitura de Luciara.

Uma irmã enfermeira e outra auxiliar dirigem, a partir do mês de março deste ano, o ambulatório, criado e financiado pela Prelazia de São Félix. Ultimamente recebemos a promessa de uma ajuda econômica da Secretaria de Saúde Estadual de Cuiabá. No primeiro semestre de atuação o ambulatório atendeu 1995 casos. Em Santa Terezinha trabalha há quatro anos, no pequeno ambulatório da missão, uma enfermeira francesa, leiga, (este ano em férias, na França, e ajudada por uma moça do lugar, auxiliar de enfermagem). A partir de julho toma conta do ambulatório um laboratorista. Desde o início da missão - antes mesmo de ser criada a Prelazia - temos dado grande quantidade de remédios gratuitos, com mais ou menos paternalismo, por necessidade vital, na impossibilidade de fazer outra coisa, às vezes.

Na *liturgia e na catequese* agimos sempre com bastante liberdade, no intuito de adaptarmos ao povo e de traduzir para ele o culto oficial e a palavra tradicional. Demos sempre particular importância, na missa, à Liturgia da Palavra. Celebramos missas com "Liturgias das palavras" preparatórias, tidas no dia anterior. Missas por grupo. "Missas de rua": nos barracões abertos, em âmbito de bairro ou de vizinhança.

Na *Pastoral dos Sacramentos*, depois de ter que "aguentar", nos primeiros meses, os batizados em massa e sem preparação, e os casamentos de gente muito nova e improvisadamente, viemos a exigir preparação e certas condições indispensáveis para os pais e padrinhos dos batizandos, e para os noivos - dos quais exigimos também o casamento civil. Atrasamos a idade para a Primeira Eucaristia e preparamos os candidatos durante tempo prolongado. Nestes três anos de missão, ainda não houve administração de Crisma. Achamos que o povo não está preparado, e queremos que este ato seja precedido de um autêntico catecumenato a posteriori, para possibilitar com isto um compromisso cristão adulto.

No intuito sério de superar a pastoral das desobrigas, iniciamos este ano as *"Campanhas Missionárias"*. Realizamos já a primeira em Pontinópolis, e estamos realizando a segunda em Serra Nova.

A Campanha Missionária é um "tempo forte" de pastoral - três meses - num lugar, e com trabalho em equipe - Padre, Irmãs e Leigo. A equipe missionária se instala numa casa do povo, e procura compartilhar, simplesmente, a vida do lugar, em tudo. Durante a campanha se dão aulas de alfabetização ou Círculos de Cultura; aulas de complementação para adultos e crianças. Acompanha-se e complementa-se o trabalho das professoras locais. Dá-se assistência de enfermagem e se promove uma ação permanente por todos os meios e em toda ocasião de higiene e saúde. Faz-se uma ação intensa de conscientização. E se tem palestras por grupo, sobre os temas vitais do povo do lugar. Três vezes por semana se celebra a eucaristia, em termos bem acessíveis, e com uma temática apropriada na liturgia da palavra e nas orações. Preparam-se os sacramentos do batismo, da penitência, da eucaristia e do matrimônio, com especial dedicação. Com o povo enfrentam-se os problemas e os riscos - às vezes graves - dos direitos dos posseiros frente ao latifúndio (cf. Documentação, nº II, 3. A, B). E tenta-se assentar a vida dos patrimônios numa organização popular básica, humana. Criam-se ou os "Conselhos de Vizinhança" - autoridade popular de uma equipe livremente eleita (que em Pontinópolis, junto com o povo, elaborou a "Lei do Posseiro") (Documentação nº VI) - ou os "Grupos de Liderança". Finalmente organiza-se a "Oração Comunitária dos Domingos", que um grupo do próprio povo dirigirá toda semana, com assistência mensal de algum membro da equipe da Campanha. (Futuramente, nasceriam aí uma "comunidade de base" e umas diaconias locais e, talvez, um sacerdote "indígena...").

Mesmo assim sentimos que a *liturgia e a pastoral toda* - aqui como em outras partes, certamente - se ressentem de *desencarnação, de intelectualismo, de conteúdo e ritmo urbanos* e de um *europeísmo dominante*. Na própria estruturação, na formação que nos condiciona, no "preconceito tradicionalista do povo" e na falta eclesial de corajosa criatividade.

Não podemos aceitar a dicotomia entre evangelização e promoção humana, porque acreditamos no Cristo, como o Senhor Ressuscitado que liberta o homem todo e o mundo todo e nos salva em plenitude: progressivamente e dolorosamente aqui na terra, definitivamente e com glória no céu. "Cristo veio ao mundo para libertar o homem de toda escravidão. A comunidade cristã, deve ser para todos os homens um sinal eficaz na realização da justiça, na libertação de toda forma de escravidão e na esperança para cada uma das gerações" (Esquema "A Justiça no Mundo", Synodus Episcoporum, 6).

Para nós, evangelizar é promover o homem concreto - o próximo - e libertá-lo, sempre com aquele "plus" que a encarnação e a Páscoa trazem à pessoa e à história humanas.

Por causa disso, bem ou mal, com tateios e em conflitos, sempre temos enfrentado a defesa dos direitos humanos e a promoção do povo ao qual fomos enviados. Nas campanhas higiênicas; no ensino - alfabetização em São Félix, em Santa Terezinha e nas Campanhas Missionárias; nos cursos primários e no ginásio; na problemática agrária (posseiros, peões), e frente a outras opressões políticas comerciais e policiais.

Isto supôs muitas viagens, gastos notáveis – donativos dos amigos da Espanha ou da França, relatórios, cartas (cf. Documentação II, 1; II, 3; II; IV,1) ameaças concretas, prolongadas, e até mais de quatro anos de tensão em Santa Terezinha. E um conflito declarado da Prelazia com os latifundiários e com outros poderosos, e também com algum setor eclesiástico que não compartilha a nossa atitude e deve favores aos grandes...

A última acusação, "definitiva"- bem pouco original - que ganhamos por parte dos grupos latifundiários e dos núcleos políticos e de controle econômico da região, fazia de nós todos "subversivos" e "comunistas". E "estrangeiros!"

Os dois primeiros qualificativos da acusação não merecem uma resposta séria, por excessivamente gratuitos e gastos.

Estrangeiros somos, certamente, o Bispo e os padres. Talvez, porém, bastante mais dedicados ao bem do Brasil do que nossos acusadores. E mais desinteressadamente. Além de que não há homem estrangeiro na terra dos homens, e a Igreja no mundo é em todo lugar nossa pátria.

Depois de vários meses de boatos e calúnias, de ameaças de prisão, de morte, de "descida" da polícia federal e do exército, com prognósticos sucessivamente datados depois de várias tentativas de convencer-nos ou de intimidar-nos por meio de mensageiros pessoais, na primeira semana do mês de setembro último, o Sr. Ariosto da Riva - pai e mentor de latifundiários - acompanhado de um sacerdote religioso, se apresentou ao Senhor Núncio, no Rio, para tentar impedir a minha sagração... [12]

---

12 Ao termos acesso aos documentos do Arquivo Nacional somente no ano 2020, encontramos documentos que informam que o empresário que procurou o Núncio foi o sr. José A. Ribeiro Leme, diretor-Superintendente da Bordon, como registramos à página 52. Ao redigir a Carta Pastoral o bispo Pedro fora informado deque a Nunciatura havia sido procurada por um fazendeiro o que fez supor tratar-se de Ariosto da Riva que era o mais influente e que tinha uma maior relação com o padre Sbardelotto. Nota do autor.

O GRITO DESTA IGREJA

A Igreja é, por natureza, tão católica como local. "A fim de poder oferecer a todos o mistério da salvação e a vida trazida por Deus, a Igreja deve inserir-se em todos esses agrupamentos (humanos), impelida pelo mesmo movimento que levou o próprio Cristo, na encarnação, a sujeitar-se às condições sociais e culturais dos homens com quem conviveu". (Ad Gentes, 10). Cristo continua se encarnando, por ela e com Ela, no mundo concreto dos homens de cada tempo, de cada lugar. Deus ama em singular e com eficácia. A Salvação faz-se presente no dia a dia e atinge o homem real, principalmente por meio de sua Igreja - "sacramento universal de salvação" (Id. 1) - na medida em que esta se aproxima do homem com seu testemunho, com a Palavra "traduzida" e com os Sacramentos vivenciados - e o convida e provoca nele - pela força do Espírito que sempre está pronto para agir - a resposta da Fé que transforma e liberta.

Nós - bispo, padres, irmãs, leigos engajados - estamos aqui, entre o Araguaia e o Xingu, neste mundo, real e concreto, marginalizado e acusador, que acabo de apresentar sumariamente. E somos aqui a Igreja "visível" e "reconhecida". Ou possibilitamos a encarnação salvadora de Cristo neste meio, ao qual fomos enviados, ou negamos nossa Fé, nos envergonhamos do Evangelho e traímos os direitos e a esperança agônica de um povo de gente que é também povo de Deus: os sertanejos, os posseiros, os peões; este pedaço brasileiro da Amazônia.

Porque estamos aqui, aqui devemos comprometer-nos. Claramente. Até o fim. (Somente há uma prova sincera, definitiva, do amor, segundo a palavra e o exemplo do Cristo). Eu, como bispo, nesta hora de minha sagração recebo como dirigidas a mim as palavras de Paulo a Timóteo: "Não te envergonhes do testemunho de Nosso Senhor, nem de mim, seu prisioneiro, mas sofre comigo pelo Evangelho, fortificado pelo poder de Deus" (II Tim 1,8).

Não queremos bancar heróis, nem originais. Nem pretendemos dar lição a ninguém. Pedimos só a compreensão comprometida dos que compartilham conosco uma mesma Esperança.

Olhamos com bastante amor a terra e os homens da Prelazia. Nada dessa terra ou desses homens nos é indiferente. Denunciamos fatos vividos e documentados. Quem achar infantil, distorcida, imprudente, agressiva, dramatizante, publicitária, a nossa atitude, entre na sua consciência e leia com simplicidade o Evangelho; e venha morar aqui, neste sertão, três anos, com um mínimo de sensibilidade humana e de responsabilidade pastoral.

O Vaticano II, Medellín, o Sínodo; a voz das Conferências Episcopais do Terceiro Mundo; o Evangelho - antes e sempre -, não só coonestam como também reclamam essa ação abertamente comprometida. Já passou a hora das palavras (não certamente a hora da Palavra), das conivências e das esperas conciliadoras. (Será que alguma vez foi essa hora?). "Quem não está comigo, está contra mim; quem não recolhe comigo, espalha" (Lc 11, 23). "Não basta refletir, obter maior clareza e falar. É preciso agir. Esta não deixou de ser a hora da palavra, mas tornou-se, com dramática urgência, a hora da ação." (Medellín, introdução).

Queremos e devemos apoiar o nosso povo, pôr-nos ao seu lado, sofrer com ele e com ele agir. Apelamos à sua dignidade de filhos de Deus e ao seu poder de teimosia e de Esperança.

Chamamos angustiosamente a toda a Igreja do Brasil, à qual pertencemos. Pedimos, exigimos fraternalmente, sua decisão, e a corresponsabilidade plena na oração, no testemunho, no compromisso, na colaboração de agentes e meios de pastoral. (Na mente de quase todos os que ainda lutam desinteressadamente, somente a Igreja parece ter uma possibilidade decisiva nesta hora). Da CNBB - na qual agora mais confiamos - pedimos o cumprimento, pronto e eficaz, de um programa decididamente realista no compromisso que ela publicamente assumiu sobre a Amazônia, com caráter de prioridade.

Aos "católicos" latifundiários que escravizam o povo de nossa região - eles mesmos alienados, muitas vezes pela conivência interessada ou cômoda de certos elementos eclesiásticos - pediríamos, se nos quisessem ouvir, um simples pronunciamento entre sua Fé e o seu egoísmo. "Não se pode servir a dois Senhores" (Mt 6, 24). Não lhes adiantará "dar Cursilhos" em São Paulo ou patrocinar o "Natal do pobre" e entregar esmolas para as "Missões", se fecham os olhos e o coração para os peões escravizados ou mortos nas suas fazendas e para as famílias de posseiros que os seus latifundiários deslocam num êxodo eterno ou cercam sadicamente fora da terra necessária para viver. Leiam o Evangelho, leiam a primeira carta de São João e a carta de São Tiago...

É fácil, com muito dinheiro, encobrir com páginas inteiras de jornais, a verdade dos fatos, a realidade. Deus vê. E o povo sabe cada dia mais o que sofre, e não esquece.

Mais uma vez, com maior premência, publicamente, apelamos às supremas Autoridades Federais - Presidência da República, Ministérios da Justiça, do Interior, da Agricultura, do Trabalho, INCRA, FUNAI...[13] - para que escutem o clamor abafado deste povo; para que subordinem os interesses dos particulares ao bem comum, a "política da pata do boi" à política do homem, os grandes empreendimentos - sempre mais publicitários - das estradas, ocupação da Amazônia, a Mesopotâmia do gado", a mal chamada "integração nacional do índio"[14]_às necessidades concretas e aos direitos primordiais, anteriores, do homem nordestino, do retirante sem futuro, do homem da Amazônia, do índio, do posseiro, do peão...

Se os incentivos dados - e com que fiscalização? - às oligarquias e trustes do Sul do país que "ocuparam" esta região, tivessem sido investidos em favor do povo que a desbravou e a habita, a situação conflitiva que "revelamos" aos ingênuos ou interesseiros estaria voltada para um futuro de esperança e desenvolvimento "do homem todo e de todos os homens" deste interior.

As soluções isoladas não resolvem os problemas gerais. E a esmola nunca é solução em sociologia. O conflito Codeara/Santa Terezinha, por exemplo, depois de 4 anos de titânicos esforços por parte do povo e da "Missão", tentou-se resolver com uma esmola de 5.582 hectares, para o povo dos posseiros, dentro de um latifúndio de mais de 196.000 hectares, e continuando toda a zona urbana do povoado em poder da Companhia.

O que vivemos nos deu a evidência da iniquidade do latifúndio capitalista, como pré-estrutura social radicalmente injusta; e nos confirmou na clara opção de repudiá-lo.

Sentimos, por consciência, que também nós devemos cooperar para a desmitificação da propriedade privada. E que devemos

---

13 À SUDAM, infelizmente, não podemos apelar, pois até o momento mostrou-se exclusivamente a serviço do latifundiário.

14 Somos os primeiros a reconhecer a necessidade das estradas, do desenvolvimento da Amazônia, e da verdadeira integração do índio. Sabemos, também, valorizar, em termos nacionais e internacionais, a pecuária. O que não podemos admitir é a inversão dos valores.

urgir - com tantos outros homens sensibilizados – uma Reforma Agrária justa, radical, sociologicamente inspirada e realizada tecnicamente, sem demoras exasperantes, sem intoleráveis camuflagens. "Cristo quer que os bens e a terra tenham uma função social, e nenhum homem tem direito a possuir mais que o necessário, quando existem outros que nem sequer tem o necessário para viver. Por isso o Papa Paulo VI, disse: "A propriedade não é um direito absoluto e inalienável" (Populorum Progressio)" (José Manuel Santos Ascarza, Bispo de Valdivia, Presidente da Conferência Episcopal do Chile, em carta à Organização dos Camponeses de Linares, em 19/5/70).

A injustiça tem um nome nesta terra: o Latifúndio. E o único nome certo do Desenvolvimento aqui é a Reforma Agrária. (E segundo Paulo VI, na "Populorum Progressio", "o Desenvolvimento é o novo nome da paz"...).

Esperamos que nenhum cristão com vergonha caia no cinismo de qualificar este documento como subversivo. Nos reportamos, mais uma vez, ao Evangelho. E também ao Vaticano II, a Medellín e ao último Sínodo. "O testemunho (função profética) da Igreja frente ao mundo, terá bem pouca ou nenhuma validade se não der, ao mesmo tempo, a prova de sua eficácia no seu compromisso pela libertação dos homens mesmo neste mundo. Por outra parte, a Igreja poderá fazer os maiores esforços para defender a verdade de sua mensagem, mas se ela não a identificar com um amor comprometido na ação, esta mensagem cristã corre o risco de não mais oferecer ao homem de hoje nenhum sinal de credibilidade" (Esquema "A Justiça no Mundo", Synodus Episcoporum, pág. 46).

Estas páginas são simplesmente o grito de uma Igreja da Amazônia - a Prelazia de São Félix, no nordeste de Mato Grosso - em conflito com o Latifúndio e sob a marginalização social, institucionalizada de fato.

Não deixamos de ver o que é belo na natureza ou no progresso da Amazônia, nem subestimamos o que o Governo do Brasil ou os particulares fazem de bom nesta região infinita. Há poesia e publicidade em abundância para cantar tudo isso. O que nesta nossa Amazônia é trágico, o que nela se faz erradamente, ou se omite, o que já não se pode mais tolerar, isso é que nós - por dever pastoral e por solidariedade humana - devíamos publicar. Dizer a verdade é um serviço. E o propósito de dizer a verdade nos faz livres.

Nossa amargura não é falta de Esperança. (Só a alienação ou o egoísmo podem viver comodamente felizes - no meio da injustiça estabelecida). Sabemos de Quem nos fiamos (II Tim. 1, 12). Sabemos que "lá onde o pecado ameaça a libertação e a humanização da vida, Deus nos envia seu Filho Único com o fim de libertar o coração humano do egoísmo e do orgulho" e que "é precisamente aqui, na encarnação, onde se encontra o fundamento máximo da esperança para o homem e seu universo". "... É no seu Espírito e na sua Igreja que Ele (o Cristo) oferece aos homens esta luz de que precisam, esta confirmação dos valores humanos de dignidade e fraternidade, esta coragem para praticar a justiça e sofrer os sacrifícios de sua realização." E ainda mais, sabemos que "a justiça que os homens realizam neste mundo chega a ser uma antecipação da esperança final" (Esquema "A Justiça no Mundo", 56 e 57).

Pedro Casaldáliga, bispo
S. Félix, 10 de outubro de 1971

SOBRE O LIVRO
Formato: 16 x 22,5 cm
Mancha Gráfica: 11,5 x19 cm
Tipologia: Minion Pro, Schadow BT
Miolo: Papel Pólen Soft 80 g/m²
Capa: Papel Cartão Supremo 250 g/m²

USO DE IMAGENS:
Na obra, o uso das imagens foi devidamente autorizado pelos detentores dos direitos autorais, estando os documentos autorizatórios arquivados na Editora da Pontifícia Universidade Católica de Goiás.

O texto confere com o original,
sob responsabilidade do autor.

Publicação elaborada pela Editora da Pontifícia Universidade Católica de Goiás em coedição com a Paulinas Editora, e impressa na Divisão Gráfica e Editorial da Pontifícia Universidade Católica de Goiás

Rua Colônia, Qd. 240C, Lt. 26-29, Chác. C2, Jardim Novo Mundo
CEP 74.713 – 200 | Goiânia, Goiás, Brasil
Coordenação +55.62.3946.1816 | Secretaria +55.62.3946.1814
http://www.pucgoias.edu.br/editora